BUR

Della stessa autrice in BUR

L'altro Islam
America anno zero
Chador
Figlie dell'Islam
I miei giorni a Baghdad
Streghe

Lilli Gruber

Eredità

Una storia della mia famiglia
tra l'Impero e il fascismo

BUR

ISBN 978-88-17-07670-8

Prima edizione Rizzoli 2012
Prima edizione bestBUR settembre 2014

Le cartine sono di Davide F. Jabès

Realizzazione editoriale: Studio Editoriale Littera, Rescaldina (MI)

Eredità

Una nota, prima di cominciare

La scrittura di questo libro ha richiesto oltre due anni di lavoro di documentazione. Gli eventi storici narrati sono realmente accaduti, i personaggi sono esistiti. Alcune parti della trama, situazioni e dialoghi, sono però opera di fantasia. Basandomi rigorosamente sulle informazioni fornite dalla mia famiglia, sulle lettere e il diario e le testimonianze scritte, su libri di storia locale e documenti d'archivio, ho ricostruito alcune circostanze in modo narrativo.

Un'avvertenza sui toponimi. Quando comincia questa storia, il Sudtirolo fa parte da sempre dell'Impero austroungarico e tutti i suoi luoghi hanno nomi tedeschi. Quando diventa italiano, cambiano lingua. Non volevo però costringere il lettore a ricordare due nomi per ogni borgo, lago e vallata, o sostituirli a metà del libro, e ho scelto di usare i toponimi italiani noti a tutti. Con un'eccezione. I luoghi della storia familiare saranno menzionati in tedesco, a partire dal cuore del racconto, il paese della mia bisnonna: Pinzon e non Pinzano, così come Entiklar e non Niclara, Kurtatsch e non Cortaccia e così via. È una manciata di piccoli nomi, che nella grande Storia non contano molto ma che i protagonisti hanno conosciuto e amato in tedesco. È un omaggio a Rosa, che come tanti non si è mai sentita italiana.

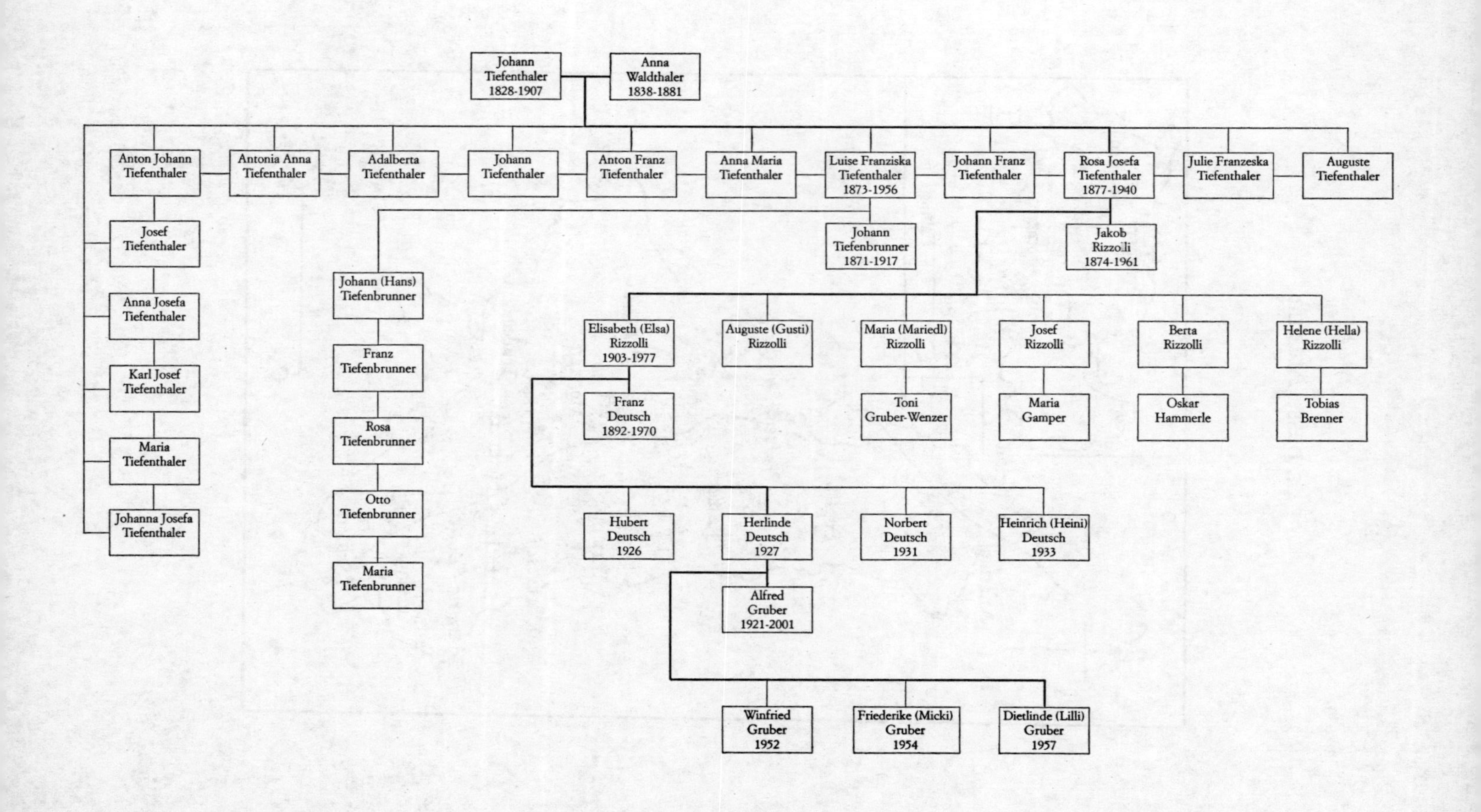
Johann Tiefenthaler 1828-1907
Anna Waldthaler 1838-1881
Anton Johann Tiefenthaler
Antonia Anna Tiefenthaler
Adalberta Tiefenthaler
Johann Tiefenthaler
Anton Franz Tiefenthaler
Anna Maria Tiefenthaler
Luise Franziska Tiefenthaler 1873-1956
Johann Franz Tiefenthaler
Rosa Josefa Tiefenthaler 1877-1940
Julie Franzeska Tiefenthaler
Auguste Tiefenthaler
Josef Tiefenthaler
Anna Josefa Tiefenthaler
Karl Josef Tiefenthaler
Maria Tiefenthaler
Johanna Josefa Tiefenthaler
Johann Tiefenbrunner 1871-1917
Jakob Rizzolli 1874-1961
Johann (Hans) Tiefenbrunner
Franz Tiefenbrunner
Rosa Tiefenbrunner
Otto Tiefenbrunner
Maria Tiefenbrunner
Elisabeth (Elsa) Rizzolli 1903-1977
Auguste (Gusti) Rizzolli
Maria (Mariedl) Rizzolli
Josef Rizzolli
Berta Rizzolli
Helene (Hella) Rizzolli
Franz Deutsch 1892-1970
Toni Gruber-Wenzer
Maria Gamper
Oskar Hammerle
Tobias Brenner
Hubert Deutsch 1926
Herlinde Deutsch 1927
Norbert Deutsch 1931
Heinrich (Heini) Deutsch 1933
Alfred Gruber 1921-2001
Winfried Gruber 1952
Friederike (Micki) Gruber 1954
Dietlinde (Lilli) Gruber 1957

La Bassa Atesina

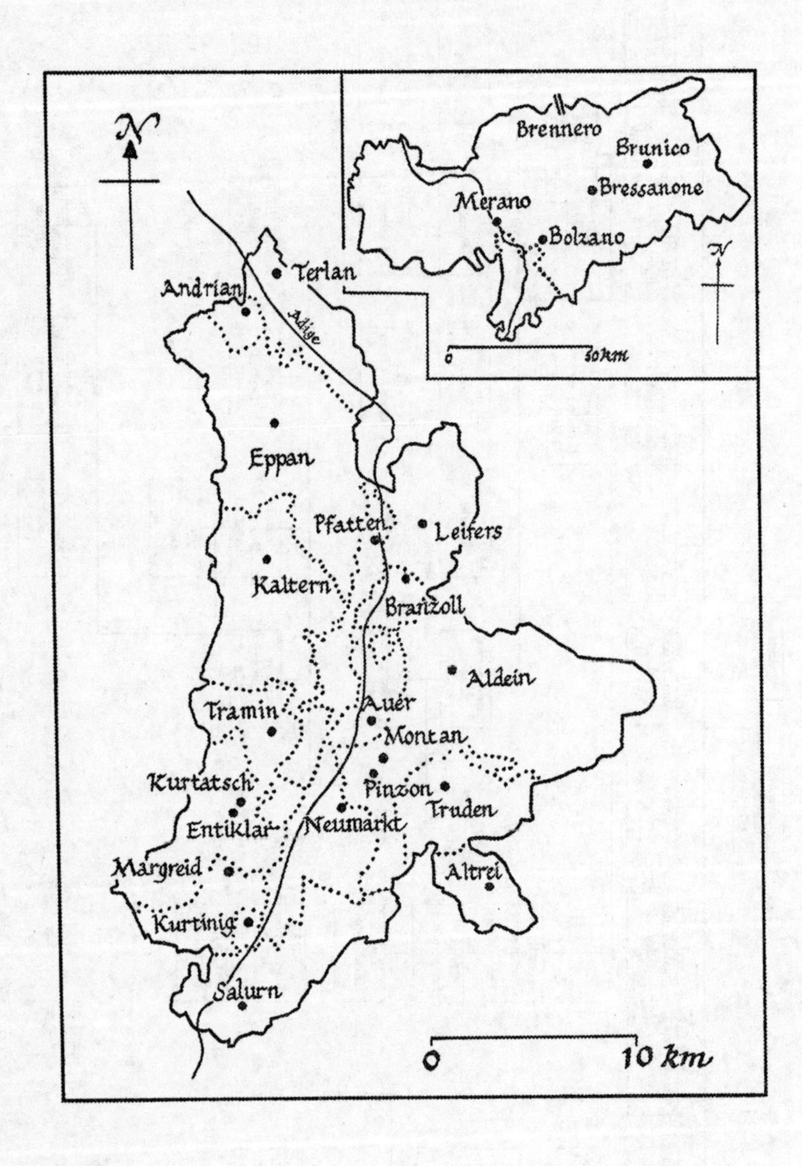

Alla mia famiglia
di donne splendide e uomini speciali:
Herlinde e Micki, Alfred e Winfried.
You are *so nice to come home to.*

Dreifach ist der Schritt der Zeit:
zögernd kommt die Zukunft hergezogen,
pfeilschnell ist das Jetzt entflohen,
ewig still, steht die Vergangenheit.

Triplice è il passo del tempo:
esitante s'avvicina il futuro,
il presente s'invola come saetta,
eternamente muto ristà il passato.

L'esergo del diario di Rosa Tiefenthaler,
cit. da Johann Christoph Friedrich Schiller,
Poesie filosofiche: Detti di Confucio, I, vv. 1-4

La lacerazione

Rosa ha il cuore pesante. Seduta nel salone della sua grande casa, fissa le pareti rivestite di legno. La catastrofe infine è accaduta.

Con la schiena dritta nel vestito grigio a collo alto, apre sullo scrittoio il diario rivestito di pelle marrone a cui confida i suoi pensieri. Prende una penna e la intinge nell'inchiostro nero. Il suo antico corsivo tedesco è una calligrafia regolare, leggermente inclinata. Comincia a raccontare un nuovo episodio della sua storia, a discendenti che non incontrerà mai.

Innanzitutto annota il luogo in cui si trova, «Pinzon». Non ha mai lasciato, se non per brevi viaggi, questo minuscolo villaggio del Sudtirolo dove ha iniziato a scrivere il diario, sedici anni prima. È qui, sulle alture che dominano l'Adige, che ha ancorato la sua vita. Tra le vigne, i meleti e i grandi alberi che ricoprono di un verde intenso i fianchi della montagna.

Aggiunge la data: «novembre 1918». Non ha bisogno di essere più specifica. Per lei, l'intero mese significa infelicità: ha portato la sconfitta e una dolorosa lacerazione. E annuncia nuove tragedie. Rosa sa che il suo mondo è crollato, che la sua vita non sarà mai più la stessa. Che la sua famiglia, la sua comunità, la sua identità sono in pericolo.

Questa donna di quarantun anni ha un viso aperto e generoso, illuminato dagli occhi azzurri. Gli zigomi sono alti, il naso regolare e la bocca ben disegnata. Ha gettato sulle spalle uno scialle di lana per combattere il freddo. L'inverno si annuncia gelido e manca la legna per alimentare la grande stufa di maiolica bianca che troneggia in un angolo della *Stube* al primo piano, la stanza foderata di legno di abete riservata alla famiglia e agli intimi.

Rosa comincia a scrivere: «*Sono arrivati i giorni più turbolenti della guerra*». Di tanto in tanto si interrompe per tendere l'orecchio. La sua ultimogenita, Helene detta Hella, che a maggio ha compiuto due anni, si è addormentata e Rosa veglia sul suo sonno tranquillo. Per questa bambina il mondo sarà un posto completamente diverso, dovrà crescere in un universo che sua madre non conosce e non riesce ancora a immaginare. Potrà mai essere felice?

Si è concordato l'armistizio con l'esercito italiano, ma gli italiani l'hanno accettato solo quattordici giorni dopo in modo da passare il confine senza fatica. La carestia, il tradimento, la miseria... Le molte nazioni dell'Austria si sono viste perdute, si è giunti al terribile crollo. Si salvi quello che si può. Il giorno dei morti sembrava che la tromba chiamasse i vivi e i defunti al giudizio finale. È impossibile descrivere la ritirata, chi l'ha vista con i propri occhi porterà quelle immagini impresse nel cuore. Ungheresi

e cechi se la sono data a gambe gli uni dopo gli altri, saccheggiando i depositi delle provviste, incendiando paesi e città, uccidendo chiunque si avvicinasse, rubando cavalli e carri ai loro proprietari per tornare a casa più in fretta o per venderli e procurarsi un ricco bottino.
I soldati italiani sono arrivati subito dopo, cosa che per noi, da una parte, è stata una fortuna. Quello che gli uomini e gli animali potevano trascinare è stato portato via immediatamente dai magazzini della ferrovia, ognuno pensava solo a se stesso; il giuramento a Dio, all'imperatore e alla patria ormai non ha più valore.

Gli eventi del novembre 1918 mettono fine a un periodo difficile della vita di Rosa Rizzolli, nata Tiefenthaler. La guerra in Europa, che si è appena conclusa con la sconfitta dell'Impero austroungarico e della Germania guglielmina, ha scandito a lungo la vita nella casa di Pinzon. Quel tranquillo paesino è stato scelto, fin dall'inizio delle ostilità, per ospitare un comando dell'esercito austriaco. Più in alto sul versante della montagna, alcuni prigionieri russi hanno costruito un tratto di ferrovia, fondamentale per approvvigionare il fronte. E la grande casa di Rosa e di suo marito Jakob, la più bella dimora di Pinzon, è stata requisita. Si è riempita di ufficiali e i soldati si sono acquartierati negli edifici annessi, come la stalla e il magazzino. Jakob è stato mobilitato e trasferito a Bolzano, una ventina di chilometri più a nord, per fortuna lontano dalla zona dei combattimenti. Rosa però ha dovuto affrontare da sola le incertezze del tempo di guerra. E in questa tempesta ha dovuto crescere le quattro sorelle maggiori della piccola Hella – Elisabeth, Auguste, Maria e Berta – e il fratello Josef, unico e prezioso erede maschio della famiglia. Anche a sua sorella Luise non sono mancate le preoccupazioni: il figlio maggiore Hans, erede del vasto patrimonio familiare, è appena tornato ferito dal fronte.

Rosa apre il suo diario, in cui non scrive da oltre quattro mesi, pochi giorni dopo l'avvenimento che trasformerà radicalmente il destino di una regione, dei suoi abitanti e dell'Europa intera. Il 10 novembre 1918, nel pomeriggio, un veicolo dell'esercito italiano si è fermato nel centro del villaggio di Brennero, sul passo che d'ora in avanti diventerà il nuovo confine del Regno d'Italia. Ne è sceso un generale seguito dai suoi ufficiali che ha assistito, soddisfatto, alla ritirata dei soldati austriaci e ungheresi. Le truppe, in fuga già da diversi giorni, si sono battute per difendere la sovranità dell'Impero degli Asburgo sulle regioni dell'Istria, del Trentino e del Tirolo. Ma sono state sconfitte. Il 3 novembre è stato firmato l'armistizio, a Villa Giusti, nei dintorni di Padova. In seguito a questo accordo l'imperatore Carlo I dovrà rinunciare anche al Sudtirolo. Una terra che per Rosa è la *Heimat*, la sua patria. Una regione le cui popolazioni parlano il tedesco, legata all'Impero asburgico da secoli di storia e di cultura condivisa.

Nei giorni che seguono l'arrivo degli italiani al Brennero, una barriera di legno viene eretta attraverso la strada principale, tra l'Italia e l'Austria. Nei primi tempi è una semplice garitta, verniciata coi colori nazionali bianco, rosso e verde. In seguito, verrà costruito un vero e proprio posto di frontiera, per imprimere nel terreno il segno di una lacerazione storica. Questa divisione sarà consacrata dal Trattato di Saint-Germain-en-Laye, firmato nel settembre 1919. Con un tratto di penna, le popolazioni che vivono qui da generazioni si ritrovano soggette a un nuovo Regno.

Rosa si alza un momento per accendere una lampada e contempla la valle dell'Adige. Le terre che scendono in un dolce pendio verso il fiume appartengono a lei. Se sposta lo sguardo a destra, vede gli imponenti contrafforti delle Dolomiti, che dominano Bolzano. Il passo del Brennero, dove pochi giorni prima si è consumato il dramma, è poco più a nord. Scrive:

> *L'Austria è smembrata, il nostro caro Tirolo diviso, noi poveri sudtirolesi siamo finiti sotto il dominio dei* Welschen. *Ma continuiamo a sperare e a sopportare, non vogliamo far parte per molto di questa nazione, il nostro cuore e la nostra mente rimarranno tedeschi in eterno.*

Rosa chiude il diario e ascolta il silenzio della notte. Con la fine dei combattimenti è tornata la calma a Pinzon. Gli ufficiali austriaci hanno già lasciato la casa, i soldati hanno smantellato gli accampamenti. Presto arriveranno i *Welschen* – così qui chiamano gli italiani. I lavori di costruzione della ferrovia si sono interrotti. E i colpi di cannone che sono risuonati così spesso nella valle, con un rombo ben più terribile di quello del tuono, ora tacciono.

Attraversa l'atrio e va in camera sua. Si inginocchia ai piedi del grande crocifisso appeso al muro. Si rivolge a quel Cristo che fin da bambina è stato la sua guida. La terra del Tirolo riserva un culto particolare al Sacro Cuore di Gesù, e Rosa vive la sua fede con passione e rigore. Questa sera, prima che la Storia imbocchi la nuova strada, sa che avrà bisogno più che mai del sostegno divino. Ma prima di chiedere a Gesù di aiutarla, vuole ringraziarlo.

Ha risparmiato la vita di suo marito Jakob, in un conflitto che ha fatto milioni di morti in tutta Europa. Presto il suo adorato sposo tornerà a casa, e lei sentirà la sua presenza rassicurante nel letto coniugale dove sta per coricarsi. Dio ha risparmiato anche i suoi figli, mentre la fame e la malattia decimavano intere famiglie. E ha preservato i suoi possedimenti, mentre intorno pioveva la distruzione su tante case incendiate, saccheggiate, abbattute. Rosa ringrazia. Ma sospira, inquieta.

Rosa è la mia bisnonna. Non l'ho mai conosciuta, è morta nel 1940. Era nata nel 1877, in un tempo così radicalmente diverso dal mio. Quando ho ritrovato il suo diario, conservato con cura da una parente, e ho cominciato a leggerlo, la sua voce mi è suonata subito familiare. Mi parlava di sé, delle sue gioie e dei suoi dolori. Ma anche di me e delle mie radici.

Rosa per me non era certo una sconosciuta, anche prima di leggere quelle pagine. Al contrario. Mia madre e mia nonna Elsa mi hanno raccontato spesso di lei. Questo personaggio quasi leggendario emergeva da ogni aneddoto mostrando sfumature diverse: la madre dolce, la nonna affettuosa e l'indipendente, colta proprietaria terriera. La benefattrice dal grande cuore e la donna forte, determinata a fare a ogni costo il bene della famiglia. Una figura carismatica e insolita per i suoi tempi. Una vincente, in un periodo in cui la sua patria di appartenenza visse cocenti sconfitte storiche.

Ed era bella, Rosa. Il suo viso spicca nelle foto e per tutta l'infanzia mi ha guardata, un po' indulgente e un po' severa, dal suo ritratto nell'atrio della casa di Pinzon. Forse per questo la sua figura mi ha sempre incuriosito, o forse perché mia mamma Herlinde, la sua nipote preferita, unica figlia femmina della sua primogenita Elisabeth detta Elsa, me l'ha sempre descritta come una persona speciale. Ho sentito di dover dar voce alla sua storia, che è anche la storia tempestosa della regione in cui sono cresciuta. Oggi anch'io la chiamo la mia Heimat.

Per anni mi sono detta che avrei dovuto, in un libro, occuparmi del Sudtirolo. Ho viaggiato molto e nel mio lavoro ho cercato di raccontare il mondo: il Medioriente, le sue tensioni e ricchezze, l'Europa con le sue inquietudini e speranze, l'America con i suoi splendori e contraddizioni. Ma della terra da cui vengo non avevo mai parlato.

Da giovane sono stata spesso insofferente nei confronti delle tradizioni, di quella retorica patriottica che in Sudtirolo può sfociare in aperto nazionalismo. Devo dire a mia discolpa che una ragazzina sudtirolese veniva letteralmente sommersa di Storia, con la maiuscola. A scuola e nel discorso pubblico le maiuscole erano tante: la Cultura, la Memoria, la Heimat. A casa dei miei genitori le cose erano diverse, per fortuna: hanno sempre insistito perché conoscessimo le nostre radici, ma come base di partenza per incontrare popoli diversi, abbattere i confini. «Dovete sapere da dove venite, per potere andare lontano» spiegavano. In quegli anni Settanta di ideologie, rivoluzioni e anche rimozioni, l'apertura al mondo saldamente radicata in un'identità culturale era un messaggio insolito e prezioso. Così suonavo Mozart al pianoforte, e ascoltavo i vinili dei Rolling Stones.

Sono cresciuta però in un continuo dialogo con un passato che non voleva passare, a partire dai dettagli della vita quotidiana. Mia nonna Elsa si è rifiutata categoricamente per tutta la vita di imparare l'italiano perché per lei il Sudtirolo era, semplicemente, tedesco. In casa sua esistevano solo libri, giornali e riviste tedeschi o austriaci, oltre allo storico «Dolomiten». La cucina era di stampo austroungarico, dominata dagli arrosti con la marmellata di ribes rosso e da *Knödel* di ogni tipo. A casa sua non si vedevano cannoli e babà, ma *Strudel* e Sacher-Torte. Burro, non olio d'oliva.

E c'erano certi quadretti in cucina, appesi in fila sopra al legno del rivestimento, che per me bambina erano una fonte perenne di curiosità e inquietudine. Raffiguravano fuggiaschi stracciati, scene di miseria e di violenza. Uno per me indimenticabile rappresentava una donna con un fazzoletto da contadina sul capo, un bambino per mano e un vecchio dietro, che portava sulla schiena curva un pesante fardello. La classica iconografia dei profughi: il marito al fronte, la donna in fuga dal combattimento, sulle spalle una vita intera. «Questa è la guerra» mi ripeteva mia nonna. «Ricordati, è solo fame, paura e miseria.»

Di guerre, da inviata, ero destinata a vederne più di una. Mia nonna ne aveva attraversate due. E in un certo senso, una l'ha «salvata» dall'addio per sempre alla sua patria. Rischiò di dover lasciare la sua casa e tutti i suoi beni, nel 1939, con le cosiddette «opzioni». Una grande tragedia collettiva orchestrata da Hitler e Mussolini.

Il diario di Rosa si apre nel 1902 e si interrompe a Natale del 1939. Anni dolorosi, non solo per il Sudtirolo. Le crisi e le tensioni nazionaliste che segnarono l'inizio di un secolo turbolento. Il trauma del passaggio della regione dall'Austria all'Italia. Il ventennio fascista. Il sorgere e l'affermarsi di un sentimento di rivalsa che avrebbe portato tanti, troppi sudtirolesi dritti tra le braccia del Führer. E il patto col diavolo, dopo l'accordo tra il dittatore tedesco e il Duce.

Non è un periodo facile da raccontare, già in molti ne hanno parlato con autorevolezza, e questo non è un libro di storia. È un libro di memoria e di recupero di un'eredità familiare e culturale che mi appartiene. Oggi mi dispiace non averne discusso con alcuni dei testimoni diretti, parenti e amici che se ne sono andati e la cui voce tace per sempre. Il mio è anche un tentativo di ritrovare ciò che è andato perduto, con chi ancora rimane. Un modo di onorare e ricordare quello per cui hanno combattuto, hanno sofferto e sono vissuti.

Per guidarmi in questo percorso Rosa mi ha teso la mano, e io l'ho afferrata. Pagina dopo pagina ha risvegliato la mia curiosità. Ho potuto sentire le sue parole, come faceva mia madre Herlinde che mano nella mano passeggiava spesso con lei. La ascoltava spiegare i segreti della vita, imparava la saggezza per celebrarne la bellezza, il coraggio per affrontarne i dispiaceri.

È così, di voce in voce, che sopravvive la memoria del mondo.

Il confine del nord Italia

nel 1915

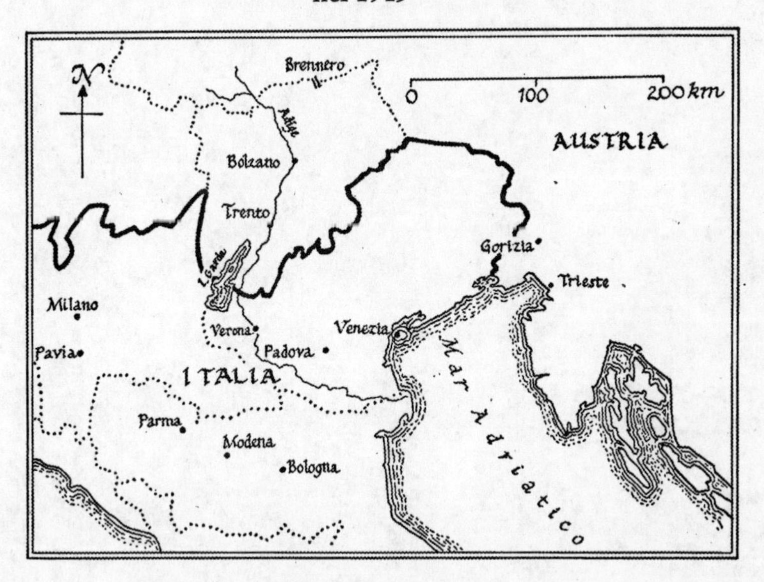

nel 1918

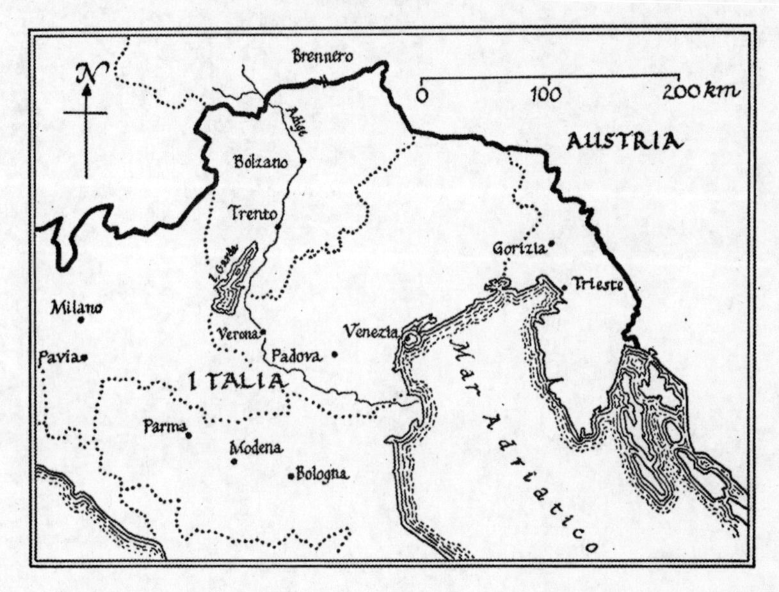

1

La signora di Pinzon

In quel giorno di primavera del 1893 la natura sembra sorridere a Rosa Tiefenthaler. Seduta nel calesse di suo padre Johann ha appena lasciato Entiklar, dove è cresciuta. Si volta e per un attimo fissa lo sguardo sul castello medievale che si staglia sul fianco della collina. Il padre e le sorelle l'hanno abbracciata con affetto. Ha appena compiuto sedici anni e sta partendo ma non va lontano. In fondo al cuore però sa che sta per cominciare una nuova vita.

Il sole splende. I cavalli sono inquieti, ma il cocchiere li guida sicuro sulla strada che discende la valle dell'Adige. Nei meleti e nelle vigne gli operai sono pronti per mettersi al lavoro. Quelli che sono già all'opera sulle terre di suo padre sollevano il capo e salutano con la mano. «*Fräulein* Rosa» è benvoluta da tutti.

In fondo alla discesa di Kurtatsch i cavalli procedono al trotto. La strada si allarga per sfociare sulle sponde del fiume, dove si stendono campi di mais, di grano e frutteti. Ci sono anche nuovi vitigni, ma ancora giovani. Tre anni prima l'Adige si è gonfiato per la troppa neve che si scioglieva sui monti, per poi straripare. Le acque fangose hanno invaso i campi, ristagnandovi per giorni interi e mettendo in pericolo il raccolto. Rosa ricorda ancora lo spettacolo della valle trasformata in un immenso lago immobile. Il padre Johann aveva strepitato contro le dighe che non sembravano mai abbastanza solide per resistere alla pressione dell'acqua. L'Adige è una fonte di ricchezza per la regione che attraversa, ma da sempre gli uomini faticano ad addomesticarlo. E quando si arrabbia, nulla può resistergli. Così Rosa ha imparato molto presto che la bellezza che la circonda può diventare in un attimo fatale. E che lo scrigno verde delle montagne può trasformarsi in una terribile trappola.

I cavalli si sono messi al passo mentre il calesse attraversa il ponte, all'altezza di Neumarkt. Risale la via principale del paesino, fiancheggiata da bassi portici bianchi in solida muratura. Rosa ripensa a quando, bambina, il padre le ha raccontato che si trovavano là da centinaia di anni e che avrebbero continuato a ospitare per secoli generazioni di tirolesi. Quella profezia le tornerà in mente nei tempi duri che stanno per arrivare.

Il cocchiere svolta a destra uscendo dal paese, poi immediatamente a sinistra. La strada sterrata sale tra le vigne. Rosa è impaziente e si china in avanti per scorgere la sua meta. Alla fine un sorriso fa risplendere i suoi occhi azzurri illuminando tutto il viso dalla pelle chiara. Dietro la curva riconosce il tetto appuntito del campanile di una chiesa.

«Finalmente a casa» sospira. «Dio sia lodato!»

Entra a Pinzon. L'alto tiglio frondoso che domina la piazzetta sembra salutarla. In fondo al cuore Rosa ha un sogno che è ben determinata a realizzare.

È Johann che ha deciso di mandare la figlia a Pinzon. Sente il peso degli anni e fa affidamento su di lei perché si occupi di questa parte dei suoi possedimenti. Bisogna controllare i raccolti, sorvegliare gli operai e i mezzadri e garantire la gestione del torchio. Fin da piccola, Rosa stabilisce un legame saldo con la bella dimora che forgerà a propria immagine. Aperta, generosa e solida di fronte alla brutalità degli uomini.

Johann Tiefenthaler ha sessantacinque anni ed è uno dei proprietari più ricchi della regione. Il terreno di Pinzon, tra i borghi di Neumarkt e Montan, si estende per molti ettari. La gente dice che Johann può camminare dal paese fino alle rive dell'Adige, a tre chilometri di distanza, senza uscire dalle proprie terre. Ha anche un'altra proprietà, sulla sponda opposta del fiume, il castello di Entiklar, tra Margreid e Kurtatsch. Si è trasferito lì nel 1861, un anno dopo aver sposato Anna Waldthaler, a sua volta discendente di ricchi possidenti. È rimasto vedovo nel 1881, ma nel frattempo Anna gli aveva dato sedici figli, dieci dei quali femmine. Gli eredi maschi però sono morti uno dopo l'altro. L'ultimo, Karl Josef, il 6 gennaio 1890. Una fine strana e improvvisa che è stata un gravissimo colpo per il padre.

«Fermati qui» ordina Rosa al cocchiere. Scende davanti alla chiesa e spinge la porta in ferro battuto del cimitero che circonda l'edificio. Si china davanti a una sepoltura a ridosso della piccola cappella che il padre ha fatto aggiungere al corpo principale. La ragazza mormora il nome di suo fratello: «Karl Josef». Nessuno le ha mai davvero spiegato che cosa accadde. Ha sentito dire che Karl aveva bevuto e ballato fino a notte inoltrata, durante una festa in casa. Poi era sceso in giardino per tuffare la testa nell'acqua gelida della fontana. Una polmonite fulminante lo aveva ucciso in pochi giorni. Rosa si domanda perché suo fratello abbia avuto bisogno di stordirsi così con l'alcol e la musica. Forse quell'uomo giovane e bello, alto ed elegante come la madre Anna, è morto a causa di quell'altro piccolo Karl, sepolto accanto a lui sotto la stessa pietra? Il figlioletto di Karl Josef era vissuto soltanto dieci mesi, soccombendo a una malattia il 1° dicembre 1889, cinque settimane prima di quella sera fredda e fatale.

Comunque sia andata, Johann non si è più ripreso. Il violino, che suonava con passione, dopo il ricevimento costato la vita al suo erede è rimasto a lungo muto. E la scomparsa dell'ultimo fratello ha lasciato Rosa e le sue sorelle eredi degli estesi domini della famiglia Tiefenthaler. Una situazione insolita e difficile in un'epoca in cui non è previsto che le femmine si trovino a capo delle proprietà. Ma Johann non ha più voluto risposarsi.

Rosa si fa il segno della croce ed esce dal cimitero. Davanti a lei sulla Glenweg, la via che porta alla vicina frazione di Glen, c'è la casa padronale, dove andrà ad abitare. Una dimora su due piani, dalle mura massicce, ancorate al suolo fin dal XIII secolo. La porta è in legno intagliato e sormontata da un dipinto raffigurante il volto della Vergine che stringe al petto il bambin Gesù, una copia di una famosa opera del pittore tedesco Lucas Cranach. L'edificio accanto ospita gli operai che si occupano delle coltivazioni e degli animali e la servitù incaricata dei lavori domestici. Un po' più in là, sulla sinistra,

Rosa può scorgere un ampio fienile. Tutt'intorno, i campi, le vigne, i frutteti e i boschi. A poca distanza, sulla destra, si erge un'altra costruzione. Al principio del XIX secolo vi si allevavano i bachi da seta, ma ora sotto le sue volte alberga il cuore della ricchezza della famiglia: la Tiefenthalersche Weinkellerei, l'azienda per la produzione e il commercio del vino. All'inizio dell'autunno i vignaioli della regione portano i loro raccolti d'uva, Johann li trasforma in un ottimo vino, e gli affari vanno bene. Una volta all'anno il padrone lascia il castello di Entiklar per fare il giro dei clienti, il cosiddetto *Weinritt.* Con svariati treni locali – da quando è stata costruita la ferrovia del Brennero è tutto molto più veloce – percorre tutto il Tirolo, da Kufstein ad Ala/Avio. Torna a casa con una valigia piena di soldi, che porta al contabile prima di andare a ristorarsi con un buon bicchiere di bianco, ben fresco.

Su quelle terre Johann ha fatto estirpare i gelsi che nutrivano i bachi da seta e li ha sostituiti con viti, alberi da frutta, ortaggi e cereali. La fattoria fornisce latte, formaggio, uova, carne e il piccolo mondo che vi lavora può considerarsi autosufficiente. Negli anni a venire questa autonomia sarà la salvezza della famiglia.

All'epoca in cui Rosa si insedia a Pinzon, il Tirolo è una provincia dell'Impero austroungarico. Al collegio delle Dame inglesi di Bressanone la ragazza ha studiato la storia della sua Heimat fin da quando era una contea indipendente, nel Medioevo. La regione appartiene ai domini degli Asburgo dal 1363, con una breve interruzione quando Napoleone la conquistò e la divise nell'Ottocento.

Sotto Napoleone il nord del Tirolo faceva parte di una confederazione di Stati tedeschi satelliti della Francia. Il sud invece era stato integrato nel «Regno Italico», come il condottiero francese aveva chiamato i territori conquistati nella penisola. Ma con la sua sconfitta nel 1813 a Lipsia il Tirolo, riunificato, trovò nuovamente posto in seno all'Impero asburgico, che allora includeva anche il Lombardo-Veneto. L'Italia si riprese queste due ricche province con le guerre d'indipendenza: la Lombardia nel 1859 e Venezia nel 1866.

L'Impero austroungarico, «*K und K, Kaiserlich und Königlich*», nato nel 1867 dall'unione delle due corone d'Austria e d'Ungheria, quando Rosa viene al mondo nel 1877 conta undici nazionalità principali, le cui lingue sono ufficialmente riconosciute. Tra le altre, il ceco, il croato, il polacco, il rumeno, l'ucraino e l'italiano. Ogni etnia ha i suoi rappresentanti eletti al Parlamento di Vienna. Ma non mancano gli irredentisti, secondo cui ogni comunità linguistica deve riunirsi alle nazioni madre. Ci sono naturalmente anche quelli italiani.

In quel volgere di secolo tra Ottocento e Novecento la vita quotidiana è ancora piuttosto dura in Sudtirolo. In inverno le temperature scendono di venti gradi sotto lo zero. La neve che si accumula sulle strade rende gli spostamenti difficili, quando non impossibili. Ad assicurare il riscaldamento, grandi stufe di maiolica che bruciano legna.

Rosa conosce bene i suoi doveri: proteggere e aiutare coloro che vivono sulle sue terre per farle prosperare. Per i lavori di casa impiega le ragazze del posto come domestiche, cameriere e cuoche. E si costruisce una reputazione di padrona esigente ma giusta. Le anziane donne di Pinzon ricorderanno, molto tempo dopo la sua morte, di aver prestato servizio in altre case della zona ricevendo sempre lo stesso complimento: «Si vede che hai lavorato dalla signora Tiefenthaler. Hai appreso le buone maniere».

Per il momento Rosa è tutta presa dalla sua felicità, immagina un futuro roseo e medita sul suo progetto. Deve condurlo a buon fine. Sa che ci vorrà del tempo, senza dubbio anni. Ma è tenace, paziente e innamorata.

Come prima cosa fa imbiancare il soffitto della sua stanza, decorato con un affresco troppo suggestivo per una ragazza virtuosa. Il tema è religioso ma gli angioletti dal sederino nudo non sono il suo genere, preferisce i santi raffigurati sui soffitti del grande atrio, san Francesco e sant'Antonio da Padova. La famiglia è da sempre molto pia, soprattutto suo zio Anton, che ha abitato la casa prima di morire lasciandola al fratello Johann nel 1889. Nei suoi ultimi giorni di vita restava coricato nella camera che ora è di Rosa. Malato e costretto a letto, aveva fatto praticare un foro nel muro davanti a sé. Così, poteva vedere la porta della chiesa e sentirsi più vicino a Dio guardando l'altare, quando al mattino il parroco apriva per le lodi.

Rosa, che ama la compagnia, ha già deciso che non mancheranno mai gli ospiti nella bella Stube. Ed è qui, nella calma di questa stanza che domina i dolci declivi delle sue terre, che pianifica il proprio futuro. Davanti agli occhi ha una piccola torre quadrata, che da secoli indica ai viaggiatori, ai pellegrini e agli invasori una strada di cresta sopra l'Adige. Dopo l'opera di bonifica dell'imperatrice Maria Teresa d'Austria le valli, un tempo acquitrinose e infestate da zanzare, sono diventate coltivabili. E si sono trasformate in un asse strategico di passaggio, aprendo questa regione alpina ai commerci e agli scambi, ma anche alle tempeste che soffiano sull'Europa.

Venuta la sera, Rosa siede al suo tavolo di lavoro alla luce del candeliere in ferro battuto appeso al soffitto. Davanti a sé ha un foglio di carta e in mano una penna.

«Caro Jakob» comincia. E gli occhi le si inteneriscono.

Jakob Rizzolli è il figlio di una famiglia del paese di Kalditsch. È là che Johann Tiefenthaler trascorre l'estate, in un'altra delle sue proprietà, a godersi il fresco. Ed è là che ancora ragazzina Rosa ha conosciuto Jakob, di tre anni più grande di lei. Ne è innamorata da sempre. Ma lui ha un grave difetto, in un tempo e in un ordine sociale in cui non è solo l'amore a regolare il matrimonio: non possiede nulla perché le proprietà di suo padre passeranno tutte al fratello maggiore. Per Johann è un problema senza rimedio. Per quanto la figlia lo implori affinché acconsenta a un'unione che lei desidera con tutto il cuore, niente gli farà cambiare idea. Jakob, con i suoi baffi arditi, le sue spalle larghe e il suo sorriso aperto, non è all'altezza. Johann come genero proprio non lo vuole. Ma sottovaluta la caparbietà di Rosa.

Quasi centoventi anni dopo la mia bisnonna, salgo lungo la strada che porta a Pinzon. Il mio calesse è un'auto color argento, e ha qualche cavallo in più. Non è certo la prima volta che vengo in questa casa ma oggi, nel luglio del 2012, voglio cercare di capire meglio i pensieri e i sentimenti di Rosa.

Il villaggio sembra, come allora, una cartolina senza tempo. La chiesetta è sempre là, con il suo cimitero. Tutti gli edifici sono intatti. Gli affreschi ingenui che ornano le facciate sono appena un po' sbiaditi. In ocra, rosso e azzurro rappresentano scene bibliche e mitologiche, sullo sfondo i paesaggi familiari delle Dolomiti o della valle dell'Adige. Queste pitture sono opera di Johann Tiefenthaler in persona. Il padre di Rosa tra le altre cose era noto nella valle come un artista eccentrico. Quando non era occupato a produrre e vendere vino, prendeva i pennelli e si metteva a disegnare.

Ricordo che da bambina la casa di Pinzon mi faceva un po' paura, soprattutto nei mesi freddi quando il sole calava presto e le stanze si riempivano di ombre. L'atmosfera conservava la traccia delle presenze, delle vite, delle emozioni di chi ci aveva vissuto. Non solo familiari ma anche molti ospiti dai destini diversissimi: allegri studenti viennesi, ufficiali del Kaiser, del Terzo Reich e, dopo la fine della Seconda guerra mondiale, gli Alleati angloamericani.

Le mie inquietudini, d'altra parte, duravano poco, il tempo di chiedere il permesso di andare a vedere il letto a baldacchino costruito nientemeno che nel 1785. Mi affascinava. Antico, massiccio, dominato dall'elegante testiera di legno dipinta con lo stemma di famiglia, sembrava uscito dalle favole, il letto della Bella Addormentata. Ed era coperto da un soffice piumone d'oca su cui mi potevo stendere per immaginare un passato pieno di avventura. Tutto questo riguardava anche me. Quel luogo che trasudava Storia turbolenta e controversa mi avrebbe catturata e avvinta. E un po' lo temevo.

L'ospitalità era il tratto principale di quella dimora, per la calorosa accoglienza dei suoi proprietari. Ora so che questa è l'eredità di Rosa. Mia madre da bambina andava tutte le domeniche dall'amata nonna e quelle visite sono tra i suoi ricordi più belli. Era troppo piccola per capire gli eventi storici che si stavano svolgendo tra quelle mura, negli anni in cui si decidevano le sorti d'Europa. Ricorda che il nonno Jakob la chiamava «Herlindika» e la sequestrava per una partita a carte dopo l'altra, la sua passione. Che d'estate si stava all'aperto, sulla panca davanti a casa o su quella sotto al tiglio al centro della piazzetta. E che d'inverno si giocava nella Stube, e per le feste natalizie accorrevano folle di zii, cugini, biscugini dell'interminabile parentela, a gustare i manicaretti di Rosa.

Quando sono nata io le visite si erano già diradate, con i nuovi eredi e l'allontanarsi inevitabile delle generazioni. Di Jakob non ho molti ricordi a parte la faccia rubizza e i baffi, avevo quattro anni quando morì. Solo ora comincio a conoscerlo davvero, e all'immagine del bisnonno affettuoso si sovrappone quella del giovane, prestante e amatissimo marito di Rosa.

Nulla è cambiato nel paese, o quasi. L'enorme tiglio nella piazza è stato purtroppo tagliato, si era ammalato. La panca dove si sedeva Rosa è stata tolta perché lo sterrato potesse essere asfaltato. Delle tre grandi vasche della fontana dove si prendeva l'acqua, si abbeveravano gli animali e si lavavano i panni, ne è rimasta solo una. Il torchio e i tini della Weinkellerei sono scomparsi, e una ragazza di Neumarkt ha trasformato quei locali in un ottimo ristorante, destinato a diventare di moda. Gli edifici e il podere sono stati suddivisi tra due eredi Rizzolli discendenti dei Tiefenthaler. E il sole continua il suo gioco immutabile di ombre e di luci, lo stesso di sempre. La mattina presto illumina Entiklar, dall'altra parte della vallata. Poi arriva a Pinzon e vi si attarda fino al tramonto.

Nulla è cambiato qui, ma tutto è diverso. Pinzon oggi si chiama Pinzano perché la regione, che apparteneva all'Impero ai tempi di Rosa, oggi è Italia. Il tedesco, la lingua della mia bisnonna, convive con l'italiano.

Più in basso un rumore sale dalla valle dell'Adige che Rosa attraversava in calesse. Il ponte di Neumarkt è ancora là, ma oggi si affaccia su uno degli assi commerciali più attivi del Continente. Una linea ferroviaria e un'autostrada a quattro corsie assicurano gli scambi tra nord e sud. Decine di treni, migliaia di camion, un flusso incessante di veicoli. Tutte le nazionalità si mescolano, circolano in totale libertà su questo tratto che nei secoli fu strada di invasione, di conquista, di fuga. E la frontiera del Brennero, eretta nel 1918, simbolo della divisione tra le nazioni d'Europa, è stata cancellata dall'Europa delle nazioni.

Spingo la porta della casa di Pinzon e Rosa mi accoglie. È là, la testa leggermente piegata a sinistra, lo sguardo grave degli occhi blu posato su di me. Il suo bel viso è tranquillo, la sua bocca accenna un sorriso. Porta i capelli tirati all'indietro, pettinati in uno chignon, che valorizzano la sua pelle d'avorio. Indossa una camicetta con il colletto ricamato e attorno al collo porta una collanina d'oro. Ha appoggiata sulle spalle una mantellina di velluto marrone che le copre parzialmente le mani. Sembra dire al pittore che l'ha immortalata di fare il possibile per rispettare la discrezione che ha contraddistinto la sua vita.

Nella Stube, una pergamena che risale a più di quattrocento anni fa mi riporta ancora più indietro nella storia. Si tratta di un certificato rilasciato ai nostri antenati dall'imperatore Rodolfo II il 9 giugno 1610, che conferisce ai fratelli Christof e Thomas Tiefenthaler gli stemmi di degni servitori della casa imperiale d'Austria. Di generazione in generazione, «ai loro eredi e agli eredi dei loro eredi».

Sulle scale che portano nella soffitta in cui andava a giocare mia madre, mi sembra di sentire i passi del tempo.

2

«Quell'uomo non fa per te!»

Sono le otto del mattino e il cielo è blu sopra Pinzon. Il sole splenderà tutto il giorno sulla grande festa che si sta preparando. Le campane della chiesetta suonano a distesa, la porta è spalancata e i fedeli affollano le vecchie panche di legno. È l'8 aprile del 1902, e con questa giornata gioiosa si conclude una lunga battaglia per Rosa, che ha appena compiuto venticinque anni. Ha avuto la meglio. Ha vinto. Si sposa con Jakob. Suo padre ha ceduto. Anche se non ha accettato di accompagnarla all'altare, in un ultimo gesto di dissenso.

Così Rosa, nel suo lungo abito di seta nera, entra in chiesa al braccio del cognato Emil von Leys. È ugualmente radiosa. Porta tra i capelli una corona di mirto, simbolo dell'amore che sconfigge la morte. Vicino agli inginocchiatoi e a due poltroncine di velluto rosso, Jakob la fissa con occhi neri pieni di fervore.

Il reverendo Andrealta sfoggia il sorriso delle grandi occasioni, in piedi davanti allo storico trittico dipinto nel Quattrocento da Hans Klocker. Ha le braccia leggermente aperte, come se volesse accogliere la felicità della giovane coppia.

Rosa fa scorrere lo sguardo sui presenti. Ci sono

le sue sorelle, prima fra tutte quella a lei più vicina, Luise, con il marito Johann Tiefenbrunner. Con lei Rosa ha condiviso tutto, ha solo quattro anni di più ma è già madre di famiglia e insieme al suo sposo si interessa della proprietà di Entiklar. Poi c'è Antonia con il marito Franz Mall, di Salurn. Anna Maria, che ha sposato un ministro del governo austriaco, Aloys Haueis. Johanna Josefa, con il dottor Sembianti di Kurtatsch. Infine la minore, Auguste, chiamata Gusti, che ha appena compiuto ventidue anni ed è ancora nubile. In famiglia si dice che un noto militare di Innsbruck le faccia una corte assidua. Rosa le sorride pensando: «Presto, mia cara, anche tu conoscerai le gioie dell'amore».

Infine, la ragazza ferma lo sguardo sulla figura dritta in prima fila, l'uomo dalle sopracciglia aggrottate che sta controllando l'ora sul bell'orologio da taschino dalla catena d'oro, fatto venire apposta dalla Svizzera. Suo padre Johann indossa un bell'abito da cerimonia nero, reso meno severo da un jabot di seta grigia. Rigido e serio come si addice a un patriarca, quando si volta a guardarla Rosa può scorgere comunque nei suoi occhi un po' di commozione. La sua bambina, la sua preferita lascia la casa. Certo, già da anni risiede a Pinzon, ma da oggi apparterrà a suo marito, non più a suo padre.

In realtà, lei sarà sempre padrona di se stessa. Lo dimostra la determinazione con cui ha ottenuto quel che voleva. Aveva donato il proprio cuore a Jakob e nulla è riuscito a farle cambiare idea.

«No» è stata per anni la risposta di Johann. «Quel ragazzo non entrerà mai nella famiglia. Non ha terreni, è povero. I suoi hanno una buona reputazione, ma non fa per te.»

Rosa non si è scoraggiata. Ma il tempo per convincere suo padre non era infinito, anche lei voleva dei bambini.

Una sera, alla fine di gennaio dell'anno precedente, è andata nella cappella di famiglia nella chiesa di Pinzon. Si è inginocchiata e ha pregato Dio di darle la forza per un ultimo tentativo. E di stendere la Sua mano per aiutarla nell'impresa da cui dipendeva il suo futuro. E come se la Madonna di Loreto, da sopra l'altare, le avesse parlato, ha avuto un'illuminazione. Ha capito cosa doveva fare.

È andata a Entiklar il giorno dopo e ha trovato Johann nel salone in cui ama riposare. Si è seduta accanto a lui e gli ha parlato con voce chiara e ferma: «Padre amatissimo, vengo a farvi per l'ultima volta una richiesta».

«Lo so, Rosa, lo so. Ma non ho cambiato idea e non la cambierò.»

Ma lei non si è lasciata scoraggiare. Suo padre è un uomo giusto, onesto. È anche devoto e sa che gli uomini propongono, ma è Dio a decidere.

«Sono andata a pregare nella nostra cappella.» Rosa gli prende la mano, già macchiata dalla vecchiaia. «E ho chiesto consiglio a Dio. Egli, nella sua bontà, mi ha ispirato.»

Johann si fa più attento. La fede non è cosa da poco in una famiglia tirolese, tanto più nella loro. Dio è onnipresente, e anche la Chiesa lo è.

«Ho visto un uomo, vestito di bianco, come un

penitente» prosegue Rosa. «E di fronte a lui stava la Morte, nel suo mantello. L'uomo stava per entrare in una tomba di pietra. E ha detto alla Morte: "Con me parte l'ultimo della mia stirpe".» Rosa sa di aver toccato la corda più sensibile del patriarca. Ha settantatré anni ed è vedovo da venti. Ha visto molti dei propri figli morire. Che colpe ha commesso per avere pagato un tale prezzo? È stato troppo arrogante? Rosa sta un po' barando. Suo padre non sa che lei ha visto, di nascosto, gli schizzi per l'affresco che vuole commissionare al famoso pittore locale Stoltz. Andrà sul muro di sinistra della cappella, con un amaro cartiglio: «Nella sepoltura entra l'ultimo discendente dei Tiefenthaler».

Rosa gli legge sul viso che lo ha colpito. Johann ha conficcato nel cuore un dolore inconsolabile per la sua stirpe interrotta. Il suo nome muore con lui. La sua memoria sopravviverà solo se sarà tramandata da coloro che lo amano.

«Padre, che Dio vi mantenga tra noi tanto a lungo quanto la Sua bontà desidera. Ma anche quando deciderà di richiamarvi a sé, il vostro nome non morirà mai, perché è nel cuore dei vostri figli. E la vostra forza si trasmetterà alla discendenza tutta. Anch'io voglio essere madre di figli che saranno fieri del sangue che scorre nelle loro vene.»

Lui è rimasto in silenzio. L'ha guardata a lungo, ha scosso il capo, l'ha accompagnata alla porta. Rosa è tornata a casa con le spalle curve, e ha pianto tutta la notte. Le è mancato persino il cuore di confidare tutta la sua delusione all'alto crocifisso nella sua camera da letto. Scendendo per cominciare il lavoro del nuovo giorno, dopo poche ore di sonno agitato, si sentiva stanca e sfiduciata come una vecchia.

Poi, qualche giorno più tardi, mentre sedeva nella Stube assieme a Jakob e a sua sorella Gusti, venuti a confortarla, è arrivata una lettera in cui suo padre la chiama col nome affettuoso che le dava da bambina. Quella lettera cambierà il suo destino.

Entiklar, 2 febbraio 1901

Cara Rospe,
l'altro ieri abbiamo parlato dei tuoi propositi e del tuo futuro. Ho deciso di dare a te e al tuo pretendente Jakob Rizzolli il mio consenso, di accettarlo all'interno della nostra famiglia come mio genero.
Esigo però quanto segue: Jakob Rizzolli deve frequentare la scuola di agraria di Sankt Michael, senza perdere tempo, anzi sfruttandolo al meglio, e guadagnandosi il rispetto dei suoi insegnanti e superiori. Dovrà poi lavorare per un breve periodo, preferibilmente, ma non necessariamente, in un'azienda che produce e vende vino.
Deve inoltre migliorare la sua abilità nel muoversi in società, le maniere eleganti, la capacità di trattare e di instaurare buoni rapporti con gli altri, tutte qualità indispensabili per un uomo che voglia essere accettato in una casa come la nostra. È fondamentale che possa garantirti una vita ancora migliore di quella che hai avuto nella mia dimora. Solo in questo modo potrà imporsi agli occhi di tutti come una persona di valore e di alta qualità morale. Inoltre pretendo

da lui sobrietà, laboriosità a casa e fuori; si deve occupare con zelo di ogni aspetto: la dimora e i campi, la stalla e le cantine. Deve sempre chiedere consiglio, prestando ascolto e mostrando ragionevolezza, alle persone preparate e più esperte di lui. Deve inoltre andare sempre a messa nei giorni di festa.

Non deve passare il suo tempo a tirar tardi in osteria, a casa c'è bisogno di lui ed è lì che deve stare.

Quello che con più forza pretendo da lui è un comportamento corretto e deciso nei confronti di tutti. Considero le liti e le discussioni atrocità morali.

Voglio che vada d'accordo con tutti, anche con le persone con cui ha rapporti di lavoro, deve sempre porsi in modo garbato ed essere socievole. Così si viene amati e rispettati da tutti, e anche aiutando il prossimo secondo le proprie capacità, con consigli e con azioni concrete, risparmiando sulle spese per se stessi per dare e donare agli altri, senza mai anteporre i propri interessi a quelli altrui.

Infine è della massima importanza che sia con me come un angelo buono, venendo incontro alle mie necessità con cura e con amore e imparando ad apprezzare ciò che faccio. Trattarmi sempre con gentilezza e disponibilità, in breve: fare tutto ciò che mi può rendere felice. Il tempo che mi resta è un tempo sereno della vita. Merito e desidero giorni felici, come ricompensa per l'indescrivibile dolore che ho vissuto e per tutti i sacrifici che ho fatto per amore della mia famiglia. Mi

sono privato di ogni piacere e di ogni comodità, e chiedo nei miei confronti deferenza e rispetto.
Solo col tempo si ottengono risultati, ma se si saprà tenere questo comportamento la benedizione di Dio scenderà su tutta la casa.
Dovrà mostrarsi di animo nobile e generoso nei confronti di sua moglie: nella sua vita, una madre deve sopportare grandi fatiche, e pertanto ogni madre dovrebbe essere trattata con assoluto rispetto.
I figli, frutto del matrimonio, dovranno essere educati all'umiltà e non dovranno essere viziati, neanche da piccoli. Bisogna mostrare autorità, e fin da subito vanno avvicinati ed esortati al lavoro. Solo in questo modo il lavoro sarà percepito come un piacere, e la famiglia manterrà il suo benessere.
A chi lavora non mancherà di certo il pane, mentre chi ozia avrà sempre fame, così si legge nelle Sacre Scritture. Figlio, segui il consiglio di tuo padre e osserva le leggi di tua madre, così sta scritto. Le persone oneste vengono aiutate e rispettate ovunque, e ricorda che sul lavoro e nel commercio bisogna mantenersi corretti e pacifici.
È importante sapere e volere riflettere, solo così si è padroni di sé, amanti della giustizia, capaci di opere buone nel perseguire le quali si realizza la felicità più grande, evitando tutto ciò che possa causare danno. Liti e discussioni distruggono la felicità della casa, la pace invece migliora ogni cosa. Che la pace sia con voi, vi auguro ogni bene possibile, benessere e serenità familiare. Che il favore del Signore vi possa accompagnare.

Miei cari, adesso vi trovate di fronte a due vie, una di rose e l'altra di spine. Per mantenersi sempre e solo sulla buona strada, cercando quindi di non sbagliare mai, serve un carattere molto, molto forte, bisogna mostrare onore e fermezza, perché niente vi possa mai distogliere dalle vostre scelte.
Se seguirete e realizzerete tutto questo, il che è in realtà abbastanza semplice, allora avrete conquistato il mio cuore. Ma se non lo farete, sentirete la mia ira.

Vi mando i miei migliori saluti,
con amore il vostro padre Tiefenthaler

Desidero che questa lettera sia conservata e riletta per indurvi a riflettere.

Rosa ha letto più volte la lunga missiva, dapprima incredula e un po' spaventata, poi sempre più raggiante. Gli occhi pesti per il poco sonno e le troppe lacrime di quei giorni si sono illuminati. E in quel pomeriggio gelido, all'improvviso il più bello della sua vita, avrebbe voluto uscire nella neve, correre e urlare, sventolare le pagine che le garantivano il diritto alla felicità. In silenzio ha dato i fogli a Jakob con un groppo in gola. La sorella Gusti si è alzata per leggergli da sopra la spalla.

Mentre lo sguardo di Jakob scorreva sul foglio Rosa ha visto nei suoi occhi prima lo stupore, poi un moto di rabbia: le parole di Johann sono dure e persino umilianti. Ma se l'obiettivo che ti poni è ambizioso, devi essere pronto ad accettare anche condizioni pesanti. Infine Jakob ha annuito. Gusti è uscita, lasciandoli soli.

A lungo, nessuno dei due ha parlato.

Ora, mentre cammina verso l'altare, in questo giorno di festa davanti a Dio e agli uomini, Rosa porta la lettera di Johann con sé, ben piegata, nella borsetta di seta che ha al polso. Insieme c'è la copia di un'altra lettera.

Pinzon, 4 febbraio 1901

Mio buono e generoso padre,
come devo, come posso ringraziarvi per l'immensa gioia che mi avete dato in questi giorni, voi che siete il migliore dei padri?
No, come potrei trovare parole sufficienti a esprimere la mia gratitudine come meritate, una gratitudine che è impressa in modo indelebile anche nel mio cuore?
A perenne dimostrazione di questa gratitudine voglio dimostrarvi sempre amore, preghiera, obbedienza. E potete essere certo che manterrò la parola finché avrò respiro.
Ah, carissimo padre, non potete credere quanto avete reso felice vostra figlia dando il consenso al nostro matrimonio.
Era da tempo che volevo aprirvi il mio cuore ma, pur con tutta la buona volontà, perdonatemi, non ci ero mai riuscita.
Nonostante l'amore che ho per Jakob non l'avrei mai sposato senza la vostra benedizione. A che

valgono infatti tutto lo sfarzo e la ricchezza del mondo: se manca la benedizione paterna non ci può essere felicità sulla terra del Signore.
Com'era felice e beato ieri Jakob, quando gli ho comunicato l'inaspettata lieta notizia. Non riusciva quasi a credere che gli potesse essere toccata la grossa fortuna di entrare a far parte della famiglia Tiefenthaler. Devo ringraziarvi moltissimo di cuore anche a nome suo, poi lo farà lui di persona.
La sera che ricevetti la vostra cara lettera fu aperta all'istante e letta ad alta voce in presenza di Jakob e di Gusti. Nessuno di noi tre riuscì a trattenere le lacrime, per come ci avete dipinto il futuro, in modo così bello e istruttivo. Promettiamo entrambi, caro padre, di seguire i nobili consigli che ci avete dispensato a fin di bene, e di sforzarci di percorrere quel roseo cammino, seguendo l'esempio dei nostri antenati affinché possano toccare anche a noi, piaccia a Dio, la pace domestica e la benedizione divina di cui hanno goduto loro.
Prima di finire, ancora un grazie sincero, padre mio amatissimo, per i vostri auguri e la vostra benedizione.
Conserveremo sempre la vostra lettera a cara memoria e la leggeremo, spesso, anzi spessissimo, perché avete scritto tutto solo per il nostro bene.
Vi bacio le mani con sincero amore, carissimo padre,

Vostra figlia Rosa,
sempre in debito di gratitudine

Rosa si siede e Jakob le prende la mano. Il parroco comincia a parlare, rendendo omaggio al matrimonio cristiano, alla magia dell'amore terreno, al miracolo della nuova vita nell'unione feconda.

Il pensiero di Rosa corre alla grande assente in quella cerimonia. Anna, sua madre, le manca. Da tanto tempo. Aveva quattro anni quando è morta, nel 1881, dopo aver dato alla luce l'ultimo dei suoi figli. A quarantatré anni, dopo sedici gravidanze, era una donna sfinita.

Rosa ricorda bene la sensazione di essersi sentita perduta nel castello di Entiklar, all'improvviso troppo grande, troppo freddo e troppo vuoto. Non avrebbe più visto il volto fine e serio della mamma, non avrebbe più nascosto il viso nelle pieghe lucide e tese dell'abito azzurro di raso e velluto che lei indossava nei giorni di festa. Negli anni successivi, le governanti autoritarie a cui il padre affidava la tribù dei figli l'avrebbero definita una bambina ribelle.

Il mento di Rosa si alza in uno scatto di orgoglio. Tutte quelle ore in castigo, chiusa fuori sul balcone di Entiklar, al freddo: ma alla fine ha vinto lei. È signora della propria casa, veglia sulle terre di suo padre, e ha conquistato il proprio uomo. La riscuote dai suoi pensieri il canto dei fedeli, e arrossisce un po' per essersi distratta. Sua madre non avrebbe certo approvato. Ascolta compunta le letture e l'omelia, in attesa del momento più importante.

Per un attimo il silenzio cala sulla cappella, e solo il canto degli uccelli entra dalla porta aperta. Le donne guardano intente l'altare, molte con gli occhi un po' lucidi, e gli uomini, immobili, tengono in mano il cappello. Il reverendo Andrealta sorride a Rosa e Jakob. Loro sentono appena le sue parole, troppo presi uno dall'altro.

I loro «*ja*» chiari e decisi si mescolano e prendono il volo nell'aria tiepida della primavera. E il vincolo che li unisce è pieno di forza, di gioia e di speranza.

Più tardi, quando sarà sola davanti alla prima pagina del suo diario, Rosa scriverà in tono misurato:

È cominciata la parte seria della vita, ho smesso i miei abiti da ragazza per seguire il mio cuore. Ho venticinque anni, età in cui non si può certamente essere definiti una bambina e tuttavia lo stato di donna sposata mi fa paura. Il matrimonio è senza dubbio un passo difficile, una grande lotteria: chi ci guadagnerà? Il buon Dio che dispone del destino degli uomini sa quel che attende le sue creature. Ma quando s'incontrano due cuori che si capiscono e dividono le gioie e i dolori, il matrimonio non è così difficile, perché ogni condizione ha i suoi piaceri e i suoi fardelli.

Mi sono sposata il 15 luglio 2000, quasi un secolo dopo la mia bisnonna, al municipio di Montan, a due chilometri da Pinzon. Diversamente da Rosa, non ho dovuto superare alcuna opposizione da parte di mio padre Alfred, anzi, raramente lo avevo visto felice come quel giorno. Né lui né mia madre hanno mai insistito perché noi figli ci sposassimo, né ci hanno fatto alcuna pressione perché seguissimo un percorso di vita tradizionale. E Alfred, quel giorno, non sorrideva perché mi sposavo, ma perché sposavo un uomo che gli piaceva e che mi rendeva felice.

Anche mia madre Herlinde era contenta, per quanto io abbia sempre pensato che non ci sperasse più, di vedermi formare una famiglia. Io sembravo la figlia destinata a una vita un po' irregolare, alla carriera e ai viaggi che anche lei da ragazza aveva sognato. Ma di sicuro non le dispiaceva questa svolta degli eventi, senza contare che Jacques, il mio sposo francese, aveva conquistato anche lei. Generosamente Herlinde si fece carico di una mole di lavoro, tra allestimenti, cerimonia e ricevimenti, che avrebbe spaventato un generale prussiano. Mia sorella Micki intanto mi impediva di cedere allo stress, la notte prima delle nozze dormii in casa sua per sentirmi un po' coccolata. Non avrei mai pensato che il matrimonio, alla mia età, potesse dare tanta ansia. Invece sì. Per non complicare le cose avevo persino rifiutato la gentile offerta del mio parrucchiere e amico di Roma, Roberto D'Antonio, di venire a prepararmi per il grande passo. Uscii così di casa splendidamente abbigliata nel vestito di seta color cipria dono di Giorgio Armani, ma con i capelli raccolti e fermati alla buona da una pinza. Roberto, quando vide le foto sulle riviste con l'atroce pinza in bella evidenza, minacciò di disconoscermi.

La fotografa ufficiale era Francesca Witzmann, a cui va il merito di avermi immortalata felice e leggera nonostante la giornata impegnativa. In più, erano presenti al lieto evento un esercito di paparazzi. Li teneva lontani un servizio d'ordine di Schützen e carabinieri, una collaborazione che ovviamente non avrebbe avuto senso ai tempi della mia bisnonna. E che sarebbe stata impossibile anche nel Sudtirolo sconvolto dalla repressione fascista.

Può sembrare ovvio che mi sia sposata in Sudtirolo. Non lo era. Io vivevo a Roma, Jacques a Parigi, avremmo potuto organizzare le nozze altrove, ma anche mentre valutavo soluzioni alternative sentivo che per questo evento importante volevo tornare a casa. Sorrido leggendo nel diario che Rosa dopo la cerimonia va a festeggiare nella Stube di suo padre perché è quello che ho fatto anch'io. Solo che nella mia casa non c'era una Stube tradizionale e il ricevimento si svolse in giardino, con gli aperitivi in terrazza e i gazebo bianchi montati per la cena nel prato sottostante.

Come per Rosa, alcuni ospiti arrivarono da lontano, una variopinta compagnia volata a festeggiarci da Stati Uniti, Francia, Spagna, Gran Bretagna, Giordania, Austria e così via. Il giorno dopo li portammo a Entiklar per una delle nostre merende sudtirolesi e per far loro visitare il famoso parco che già Johann mostrava agli amici e anche ai turisti. Come a Pinzon, infatti, i muri del castello sono decorati con affreschi dai temi naturalistici e religiosi, pieni di ironia. E non solo: attorno al laghetto Johann ha popolato ogni roccia e cavità di sculture, un mondo di personaggi bassi e tozzi, di animali fantastici. Suscitarono molta curiosità nei nostri ospiti, così come la suscitavano nei paesani e nei forestieri a cui il vecchio Tiefenthaler in persona faceva da guida. Oggi di questa incombenza si occupa, con grande spirito ed entusiasmo, il suo bisnipote Herbert Tiefenbrunner, tuttora uno dei migliori produttori di vini della zona.

Come Rosa ebbi i miei musicisti, un quartetto di jazzisti scelti da mio fratello Winfried. Suonò per me anche lui, con il suo ricco repertorio, da Chet Baker a Paolo Conte, quest'ultimo per la gioia di mia suocera Georgette. Come la bisnonna danzai un valzer con mio marito, ma noi passammo quasi subito al rock'n'roll. E il cibo sulla tavola dei nostri rispettivi ricevimenti dev'essere stato molto simile, dallo speck alla *Weinsuppe* servita nelle mezze pagnotte integrali, dai funghi ai formaggi locali e alle carni. Per Rosa sarà scorso in abbondanza il vino di Johann mentre il mio brindisi fu a champagne, ma d'altra parte suo marito non era francese.

Rosa e Jakob, nel 1902, sicuramente si dissero «*ja*». Nel 2000 io dissi «*oui*», e Jacques disse «sì», ma non eravamo molto diversi da loro, in quel momento.

È stata una bella festa. Ricca di gioia, risate e buon vino. Sono le cinque del pomeriggio e Rosa si accomoda nel confortevole scompartimento di prima classe riservato a lei e al suo sposo. È finalmente sola con Jakob, l'uomo che ha scelto siede al suo fianco sul sedile di velluto rosso e le prende la mano. Rosa ama sentire le dita forti di lui che stringono le sue e ora sa che nulla, se non la morte, scioglierà questo intreccio. Negli occhi scuri di Jakob, così bello nel suo abito nero, legge il desiderio, ma anche l'impegno per il futuro che li aspetta.

Johann ha stretto Rosa al petto con amore prima che salisse sulla carrozza diretta alla stazione. Allo stesso modo ha abbracciato suo genero, sussurrandogli all'orecchio: «Prenditi cura di mia figlia!». Il tono era commosso ma severo. Lui conosce bene la sua piccola Rosa, è determinata. Addirittura testarda. Quando le governanti per punirla la chiudevano fuori sul balcone, a Entiklar, lei non piangeva nonostante il freddo glaciale. Voleva Jakob, si dice il patriarca, ebbene lo ha avuto! Spera con tutto il cuore di non aver sbagliato a concederglielo, per amor suo ma anche della terra che le ha affidato.

Il treno si mette in movimento, e il fischio della locomotiva a vapore per Rosa è come un lungo sospiro di libertà e orgoglio, venato di una grande impazienza. Sa che tra le braccia di Jakob diventerà una donna. Vuole essere madre, perché Dio che ha creato gli uomini e le donne così ha deciso. E vuole un maschio, un erede. Una posta importante, tanto più che la sorella Luise quattro anni prima ha dato alla luce il piccolo Hans, per la gioia di suo marito e del padre.

Appoggia la testa sulla spalla di Jakob e chiude gli occhi. È sicura che sarà una buona madre ma per questo ci sarà tempo. Si lascia cullare dai pensieri e dai sussulti del treno. Finché Jakob la sveglia dolcemente: «Siamo arrivati».

Sono a Mori, nessuno dei due si è mai spinto tanto a sud. Pochi chilometri più in là c'è l'Italia, un Paese che cresce alle porte dell'Impero e rivendica terre che la corona degli Asburgo per lungo tempo ha considerato proprie. In carrozza arrivano infine a Riva, sul lago di Garda. È l'una del mattino, ma i padroni dell'albergo Bayrischer Hof li stanno aspettando e li conducono subito nella loro camera. Nel diario Rosa scriverà:

> *Il mattino seguente siamo andati fino a Desenzano col battello a vapore. È stato un viaggio stupendo, con il cielo azzurro e il sole che splendeva. Erano più di trenta le coppie di sposi in viaggio di nozze sulle acque limpide del lago di Garda. Avevano tutti i volti sorridenti di autentica e pura felicità perché quelli sono i giorni delle rose. «Oh, se restassero verdi per sempre i bei giorni dell'amor giovane!»*

Il viaggio di nozze prosegue verso Verona, poi finalmente Venezia. Alloggiano all'hotel Panada, di fianco a piazza San Marco. Mano nella mano, fanno lunghe passeggiate per la città dei dogi, scoprono la Laguna, si siedono al tramonto a guardare la chiesa di Santa Maria della Salute, e in lontananza la basilica di San Giorgio Maggiore.

Rosa è incantata da quella ricchezza di storia e di arte, dalle facciate decorate dei palazzi antichi che fanno della città un museo a cielo aperto. «*Questo è il Paese dove scorrono latte e miele, dove maturano le dolci spighe, dove fioriscono i limoni*» scriverà nel suo diario riecheggiando Goethe e la Bibbia, le letture della sua giovinezza. Spera che nella nuova vita da donna sposata ci sarà tempo per i libri, i giornali, la scrittura, per lei sono molto importanti.

Prima di rientrare in Sudtirolo è obbligatoria una tappa a Padova, dove Rosa ci tiene a pregare nella chiesa di Sant'Antonio. Poi prendono il treno per Rovereto.

«Sono felice di tornare a casa nostra» sospira Rosa.

«Anch'io, tesoro, anch'io» annuisce Jakob. In fondo al cuore, sa che la sfida sarà dura. Farsi accettare in un clan unito e forte come quello dei Tiefenthaler è una bella impresa.

Rosa intuisce le sue inquietudini. Ma lui riuscirà a conquistarsi un posto in famiglia. Ne è certa. E lo vuole.

3

La morte di un patriarca

È un sabato pomeriggio tra i più gelidi ma Rosa è al caldo nella grande stanza dell'hotel Greif. È venuta a Bolzano a incontrare una cara amica, che non vede da tempo, e ne hanno approfittato per rimettersi un po' al passo con la moda. Da un paio d'ore, nella camera si avvicendano modiste, guantai, persino un gioielliere. Sul tavolino tra le due giovani donne ci sono due tazze di tè fumante e un vassoio di biscotti secchi, e hanno già sfogliato riviste e volumi illustrati che ora giacciono aperti tutt'attorno. Rosa ha ammirato in particolare le stoffe, gli oggetti e le tappezzerie della Wiener Werkstätte, fondata solo l'anno prima e già di grande successo nel diffondere il nuovo stile viennese, coi suoi fiori stilizzati e le sue geometrie.

Ora è il turno della sarta, che distende davanti a loro pezze di raso, seta, taffetà. Jakob vuole regalarle un vestito nuovo. Uno elegante, per i giorni di festa, ha detto. Hanno avuto un'estate difficile, la loro primogenita Elsa in agosto si è ammalata, vomito e diarrea così forti che i molti medici consultati avevano perso ogni speranza. Quanto hanno pregato i genitori, al suo capezzale, mentre la bambina giaceva priva di conoscenza. Ma è guarita. Superata quella prova, e al termine di un autunno che ha dato buoni raccolti, Jakob ha deciso di festeggiare e di viziare un po' la moglie. Ha voluto a tutti i costi che lo accompagnasse a Bolzano, quel sabato.

Rosa ha accettato con piacere, anche se non è proprio il mese migliore per comprare abiti. È di nuovo incinta e per ora non potrà fare molto più che scegliere la stoffa. Ma ripensa al raso azzurro del vestito di sua madre Anna: ora anche lei ha due bambine, che presto si aggrapperanno alla sua gonna. E chissà che quello che porta in grembo non sia l'agognato erede? Le gravidanze in rapida successione hanno cambiato un po' la sua figura, sempre alta ed elegante ma che si avvia a diventare più piena. Vuole anche lei un bel raso pesante, la sarta gliene ha mostrato uno che farà risaltare i suoi occhi azzurri, è color tortora con inserti di seta. Piacevolmente incerta tra un modello dal collo alto in pizzo e uno con un mezzo strascico, certo meno pratico, comincia con la sua amica una conversazione che annoierebbe profondamente suo marito.

Jakob come ogni sabato si trova al Caffè Kusseth in Musterplatz, dove gli uomini si riuniscono per parlare degli affari della comunità c si concedono qualche mano di tarocchi. Non si sente ancora completamente a suo agio in questa casta chiusa di possidenti che si conoscono da sempre e le cui famiglie sono tutte imparentate. E gli sembra di avvertire la presenza severa del suocero anche quando Johann non c'è. Ma fa del suo meglio per partecipare e per apprendere, e il suo carattere allegro e aperto lo fa benvolere. Più tardi si riunirà alla moglie nella sala da tè del Greif, davanti a una fetta di *Apfelstrudel*.

Le due amiche stanno aspettando di essere servite quando, tra i giornali messi a disposizione dei clienti, lo sguardo di Rosa cade su una rivista settimanale italiana che normalmente non vede in giro, la «Domenica del Corriere». Strano, trovarla lì. La prende in mano con una certa titubanza, attratta dall'immagine a colori che occupa tutta la copertina: uomini che se le danno di santa ragione in una piazza di Innsbruck, con i bastoni alzati, pronti a colpire. Sullo sfondo del disegno, si intravede qualche poliziotto, gli altri devono essere studenti. Ripone il giornale, turbata da quella illustrazione che racconta più di un intero articolo. Ne leggerà molti, sui disordini all'università di Innsbruck.

Gli studenti protagonisti di quei tristi fatti di cronaca sono quasi coetanei di Rosa. Vengono dal Trentino, molti proprio dal capoluogo, dove è attiva la Società degli studenti trentini, fondata dal concittadino Cesare Battisti. A lui fa riferimento la corrente socialista, mentre quella cristiana ha come leader Alcide De Gasperi. Lo stesso De Gasperi che diventerà il capo della Democrazia cristiana dell'Italia liberata dal fascismo sedeva, a inizio secolo, nel Parlamento viennese. Perché anche lui, come Rosa Tiefenthaler, era nato austriaco.

Con il passaggio all'Italia del Lombardo-Veneto l'Impero ha perso anche le università di Padova e Pavia, i giovani di etnia italiana non hanno più la possibilità di studiare nella loro lingua, e chiedono di poterlo fare. Non pretendono di staccarsi dall'Austria-Ungheria né di annettersi all'Italia: nonostante la crisi e le guerre, l'Impero degli Asburgo ha un'economia più sviluppata rispetto al Regno dei Savoia. Le minoranze etniche sono rispettate, soprattutto quella italiana che fornisce la maggioranza dei marinai alle navi del Kaiser. E infine per i devoti e cattolici cittadini tirolesi la monarchia italiana, in conflitto col papato, appare troppo laica e anticlericale. Però i trentini italiani vogliono l'autonomia culturale. Si chiedono perché la lingua che parlano a casa non debba essere quella in cui studiano. Un decennio più tardi, la Storia riproporrà l'identico problema per il tedesco, nel Sudtirolo conquistato dall'Italia.

Dopo il 1890 nell'ateneo di Innsbruck sono stati istituiti corsi paralleli in italiano, ma le concessioni non sono andate oltre. Vienna dà risposte ambigue alle istanze autonomiste dei trentini, accorda qualche vantaggio ma mai abbastanza, risveglia le speranze per poi frustrarle. Finalmente, nel 1904, si decide di istituire una facoltà di giurisprudenza italiana provvisoria a Wilten, un quartiere a sud di Innsbruck. E le tensioni esplodono. Gli studenti di etnia tedesca rifiutano questa soluzione, che ritengono una minaccia alla loro identità culturale. Le piccole zuffe dei mesi precedenti tra i diversi gruppi diventano scontro aperto.

Il 3 novembre 1904, il giorno dell'inaugurazione, centinaia di studenti italiani accorrono a Wilten. Quando arrivano, trovano ad aspettarli i nazionalisti tedeschi che non hanno alcuna intenzione di accettare il fatto compiuto. Ci sono anche semplici cittadini, una folla, non si riesce a contarli. I capi del movimento italiano si avvicinano per parlare ma non è aria per trattative: in un attimo la situazione degenera. Qualcuno addirittura spara, gli italiani sono in minoranza, forse meno preparati. Hanno rapidamente la peggio ma interviene l'esercito per fermare le violenze. Rimane sul terreno un pittore ladino ucciso, vengono arrestati 138 italiani fra cui tutta l'élite intellettuale trentina e triestina: da Cesare Battisti ad Alcide De Gasperi, da Mario Magnago a Mario Scotoni. È una *débâcle* totale: a Vienna prendono atto che non è possibile istituire un'università italiana a Innsbruck, e la chiudono.

Questi due giorni di scontri passano alla storia come «i fatti di Innsbruck». Non è un buon inizio per il nuovo secolo, destinato infatti a far esplodere gli estremismi nazionalistici.

Nel primo decennio del Novecento gli episodi di violenza aumentano.

Nel 1906 Ettore Tolomei, un Welscher di Rovereto, si trasferisce a Glen, poco sopra Pinzon. Ha già fatto parlare di sé: è di nazionalità austriaca ma è un irredentista italiano. Già da un paio d'anni è protagonista di azioni dimostrative, come la scalata della cima Glockenkarkopf, nella valle Aurina. Ha voluto ribattezzare la montagna «Vetta d'Italia». Nel dibattito sui confini naturali dell'Italia, è considerata il punto più a nord del Paese e ha quindi un alto valore simbolico. Il problema è solo in apparenza ideologico, in realtà è geostrategico: le Alpi sono considerate dallo Stato italiano la barriera naturale ideale tra sé e l'Impero austroungarico.

Dieci anni prima Tolomei ha fondato la «Nazione italiana», una rivista che, per sua stessa definizione, è «un organo di lotta per l'italianità oltre confine». Comincia a disegnare mappe che dovrebbero dimostrare, partendo da basi storiche e scientifiche a dir poco discutibili, che la zona fra Merano e Bolzano è mezza italiana, mentre quella fra Bolzano e Salurn è italiana al cento per cento. Conia per il Sudtirolo il nome di Alto Adige, riprendendo una definizione di epoca napoleonica.

Un pomeriggio Johann Tiefenthaler e Tolomei si incontrano a Neumarkt. Il nuovo arrivato deve cancellare un'ipoteca che grava sul maso Thalerhof, venduto da Johann cinque anni prima e che Tolomei vuole acquistare dai nuovi proprietari. La trattativa non sarà amichevole: a Johann, uomo d'affari accorto, questo giovanotto con la barbetta a punta, baffi curatissimi e piccoli occhi penetranti non sta affatto simpatico.

Tolomei nelle sue memorie liquida l'episodio in tono assai poco rispettoso: «Il precedente proprietario, Tiefenthaler, aveva una sua villa, adorna di gran bestie in gesso, dipinte, di sua mano e di suo gusto. Quest'originale vecchietto venne poi ad un appuntamento a Egna, dove al tavolo dell'osteria si conchiuse. Rammento: era il tempo che s'agitava paurosamente il mondo slavo, le stragi a Pietroburgo; gli studenti italiani tumultuavano per l'Università italiana a Trieste; l'Austria l'avrebbe concessa a Rovereto, a Trieste no. Rovereto aveva opposto il suo nobile rifiuto. Trieste o nulla! Se ne parlò all'osteria; il vecchietto tedesco si inquietava: Triest o gnent? Triest o gnent?».

Tolomei, nel giorno del suo trasferimento al maso di Glen scrive: «L'oscura impresa comincia». Perché «oscura»? Il suo scopo sembra al contrario chiarissimo: «restituire» la regione all'Italia. E si rivela bravo a farsi notare: oltre alla rivista, organizza comizi in piazza e a teatro. I cittadini di Neumarkt si fermano ad ascoltarlo perplessi e nervosi mentre grida che quella zona è sempre stata italiana, fin dai tempi dei Romani, come dimostra la stessa presenza della lingua ladina. Con il passare degli anni la sua propaganda si fa più accesa e non di rado ai comizi deve intervenire la polizia, per evitare violenze.

Rosa e Jakob si imbattono spesso in Tolomei, il cui maso è a meno di mezz'ora di cammino da casa loro. Non è certo il vicino preferito: le sue urla, i suoi proclami li infastidiscono e insieme li allarmano. Nel clima sempre più teso temono per la sicurezza della famiglia, per gli affari, che in tempi di instabilità politica non prosperano mai.

E i tempi che si preparano saranno molto più che instabili.

28 agosto 1907

Dall'ultima volta che ho chiuso questo libro ho dovuto affrontare un dolore immenso e la mia mano trema mentre scrivo.

Rosa appoggia la penna. Questa pagina è davvero difficile e prima di proseguire cerca conforto in quelle precedenti. Le sue stesse parole le ricordano i momenti di felicità che si sono susseguiti dal matrimonio con Jakob. «*Pinzon, 22 marzo 1903*» legge. «*Dal 16 febbraio sono madre felice di una piccola e sana bambina.*» La primogenita, Elisabeth Aloisa, che verrà sempre chiamata Elsa. Rosa ricorda l'emozione e i timori di allora, ma tutto è andato bene e meno di un anno dopo, il 28 febbraio 1904, ha potuto scrivere di un altro lieto evento. La sua seconda figlia, Auguste, è arrivata il 9 con la neve sui tetti e il buio dell'inverno. A parte la stanchezza, nota, dalla pagina traspare un po' di rammarico: «*Benché avremmo preferito un maschio, ringraziamo immensamente il buon Dio per questa piccola figlia nata sana*».

Un matrimonio senza figli, ne è convinta, è come un mondo senza sole. Ma l'astro più splendente sono i figli maschi che portano avanti il nome della stirpe, proteggono la casa e si occupano degli affari. Però esattamente un anno dopo, nel 1905, arriva un'altra delusione. «*Dall'11 febbraio*» legge Rosa «*sono madre del mio terzo figlio*», «*l'erede non è arrivato, neanche questa volta: un'altra bambina, minuta e sorridente.*» La chiamerà Maria, detta Mariedl. L'annotazione che segue è ironica: «*Se la benedizione che sono i figli prosegue in questo modo, ne avremo presto dodici e, con un numero così, arriverà bene anche un maschio!*».

Non è stato necessario arrivare a dodici: è bastato pazientare poco più di un anno.

«*Il 18 marzo, alle 11 del mattino, nell'ora in cui gli uomini si ritrovano dopo la messa per bere un bicchiere di vino, come da usanza, il nostro erede tanto atteso è arrivato.*» Rosa ricorda l'enorme sollievo, l'orgoglio di aver donato a suo marito ciò che attendeva da lei: un maschio. «*Un bel bambino magro.*» Un piccolo

Josef-Johann. «*La gioia di tale momento è pressoché impossibile da descrivere*» aveva commentato allora. «*Anche la mia beneamata sorella Luise risplendeva di gioia tenendo tra le braccia questo giovane guerriero.*» Il più felice di tutti era Johann Tiefenthaler, il patriarca. Si avvicinava agli ottant'anni, sapeva che il tempo che gli restava da vivere non era molto, e aveva sofferto sulla sua pelle la fragilità della esistenza umana. Luise aveva già dei figli maschi, certo, ma solo un bambino di Rosa poteva essere la garanzia che le terre di Pinzon non sarebbero state divise. Un maschio, che le tradizioni e la legge designavano come erede primo e unico delle proprietà, era la sola sicurezza.

Quattro figli in quattro anni. Poco dopo quest'ultimo parto, Rosa ha avuto un'infiammazione delle ghiandole mammarie. I medici le hanno consigliato un soggiorno termale poco più a nord, nei pressi del Brennero. Acque note da secoli per le proprietà curative sgorgano dal sottosuolo delle montagne nei dintorni. Rosa ricorda la sua infelicità nel dover partire, abbandonare anche solo per una manciata di giorni la sua piccola famiglia: «*Che gli angeli del cielo facciano in modo che coloro che mi amano mi proteggano e mi facciano tornare presto a casa*» scriveva allora. Il soggiorno di due settimane alle terme non è stato certo una vacanza.

Le lacrime velano le ultime parole che legge, la pagina del dicembre 1906, di nuovo piena di serenità. «*La vita è un sogno che passa davanti ai nostri occhi senza che ce ne rendiamo veramente conto. Il tempo procede veloce, con passi da gigante, ed eccoci di già alla fine dell'anno. Sono felice di potermi la-*

sciare alle spalle gli ultimi dodici mesi. Che la mano di Dio ci guidi e ci faccia sempre accettare la sua volontà con pazienza.»

La vita è un sogno e i sogni finiscono.

Rosa appoggia di nuovo la penna sul foglio. E scrive:

> *Il 10 giugno ho partorito una bambina sana, che il giorno successivo è stata battezzata con il nome di Berta Johanna dal reverendo parroco Andrealta. Mia sorella Luise le ha fatto da madrina.*
> *Il mio amatissimo padre è venuto alla cerimonia da Kalditsch, dove passava l'estate, sebbene non stesse bene da parecchio tempo. Nessuno immaginava però che la Morte gli stava già battendo la mano sulla spalla. Il 17 del mese, quando ha deciso di tornare a Entiklar, il buon vecchio è riuscito ad arrivare solo fino all'hotel Bahnhof e ha dovuto fermarsi lì. L'uomo propone e Dio dispone!*
> *Verso le 7 di sera è arrivato un telegramma, diceva che papà era in punto di morte. L'ansia che mi ha preso al pensiero della cosa terribile che stava per accadere è indescrivibile.*
> *Accompagnata dal mio caro sposo, tenendomi in piedi come meglio potevo, sono andata almeno a vedere per l'ultima volta colui che mi era tanto caro e affezionato. Al suo capezzale c'erano mia sorella Gusti e un mio cognato, il dottor Sembianti, e gli asciugavano le gocce di sudore freddo. La mano che il mio buon padre mi ha subito teso in segno di saluto aveva già il colore della morte. Com'è stato difficile sentirgli pronuncia-*

re quelle parole: «Figliola cara, entro mezzanotte sarò morto». Ha voluto un prete e ha ordinato di portarlo a Entiklar, dove a mezzanotte in punto si è abbandonato al sonno eterno.
Il povero cuore stanco, già tanto provato, aveva smesso di combattere. Noi abbiamo perso il nostro più grande benefattore e consigliere. Le sue proprietà e i capolavori che ha creato sono muti e inconsolabili e sono in lutto per il loro padrone.
Ah, come spesso arriva in fretta la fine della vita, la morte giunge imprevista di giorno o di notte.
Il martedì, come lui aveva chiesto, il caro corpo è stato portato a Pinzon, nel luogo che lui stesso aveva scelto per il suo riposo eterno.

Morendo, Johann lascia un patrimonio che negli anni, tra eredità e acquisizioni, è divenuto uno dei più floridi della regione. Ma non lascia eredi maschi.

Il Sudtirolo dei suoi tempi è una società estremamente conservatrice, per alcuni aspetti quasi feudale, in cui il dominio degli uomini è la regola. Rosa è una donna di carattere e capace di ribellione, come dimostra la storia del suo matrimonio. Ma è figlia di quel mondo e non mette certo in discussione l'ordine costituito, che considera come lo stato naturale delle cose. Bisognerà attendere altre generazioni di donne perché si cominci a considerare il sistema di successione tramandato nei secoli come un'ingiustizia, e perché lo si modifichi.

Il cosiddetto istituto del «maso chiuso» affonda le sue radici addirittura negli insediamenti germanici del VI secolo, anche se ha avuto una codifica giuridica solo sotto l'imperatrice Maria Teresa, nel

1775. È la regola per cui tutte le proprietà di una famiglia vengono ereditate da uno solo dei figli. In genere si tratta del maschio primogenito, ma il possidente può designarne anche uno diverso. A tutti gli altri spetterà una compensazione in denaro, che spesso viene rateizzata in modo da non pesare troppo sulle finanze dell'erede. Inutile dire che le donne non sono considerate, salvo estreme emergenze, e anche in quel caso è naturale pensare che sarà il marito a occuparsi effettivamente della proprietà.

Da ragazza trovavo mostruosa questa regola. Mi sembrava una delle manifestazioni peggiori del mio Sudtirolo maschilista e ultraconservatore. Col tempo ho dovuto comprenderne la logica. Capisco che, soprattutto con famiglie numerose come quelle di una volta, una successione alla pari di molti discendenti avrebbe significato suddividere i possedimenti in appezzamenti sempre più piccoli. Alla fine nessuno avrebbe potuto vivere dei proventi delle proprie terre. Tanto è vero che quando, sotto il fascismo, si imporrà la legge di successione italiana, verrà vista come l'ennesimo attentato alle tradizioni e alla prosperità del Sudtirolo.

La cosa più preziosa nella mia terra è la terra, questo non si discute. Persino mio padre, certo non un conservatore, ha voluto lasciare a ciascuno dei suoi tre figli un piccolo podere di famiglia. Il mio è un meleto. Abito a Roma, ho sposato un francese, giro il mondo per professione e passione, ma ho un fazzoletto di terra tra le montagne che conserva un pezzo delle mie radici.

4

Il testamento perduto

Il pomeriggio avanza e presto calerà il crepuscolo su Pinzon. Berta, che ha poco più di due mesi, si è già addormentata tra le braccia della balia. I servitori sbrigano le faccende serali in silenzio. Nessuno vuole rischiare di disturbare la signora della casa, immersa nel suo dolore.

Rosa siede nella Stube, inconsolabile. Suo padre è morto, se n'è andato l'unico genitore che per tutta la vita è stato un punto di riferimento. Vestita di nero, siede dritta, guardandosi le mani intrecciate in grembo con occhi vuoti, come stordita. Il viso è segnato dalla tensione, ha pianto molto e ha gli occhi rossi. Jakob cerca di consolarla ma lei gli chiede di lasciarla sola: «Ti prego, Jakob, sarà meglio così».

Anche lui porta il lutto per il suocero Johann Tiefenthaler. Sa bene però che il patriarca non lo voleva in famiglia. E se non fosse stato per la caparbietà di Rosa, non sarebbe mai entrato in questo ricco clan. Ha cercato di mostrarsi degno dell'amore di sua moglie, di essere un buon marito e un buon padre. Ha anche cercato di mostrarsi degno della generosità di Johann, e di far fruttare le terre. Ma gli sembra di non aver mai vinto la malfidenza del resto della famiglia. Mormorano, alle sue spalle. Una volta, scendendo le strette scale di pietra che portano al laghetto nel parco di Entiklar, gli è capitato di ascoltare una conversazione tra Luise e suo marito Johann.

«Sai, si fa avvertire dai servi quando vedono arrivare la carrozza di mio padre, al venerdì quando va a controllare le proprietà di Pinzon.»

«Cara, tuo padre non è un uomo facile.» Anche Johann Tiefenbrunner ha avuto i suoi problemi col suocero. Hanno idee molto diverse su come gestire la proprietà, che per l'uomo più giovane soffre di sprechi e inefficienze. E il vecchio Tiefenthaler non riesce a capire il suo progetto di costruire una centrale elettrica.

«Sì, ma questo è troppo divertente. Ascolta. Quando gli dicono che mio padre sta arrivando, lui si precipita su nel fienile. E si mette a correre da una parte all'altra, finché non è tutto sudato. Poi, in maniche di camicia, col fiato corto, scende ad accoglierlo facendo finta di venire dritto dai campi.»

Johann non può fare a meno di ridere di cuore. Riderebbe anche Jakob, se si trattasse di qualcun altro. Ma è di lui che parlano.

Le malignità, tipiche in ogni famiglia, hanno trovato in Jakob un facile bersaglio. Nella robustissima catena familiare dei Tiefenthaler-Tiefenbrunner lui è l'anello più debole.

Rosa, vedendolo assorto, allunga una mano per stringergli il braccio con affetto. Anche nel suo dolore trova il tempo per pensare a lui. È consapevole dei suoi limiti, ma lo ama così com'è. Subito dopo il matrimonio gli ha donato due dei terreni ricevuti dal padre. Jakob Rizzolli è stato così ammesso nella casta privilegiata a cui lei appartiene dalla nascita. Sanno entrambi che in Sudtirolo un uomo senza terra non vale niente, e non può dire la sua in politica. Grazie a quella donazione ha potuto sedere nel consiglio comunale di Montan e prendere parte alle decisioni importanti per la comunità.

Sì, a suo marito piacciono la buona compagnia, le carte e il vino. Ma a Rosa non sembra poi così grave amare la vita. Anche lei è stata contenta di attardarsi con lui, qualche mattina, e tuttora arrossisce ricordando la volta in cui il padre arrivando li ha sorpresi ancora a letto. Sono debolezze? Tutti ne hanno. E dopo cinque anni e cinque figli è ancora convinta che il suo imperfetto, sorridente sposo sia stato una buona scelta.

Jakob la abbraccia forte prima di uscire dalla Stube, e da quella stretta lei attinge coraggio per il colloquio che sta per affrontare.

In un angolo della stanza, un orologio conta i passi del tempo, implacabile. E Rosa prega Dio perché accolga suo padre e protegga la sua famiglia.

La riscuotono lo scalpitio di un cavallo e il rumore delle ruote di una carrozza. Lo si è sentito spesso in questi giorni, parenti, amici, dipendenti e semplici conoscenti si sono avvicendati sulla tomba, nel piccolo cimitero di fronte a casa dove Johann ha voluto essere sepolto. Ma questa non è una visita di condoglianze e il cuore di Rosa batte più veloce. Bussano alla porta.

Davanti a lei c'è Luise, dritta e seria. I capelli raccolti in una crocchia, divenuti bianchi poco dopo i trent'anni, aggiungono severità al viso sottile e al suo fisico esile, quasi da asceta. Le due sorelle, con gli occhi offuscati dalle lacrime, si abbracciano per un lungo istante. Sanno che è giunto un momento particolare della loro vita. Entrambe hanno vissuto fino a ora secondo la volontà di Johann, in un mondo in cui dalle donne ci si aspetta soprattutto obbedienza e devozione. Questa sera si trovano in una situazione unica per il loro tempo: devono decidere, da sole, dei loro destini, di quelli delle loro famiglie, e delle loro terre.

Siedono nell'angolo, al tavolo della Stube su cui hanno appoggiato la caraffa di succo di sambuco. Luise, la maggiore, è la prima a parlare: «Nostro padre non ha lasciato testamento».

Rosa cerca con cura le parole.

«Il nostro povero padre, così accorto, non voleva pensare alla morte.»

«Hai ragione. Pace all'anima sua. Però ora tocca a noi scegliere.»

«Forse si è detto che avremmo fatto la cosa giusta. Si fidava di noi.»

Rosa pensa, non per la prima volta, che il padre non avrebbe dovuto farle questo. Ha lasciato terre, case, denaro, un patrimonio enorme. E sulle spalle delle figlie a cui ha affidato le proprietà principali, Entiklar e Pinzon, grava il peso di risolvere il problema dell'eredità. Un esercizio pericoloso che spesso divide e radica gelosia e odio nei cuori per generazioni. Si sente un po' vile, ma tenta la soluzione facile: «Riuniamo le nostre sorelle e decidiamo tutte insieme».

«Le nostre sorelle hanno scelto di condurre la loro vita lontano da qui. È a noi che tocca» risponde l'altra, con fermezza.

Rosa sa che ha ragione. Anche la minore, Gusti, è promessa a un ufficiale dell'esercito imperiale di Innsbruck, e presto se ne andrà. «In tal caso, pagheremo loro ciò che è dovuto» annuisce, e aggiunge: «Tuo marito è ricco e io posso vendere qualche terreno». Vorrebbe con tutto il cuore non dover dire altro, che lo *status quo* potesse essere accettato senza bisogno di tante discussioni. Ma certe cose vanno chiarite, e Luise è venuta apposta per farlo.

«Pinzon è una grande prospera proprietà» esordisce Luise. «E senza testamento non sappiamo cosa desiderasse farne nostro padre.»

«Certo che lo sappiamo» obietta Rosa. È stato proprio il padre a mandarla lì. «Mi ha sempre detto che Pinzon sarebbe stata la mia dimora e che voleva vegliassi sulla sua tomba!»

«Non avrebbe mai voluto che le sue terre fossero divise.»

«Ma siamo sorelle, siamo un'unica famiglia. Noi non saremo mai divise.»

Luise guarda a lungo la sorella. Il viso tondo di adolescente della ragazza che a sedici anni è salita sul calesse diretta a Pinzon è cambiato. Si è fatto più risoluto, e i luminosi occhi azzurri brillano di sicurezza e maturità. Luise potrebbe battersi per ottenere tutte le proprietà del padre, ma non lo farà. È una donna forte e vuole innanzitutto il bene della famiglia, ma è anche profondamente onesta e religiosa. A Entiklar ha fatto ricavare una minuscola cappella da una stanzetta al primo piano, un angolo di pace e raccoglimento col soffitto dipinto a cielo stellato e l'altare con la tovaglia bianca. Su uno dei muri, ha fatto dipingere una scritta che ammonisce: «*Mensch, geh nicht zu weit. Denke an Tode, Gericht und Ewigkeit*». Non spingetevi troppo oltre. Pensate alla morte, al giudizio e all'eternità. E non certo dell'unità dei possedimenti le sarà chiesto conto nel Giudizio finale, ma dell'armonia e della pace in cui avrà saputo preservare la famiglia.

Alla fine lei manterrà Entiklar, e per salvare la proprietà suo marito Johann dovrà già fare molti sacrifici. Rosa avrà Pinzon. Gli altri avranno il denaro. Ma occorrono garanzie.

«Rosa, un giorno noi non ci saremo più» riprende. «Abbiamo un dovere verso la nostra terra. E verso le prossime generazioni. Tuo marito è un uomo buono, ma Pinzon è una grossa responsabilità. Io devo essere sicura che stiamo prendendo la decisione giusta.»

Rosa capisce molto bene. Sua sorella non si fida ancora del tutto delle capacità di Jakob. Non dirà una parola di troppo, ma una richiesta è stata fatta e una risposta deve essere data. Il crepuscolo che scende sulle montagne, fuori, riempie la stanza di ombre.

«Mia amata sorella, la migliore di tutte, ho atteso mio figlio Josef troppo a lungo per pensare che un giorno resti senza nulla. Conserverò questa terra per lui. Ho lavorato molto sulle proprietà, per molti anni. Insieme al mio amato marito, e con l'aiuto di Dio, continuerò a farlo. Ci sarà sempre una signora di Pinzon.»

Luise annuisce. All'improvviso, Rosa si sposta sulla panca e la abbraccia forte. E Luise ricambia la stretta.

Nonostante la buona volontà di Luise e Rosa e il loro affetto reciproco, la battaglia per la successione di Johann prosegue per lunghi mesi. Gli altri eredi, quattro figlie e due nipoti, sono tutti convinti che un uomo accorto come Tiefenthaler non possa aver trascurato di fare testamento. Deve pur trovarsi nella cassaforte, che da sempre troneggia a Entiklar. Ma nessuno ne trova la chiave. Luise l'ha smarrita. Gli animi sono turbati e c'è chi insinua che l'abbia nascosta, invece, per evitare che le ultime volontà del padre venissero lette. Non è così, e anni dopo, durante la Seconda guerra mondiale, la chiave sarà ritrovata nel secrétaire di Johann, in uno scomparto segreto di cui tutti ignoravano l'esistenza.

La famiglia fa venire da Vienna un operaio della ditta Wertheim, che ha fabbricato la cassaforte. La apre davanti alla famiglia riunita. Con gran sorpresa di tutti, è completamente vuota. Non contiene nulla: né documenti, né denaro.

Rosa non dubita neanche per un istante dell'onestà della sorella. Ma il clima ormai è avvelenato. Rosa, angosciata, il 16 novembre 1907 scrive:

> *Tutta questa agitazione nuoce a me e al mio caro marito e suscita in noi il solo desiderio che la felicità famigliare e l'armonia di un tempo ritornino in seno alla parentela. La buona luna, la vecchia e fedele amica che dispensa la sua luce nella buia tomba del mio amato padre, dia luce e consolazione anche al mio cuore ferito, quando piango la sera tardi da sola accanto al tumulo sotto cui riposa.*

Finalmente si trova un compromesso. Viene fatta una stima dei beni di Johann Tiefenthaler: 850.000 corone d'oro. È una stima al ribasso, favorevole a Luise e Rosa, ma anche così dovranno pagare 110.000 corone a ognuno degli altri sei. Il marito di Luise compie allora un gesto che la famiglia non dimenticherà mai: mette all'asta tutti i suoi possedimenti di Kurtatsch, quelli che aveva già prima di sposarsi, per salvare il castello di Entiklar.

Non mancano episodi spiacevoli: un pomeriggio, mentre Johann va in calesse verso Entiklar assieme al cognato dottor Sembianti, la discussione tra i due sull'eredità si fa accesa. Johann non crede che il cognato abbia diritto alle ulteriori 40.000 corone che chiede per i suoi figli. Si arrabbia così tanto per le pretese del medico che a un certo punto si ferma, lo fa scendere e prosegue da solo. Sarà Luise, una volta arrivato a casa, a placarlo e convincerlo a tornare indietro a riprendere l'ospite.

Rosa è molto provata da questi mesi di liti. Ma tiene duro e alla fine otterrà quel che voleva: rimanere nella casa di Pinzon, far fruttare le terre che sente irrevocabilmente sue e veder crescere i figli in quel piccolo angolo di Sudtirolo che per lei è il paradiso.

Un anno dopo la morte del padre, riprende a scrivere il suo diario. Il tono è più sereno. Forse non tutto è ancora a posto, ma la ricorrenza dell'anniversario sembra contribuisca a calmare gli animi.

Pinzon, 19 agosto 1908

Ieri era l'anniversario della morte del nostro buon padre. Sono trascorsi già 12 mesi da quan-

do il destino ci ha inferto questo triste colpo. Alle sette di mattina nella nostra chiesa e nella cappella di famiglia sono stati celebrati un servizio religioso e una messa, a cui abbiamo partecipato io, le mie sorelle, mio marito e i miei bambini. Erano tutti molto abbattuti perché il ricordo si è ridestato nei nostri cuori che ancora sanguinano.
Ancora oggi non siamo riusciti a risolvere il problema che ci assilla da tanto tempo: troppe teste, troppe idee diverse.

In un piccolo cimitero sull'altro versante della vallata riposa un uomo con il quale avrei voluto parlare di Rosa. Mio padre Alfred è stato sepolto a Kurtatsch nel gennaio 2001. Non ha conosciuto la nonna di mia madre: Rosa Tiefenthaler è morta prima di vedere la sua piccola Herlinde diventare donna e legare la sua sorte a quel bell'uomo dagli occhi azzurri. Ma anche Alfred aveva vissuto l'infanzia e la giovinezza nel travagliato periodo in cui il Sudtirolo era lacerato e oppresso. L'amore per quella terra era tra i motivi della sua forza e del suo successo.

Mio padre, un ingegnoso imprenditore, ha saputo restare attaccato alle sue radici pur cercando nuove esperienze. Ha volto i suoi passi verso sud, verso l'Italia che la storia aveva reso il suo Paese. Gli sono sempre piaciute le sfide tanto da fondare un'impresa in una regione singolare: un'isola, la Sardegna, che non potrebbe essere più distante geograficamente, storicamente e anche culturalmente dalle montagne del suo Sudtirolo. Eppure Alfred ha tanto amato la costa sarda, le sue onde nervose, il suo vento e le sue rocce, da farsi costruire una casa a pochi passi dal mare. Lui stesso ha disegnato la grande terrazza sospesa tra acqua e cielo. Amava gli abitanti di questa isola diffidente e loro lo contraccambiavano. Molto più tardi ho scoperto che il maresciallo dei carabinieri di Monastir teneva in ufficio una lista di persone da proteggere contro il rischio di sequestro. Il primo nome sulla lista era quello di Alfred Gruber.

Alfred aveva il carattere degli uomini i cui figli restano a lungo orfani. Incuteva rispetto e il desiderio di migliorarsi. Devo anche a lui quel che sono, sia per aver ascoltato i suoi consigli e accettato la sua autorità, che per essermi opposta a lui e aver contestato duramente alcune sue scelte. Anche per questo riesco a capire profondamente il vuoto che Rosa deve aver provato alla morte del padre. Un lutto con il quale lei fa il suo ingresso nella vita adulta, di cui dovrà affrontare le prove da sola. E non le verrà risparmiato nulla.

5

L'ultimo sguardo al Kaiser

Al binario della stazione di Neumarkt, Rosa sente che suo marito è nervoso. Lo è un po' anche lei, ma è emozionata e contenta di partire. Appoggia il viso sul petto forte di lui, che la cinge con le braccia: «Andrà tutto bene, tornerò presto» gli dice. I facchini salgono nello scompartimento con i suoi bagagli. Non viaggia leggera: parte per un soggiorno breve ma vuole essere elegante, sta andando a Innsbruck, la capitale del Tirolo. È la fine di agosto del 1909.

Rosa parte sola. Ha bisogno di allontanarsi per un po' dalle tensioni di troppi mesi. La ripartizione dei beni di suo padre sta per concludersi e ormai è tranquilla. Lungo tutto il difficile processo Jakob ha avuto fiducia in lei e l'ha sostenuta.

Prende posto nello scompartimento proprio mentre il treno parte e saluta a lungo Jakob. Appoggia la testa sul cotone bianco che copre la sommità dello schienale di velluto rosso. Chiude gli occhi, felice di non pensare a nulla. Non affronta uno spostamento così lungo dal viaggio di nozze, nel 1902. In sette anni è cambiata molto e ha la sensazione che attorno a lei anche il mondo stia per cambiare.

Nel teatro europeo si scontrano sempre più forti rivalità antiche, e nelle grandi capitali come Vienna, Berlino, Mosca i dibattiti sulla stabilità dei vecchi imperi si fanno più accesi. I popoli vivono in pace dall'ultima grande guerra, nel 1870, tra Francia e Prussia, ma voci allarmanti mettono in guardia su un nuovo possibile conflitto. La stampa parla di riarmo, dell'aumento delle spese militari, di una deriva inarrestabile.

Anche i giornali di Bolzano e della provincia riportano sempre più spesso liti fra diverse fazioni, giovani che cantano l'inno nazionale tedesco aggrediti da gruppi di italiani, o viceversa. Spuntano bandiere dappertutto, i muri fioriscono di scritte intimidatorie e insulti, le chiacchiere politiche in osteria degenerano facilmente in rissa. Tutti hanno un coltello o qualche arnese in tasca: se dai pugni si passa alle stoccate ci può scappare il morto. Le mogli a casa cominciano a essere preoccupate quando i mariti si attardano per un bicchiere. Anche Rosa non è tranquilla.

A Innsbruck la attende la sorella Gusti. Rosa l'abbraccia con trasporto. Non l'ha più vista dalle sue nozze con un ufficiale dell'esercito imperiale, il tenente Karl von Larcher, il 12 maggio. Dal viso radioso con cui guarda il marito, è chiaro che la sua sorellina è felice, e che anche per lei la luna di miele non è ancora finita.

«Sono così contenta di essere qui. Come sta Karl?»

«Bene, sarà lieto di vederti.»

«Ci sarà davvero l'imperatore, come hanno scritto i giornali?»

«Il nostro buon Kaiser farà di tutto per compiacere il suo popolo in Tirolo. Gli anni gli pesano, ma verrà, ne sono sicura.»

L'anno prima Francesco Giuseppe, l'imperatore, ha celebrato con gran pompa il suo giubileo, sessant'anni di regno. Rosa è andata a Bolzano con Jakob, una giornata di svago speciale. Hanno cenato, bevuto, guardato la gara di tirassegno organizzata per l'occasione. Il ricordo la intenerisce e vorrebbe che il marito fosse lì con lei.

Le due sorelle salgono su una carrozza e si addentrano per le vie della città, incoronata dal verde delle montagne. Le facciate dei palazzi grondano degli stendardi rossi e bianchi del Tirolo, migliaia di aquile imperiali le guardano dalle bandiere. I colori degli Asburgo dominano ovunque.

La carrozza passa di fronte al Neuer Hof, con il suo balcone dalla copertura rivestita d'oro, il Goldenes Dachl, che è il simbolo della città e della sua ricchezza. Poi prosegue verso la Hofburg, la sede imperiale. Per fermarsi finalmente dinanzi a un bel palazzo di cui la giovane coppia occupa un intero piano.

«Eccoci a casa» dice Gusti con una certa fierezza, entrando. L'appartamento è ampio e pieno di luce, arredato secondo il moderno stile viennese, con mobili dalle linee pulite ed eleganti. Non mancano gli specchi, che lo fanno sembrare ancora più grande. Rosa appoggia il cappello su un tavolino e nonostante l'ambiente ben diverso da quello a cui è abituata si sente a casa. È nel cuore del suo Tirolo, e domani vedrà l'imperatore.

Il giorno dopo, il 29 agosto 1909, Rosa e la sorella escono di buon mattino. Karl è partito ancora prima per unirsi agli ufficiali che scorteranno il Kaiser. La città è gremita da una folla compatta accorsa da tutto il Tirolo, piena di gioia e orgoglio.

Rosa si sente invadere da un sentimento nuovo. Si è sempre interessata alle vicende del mondo, anche se le cure quotidiane della proprietà la appassionavano di più dei giochi astratti della politica. Ascoltava i racconti del padre sulla situazione europea, quando Johann tornava dal Weinritt o da altri viaggi, e tutti i giorni legge i giornali. Questa mattina però tocca con mano una dimensione importante della sua esistenza, quella dell'identità nazionale e della solidarietà che la lega al suo popolo.

«Andiamo a vedere la statua» propone alla sorella, e si dirigono verso il parco che guarda la città dall'alto del monte, il Bergisel. L'imperatore e il suo seguito se ne sono appena andati, e il prato di fronte all'alta scultura di bronzo è letteralmente coperto da corone di fiori. Le due donne si soffermano ad ammirare il personaggio dalla corporatura robusta e dal volto barbuto con due stivaloni e il cappello di feltro ben calcato in testa. Ha una sciabola alla cintura e sul lato sinistro, dalla parte del cuore, stringe al petto una bandiera tirolese. Ha l'aria di un uomo severo e dominatore e l'indice della mano destra, leggermente inclinato verso il suolo, sembra puntare a un esercito nemico già sconfitto.

«Andreas Hofer» dice Gusti, ed è come un saluto. «*Für Gott, Kaiser und Vaterland*», per Dio, l'Imperatore e la Patria, scandisce Rosa, leggendo l'iscrizione incisa su una targa fissata al piedistallo. Andreas Hofer è l'uomo che tutta Innsbruck sta celebrando, l'occasione per cui Rosa è venuta fin lì, assieme sembra a tutto il resto del Tirolo: è il centenario delle sue eroiche imprese.

Hofer era un comune oste della Val Passiria che non esitò a prendere le armi per combattere i bavaresi e i francesi. Nel 1805 l'Impero austriaco, sconfitto, fu costretto a cedere il Tirolo a Napoleone. Nel 1809 Hofer incitò il popolo alla rivolta, non solo contro l'invasore ma contro le idee post-rivoluzionarie e antireligiose che rappresentava. In aprile, si mise a capo dell'insurrezione. Per cinque mesi i rivoltosi tennero testa alla Baviera e alla Francia in battaglie sanguinose, e ne uscirono vincitori. Dopo la decisiva battaglia di Bergisel, Innsbruck tornò libera, e per qualche tempo lo stesso Hofer la governò a nome dell'imperatore. Per poi purtroppo cadere vittima degli accordi di palazzo tra le grandi potenze. Quando nell'ottobre del 1809 Vienna cedette nuovamente il Tirolo alla Baviera con il Trattato di Schönbrunn, l'oste ribelle fuggì sulle montagne. Abbandonato dai suoi partigiani e venduto da un vicino di casa, fu arrestato dai francesi all'inizio del 1810. Napoleone lo fece portare a Mantova dove fu processato e giustiziato. Il Tirolo sarebbe rimasto diviso fino alla caduta dell'imperatore francese nel 1815.

«Ti rendi conto? È stato rinnegato perfino dalle persone per cui lottava» osserva Rosa, pensosa. «Quel trattato ha tradito tutta la sua battaglia, tutto il sangue versato.»

«Vuoi dire che i principi austriaci hanno dimenticato il nostro grande Andreas Hofer?»

«Altroché. Lo hanno sacrificato. E con lui il nostro Tirolo. Se a un certo punto Napoleone non fosse stato sconfitto, il Tirolo sarebbe rimasto diviso in due. E tu, per esempio, magari non saresti mai potuta venire ad abitare a Innsbruck.»

«Ma la gente non lo ha scordato! Guarda che festa si sta preparando.»

Rosa volge lo sguardo alle strade, che echeggiano di musica ed esclamazioni gioiose. Quella folla spensierata celebra l'orgoglio, l'amore per la patria e il coraggio salvifico di un uomo che è stato capace di cambiare la storia. Ma davvero affidarsi al comando di un solo capo è una buona idea? Il pensiero attraversa fugace la mente di Rosa, ma viene subito scacciato. Andreas Hofer non si discute e ora è il momento di godersi la festa. Nel centro di Innsbruck le fanfare e le parate si susseguono senza sosta. Da ogni villaggio sono venute le bande musicali e per strada si possono comprare dolci e oggetti venduti da floride ragazze in costumi tradizionali.

Una voce fa il giro della folla: Francesco Giuseppe è arrivato al palazzo imperiale sulla piazza centrale. Le due giovani donne affrettano il passo, ma tutto quello che riescono a scorgere da lontano sono i pennacchi degli elmi degli ufficiali della scorta. «Karl ci racconterà!» sospira Gusti per consolare la sorella un po' delusa.

Rosa, comunque, è felice, contagiata dall'atmosfera effervescente: i mortaretti che crepitano, le risate che accompagnano le sorsate di birra e di vino nelle osterie. Nel corso della notte, con gli occhi aperti nel buio per l'eccitazione della giornata, le tornerà in mente un episodio di tanto tempo prima. Suo padre era seduto accanto a lei sul calesse, attraversavano Neumarkt. Passando per la via principale, Johann si era tolto il cappello in segno di rispetto.

«Chi salutate, padre?»

Lui aveva indicato un edificio dalla facciata grigia: «Vedi, figlia mia, quasi cent'anni fa un uomo è passato di qui. Era prigioniero, con le catene ai polsi, i soldati francesi lo guardavano a vista. Ha passato una notte in questa casa, solo, infreddolito, affamato. Nessuno lo ha aiutato, anche se era un uomo coraggioso, onesto e fedele. La mattina è ripartito e qualche giorno più tardi lo hanno messo a morte. Si chiamava Andreas Hofer».

Nel 2012 visito il museo Andreas Hofer di Innsbruck. Una fuga di sale ultramoderne in legno e calcestruzzo, rischiarate da luci soffuse. A duecento anni dalla morte, l'epopea dell'eroe tirolese è raccontata da una videoproiezione che tiene vivo il culto della sua memoria. Guardandola, è difficile non provare la sensazione di assistere al martirio di un giusto e all'assassinio di un ideale. Quello dell'unità e della libertà del Tirolo.

Mentre percorro le strade di Innsbruck, rintracciando i passi della mia bisnonna, mi torna in mente che l'eroe patriottico tirolese una volta mi ha quasi fatta licenziare.

Bisogna premettere che, anche nei nostri tempi moderni, in Sudtirolo prima o poi Andreas Hofer ti tocca. Nessuno sfugge alla retorica che lo circonda. Se appartieni a una famiglia come la mia, che definirei piuttosto illuminata, capiterà di sentirne parlare quasi solo a casa della nonna e alle riunioni dei parenti.

Io da giovane provavo una certa avversione per l'oste della Val Passiria. O meglio, non per lui, una figura storica di tutto rispetto, ma per il patriottismo acritico con cui veniva adornata la sua memoria. In più, dopo aver studiato la Rivoluzione francese, lo vedevo come un reazionario. Avevo ricevuto un'educazione cosmopolita e diffidavo dei localismi.

Purtroppo, anche se non vuoi occuparti di Andreas Hofer, lui si occuperà di te. E come una vendetta della storia, nell'estate del 1984 piombarono su di me i festeggiamenti solenni del 175° della storica battaglia di Bergisel. Lavoravo allora alla Rai di Bolzano di lingua tedesca, redattrice ventisettenne con un contratto a termine. Per l'intera estate avrei dovuto seguire le celebrazioni dell'anniversario, visitando le cime dove si incontravano, tutte le settimane, rappresentanti di diverse associazioni e comunità del Tirolo del sud e del Tirolo del nord. Ogni domenica una cima diversa.

Settantacinque anni dopo Rosa, ma con uno stato d'animo ben diverso dal suo, mi preparavo a onorare la ricorrenza. Dovevo realizzare ogni volta diversi pezzi, per i giornali radio e per il tg delle 20. La Tagesschau, i servizi del telegiornale in lingua tedesca, costituiva anche allora un punto di riferimento politico-culturale importante, e seguire questo evento era d'obbligo. Non si trattava di una responsabilità da poco. Partivamo in auto in tre, tutti giovani: io, l'operatore e il fonico. L'operatore della Val Pusteria era un fine spirito satirico, e le sue battute sul folklore locale contribuivano a rendere più digeribili quelle strade piene di tornanti. A ogni raduno ci toccavano la santa messa, le canzoni patriottiche e i discorsi dei politici. E per fortuna il cibo: grandi tavolate di salsicce, polenta, *Schüttelbrot* con lo speck e altre delizie.

Avevo scelto di fare la giornalista con grande passione, e per la verità con altri orizzonti in mente. In quei due anni di contratto con la Rai tedesca imparai moltissimo, ma già allora non avevo intenzione di occuparmi per tutta la vita dei problemi della minoranza etnica sudtirolese, dalle norme di attuazione dello Statuto di autonomia alle festività in costume tradizionale. Rischiai di non occuparmi più di niente: evitai di essere cacciata all'istante solo grazie alla forza e alla lealtà del caporedattore di allora, Hansjörg Kucera.

Un giorno, mi ritrovai su una montagna dove si incontravano i giovani dell'Alpenverein Südtirol e dell'Alpenverein Tirol, ovvero i circoli alpini dalle due parti del confine. E pensai di porre una domanda per me ovvia. A centosettantacinque anni dall'eroica insurrezione di Andreas Hofer, a sessantacinque anni dal passaggio all'Italia, a oltre quaranta dalla fine dell'ultimo conflitto mondiale: che ne pensavano loro, che non avevano vissuto niente di tutto questo, di una possibile riunificazione del Sudtirolo all'Austria?

Ricevetti risposte destinate a dare molto fastidio. I nordtirolesi erano in gran parte favorevoli, ma per una ragione diversa da quella che si poteva immaginare. Per loro si trattava di un ricongiungimento naturale, ma anche di un'espansione verso sud: ciò che apprezzavano non era tanto la germanicità del Sudtirolo, ma al contrario la sua contaminazione con quel che di buono aveva lo stile di vita italiano. I giovani sudtirolesi invece si dichiararono in gran parte contrari a una riannessione. Contenti di vivere in una prospera provincia a statuto autonomo, ben sicuri dei loro diritti sanciti da un trattato internazionale, tutto sommato stavano bene così. Uno addirittura decretò: «Meglio essere straccioni che austriaci». Conclusi così il servizio.

Non appena la sera andai in onda, sulla redazione cominciarono a piovere telefonate degli alti papaveri. Accusavano il servizio di essere tendenzioso e non veritiero. Nei giorni seguenti il dibattito si infiammò, con articoli e lettere sui giornali locali. Ma Kucera difese senza se e senza ma il mio operato, e la libertà della sua redazione. Anche se in privato osservò che avrei potuto incalzare l'ultimo provocatorio interlocutore con altre domande. Negli anni a venire avrei comunque capito che non tutti i direttori hanno la schiena così dritta.

E io? Io ero un po' inquieta, ma non pentita, perché avevo fatto il mio lavoro con onestà intellettuale. Avevo imparato che comportava dei rischi cercare di infrangere l'idilliaco quadretto alpino a cui si pretendeva di ridurre la mia terra. Ma ero pronta a rifarlo.

Non ero, insomma, molto contrita. E ripensandoci oggi, non sono cambiata granché.

Passa qualche settimana prima che Rosa confidi al suo diario la storia del viaggio a Innsbruck:

Pinzon, 19 settembre 1909

Il 29 agosto la città di Innsbruck ha organizzato la festa per il centenario del patriota Andreas Hofer. L'insolita occasione ha fatto uscire di casa anche me e senz'altro a nessuno è dispiaciuto spendere i soldi del viaggio. Sua maestà, il caro padre della nostra terra, Francesco Giuseppe I, nonostante l'età avanzata, è venuto dai suoi fedeli figli del Tirolo. La gente era arrivata da tutte le parti, con i costumi variopinti, c'era perfino una grossa rappresentanza di trentini del confine. Non si riescono a descrivere tutte le cose interessanti che c'erano da vedere e chi le ha viste avrà un bel ricordo per il resto della vita. Perfino i veterani novantenni si erano messi in marcia con i loro fucili arrugginiti e le divise strappate, e se ne sono ritornati a casa contenti perché hanno visto il loro buon imperatore Francesco Giuseppe.
Sì, l'onore vale più dell'oro e dell'argento, una solennità come questa fa superare qualsiasi difficoltà. Quando cadrà il prossimo centenario i nostri capi saranno putrefatti da un pezzo, ma una nuova generazione seguirà le nostre orme e canterà la stessa canzone dei vecchi.

Gott erhalte, Gott beschütze
Unsern Kaiser, unser Land.

Serbi Dio l'austriaco regno
guardi il nostro imperator.[1]

1. Sono le parole dell'inno della casa degli Asburgo, cantato sulle note di Franz Joseph Haydn.

A Rosa non resta molto tempo per godersi la vita di una giovane madre di buona famiglia, che sognava di veder crescere i suoi figli nella spensieratezza e nell'agio. Mancano ormai pochi anni allo scoppio della Grande Guerra, che travolgerà milioni di famiglie. La carta dell'Europa sarà ridisegnata, e ancora una volta il Tirolo si ritroverà spezzato e tradito.

6

Una donna nella tempesta

Rosa guarda Jakob, in piedi di fronte a un alto specchio che ha fatto portare in camera da letto. Il marito è quasi irriconoscibile, anche lui sta scoprendo un nuovo se stesso. I loro sguardi si incontrano nel riflesso e Rosa legge nei suoi occhi una domanda silenziosa.

«Sei molto bello» dice infine.

Jakob non risponde. Osserva l'uniforme che ha appena indossato e che un sarto ha rifinito perché cada alla perfezione sulle sue forti spalle. La giacca abbottonata fino al collo è azzurra, con i pantaloni nello stesso tessuto e una fusciacca in vita. Il berretto piatto con la visiera getta un'ombra sul suo bel viso risoluto.

«Sarà una cosa rapida, vedrai» dice. «L'imperatore ha bravi generali.»

«Sei padre di famiglia, non andrai al fronte» lo rassicura Rosa, e sta in realtà rassicurando se stessa.

«Farò il mio dovere» ribatte Jakob secco, girandosi. Per una volta il suo famoso sorriso fatica ad accendersi. Non ama l'idea di dover abbandonare la moglie, i figli e questa casa che è divenuta la sua. Non è un uomo d'avventura e non ha mai preteso di esserlo. E a questo punto della sua vita, sente che il suo destino prende una piega imprevista.

Il marito di Rosa ha quarant'anni e parte per la guerra, alla fine di luglio del 1914. Al pari di centinaia di migliaia di sudditi dell'Impero austroungarico, la patria lo chiama a combattere. Altrove in Europa, in Germania, in Russia, in Francia, in Inghilterra milioni di uomini stanno compiendo i suoi stessi gesti di preparazione e di saluto.

«Cosa dirai ai bambini?» si preoccupa Jakob. La maggiore, Elsa, ha undici anni e Berta, la più piccola, sette.

«Dirò loro la verità» risponde lei. «E poi non sarai lontano, vai a Bolzano, sarai qui spesso in permesso.»

Lo abbraccia. Nell'intimità della loro stanza, stringe a sé l'uomo con il quale da oltre dodici anni condivide ogni istante della sua vita. Ama la sua forza e questo abbandono che le fa sciogliere il cuore. Jakob avverte la sua angoscia e le sussurra all'orecchio: «Ti amo».

Quando la coppia giunge alla stazione di Neumarkt, i treni stanno per partire. Il fumo delle locomotive offusca l'orizzonte e i fischi del vapore riempiono l'aria. I soldati salutano le loro famiglie sporgendosi dai finestrini dei convogli.

Qualcuno grida a pieni polmoni: «Tutti al fronte!». Sulle banchine le mogli piangono, fazzoletto alla mano. Qualche bambino corre contagiato dall'agitazione degli adulti. Attorno a ogni treno gruppi di persone passano ai soldati formaggi, salami, bottiglie di vino. Jakob resta un istante in piedi sul predellino del vagone che lo porta con sé. Rosa gli manda un bacio. Suo marito è partito.

Tutto ha avuto inizio alla fine del mese di giugno, e gli eventi sono precipitati molto rapidamente. Come se nessuno desiderasse davvero evitare la tragedia. Dopo il suo viaggio a Innsbruck, Rosa è diventata una lettrice ancora più accanita di giornali e riviste. Fa rilegare e conserva i numeri del «Tiroler Stimmen», che la posta le recapita a casa.

È lì, sulla prima pagina del 29 giugno 1914, che ha letto con terrore di quanto accaduto nella città di Sarajevo. L'arciduca austriaco Francesco Ferdinando è stato assassinato. Lui e la moglie Sofia sono stati uccisi a colpi di pistola mentre attraversavano in auto la città della Bosnia Erzegovina. È stato immediatamente arrestato un uomo, un certo Gavrilo Princip. Rosa è rimasta colpita dalla sua giovane età: non ha ancora vent'anni, e già è animato da un così cruento fanatismo. Princip ha confessato il crimine, dicendo di aver agito per l'unità della Jugoslavia e l'indipendenza dall'Impero. Secondo un articolo del «Tiroler Stimmen», però, Princip e i suoi complici erano al soldo dei servizi segreti del regno serbo. Belgrado infatti aveva contestato apertamente l'annessione della Bosnia Erzegovina del 1908 da parte dell'Austria. E rivendicava il controllo di questa provincia in nome dell'unificazione delle nazioni balcaniche.

Nelle settimane dopo l'attentato di Sarajevo, tutte le mattine Rosa si precipitava sul giornale appena arrivava. Con i parenti e gli amici in visita a Pinzon ormai si parlava solo di politica.

«L'imperatore deve lavare questo insulto nel sangue, e farla pagare ai serbi!» dicevano alcuni.

«Non può muoversi senza il consenso della Germania, o si immischieranno i russi» sostenevano altri.

«Berlino accetterà di buon grado! I tedeschi vogliono farla finita con francesi e inglesi.»

«L'Inghilterra aspetta solo il pretesto per sbarazzarsi della Kriegsmarine che minaccia il suo Impero.»

Ma come si fa a parlare di guerra?, si chiedeva Rosa, l'Europa è in pace da così tanto tempo. Vedeva bene che questo dramma li riguardava tutti molto da vicino, e voleva capire cosa sarebbe successo a questo continente che stava passando di crisi in crisi. In particolare nei Balcani, dove confliggevano gli interessi di Vienna, di Mosca e dell'Impero ottomano. Per settimane Rosa si è chinata sull'atlante alla ricerca dei popoli e delle nazioni che man mano divenivano fondamentali: Bulgaria, Macedonia, Albania.

Poi le ipotesi disegnate nei dibattiti delle calde serate di luglio sono diventate minacciosa realtà. Il 24 di quel mese, il giornale ha annunciato che Vienna ha dettato un ultimatum a Belgrado. L'imperatore ha intimato ai serbi di punire essi stessi gli istigatori dell'attentato. Una richiesta impossibile da esaudire. È stato allora che Jakob ha ricevuto l'ordine di recarsi al più presto al quartiere generale di Bolzano.

Il 28 luglio 1914 l'Austria dichiara guerra alla Serbia. E quella che doveva essere una semplice operazione militare contro un vicino recalcitrante si trasforma in una guerra mondiale.

Nella piazza di Neumarkt i cittadini ascoltano il testo della dichiarazione di guerra letto dal barone Anton von Longo, il borgomastro del paese. C'è molto entusiasmo nell'aria, applausi e slogan. I giovani fremono dall'ansia di mostrare il proprio coraggio, essere uomini, difendere la patria. Inoltre, gli ultimi anni di continui scontri tra le etnie hanno esasperato gli animi e la guerra sembra ora l'unica valvola di sfogo possibile. L'unica via.

Attraverso il gioco di alleanze, sono coinvolte tutte le grandi potenze. Da un lato, l'Impero austroungarico e la Germania ai quali si uniranno gli ottomani: gli imperi centrali. Dall'altro lato, la Russia prende le parti della Serbia e le si uniscono Francia e Inghilterra: è la Triplice Intesa. Nei giorni seguenti, il fronte occidentale si infiamma e i tedeschi attaccano Belgio, Lussemburgo e Francia. Si apre anche il fronte russo e la guerra giungerà ben presto in Africa, e a oriente, nella penisola arabica e in Mesopotamia.

Il conflitto durerà più di quattro anni, mobiliterà intere generazioni di uomini, farà milioni di morti, feriti e invalidi. Devasterà economie, distruggerà i sistemi politici antichi, provocherà rivoluzioni e porterà al crollo dei quattro imperi che avevano finora dominato il mondo: l'austriaco, il tedesco, il russo e l'ottomano. E infine pianterà in Europa il seme di un odio da cui nascerà un conflitto ancora più cruento.

Il 4 agosto 1914, Rosa cerca le parole per descrivere la drammatica situazione.

La tanto temuta guerra mondiale è scoppiata per davvero. C'è stata la mobilitazione generale e per gli uomini coraggiosi non è più il tempo dell'attesa. Il dovere chiama, bisogna salvare l'onore del Kaiser e della patria.
«E corriam con lieta speme la battaglia a sostener.»

Queste sono le parole che vogliono cantare, per annientare i nemici, per assicurare la pace e l'ordine sul territorio dell'Impero. I nostri cari fratelli e mariti combattono per una causa giusta e voglia Dio Onnipotente benedire le loro armi e distendere il suo manto protettivo sugli Asburgo. È quello che chiederemo nelle nostre preghiere, noi mogli e madri rimaste a casa afflitte dal più profondo dolore. È stato un commiato orribile e straziante: grandi e piccoli gridavano e piangevano e tenevano abbracciato stretto il loro «caro» in partenza, come se ogni cuore sanguinante presagisse ciò che il futuro tace. Anch'io sono stata colpita dallo stesso duro destino, perché anche mio marito e padre delle mie creature ha dovuto salutare moglie e figli.
È terribile come tutto adesso è vuoto, non si vede nient'altro che volti gonfi di pianto. Forse tra poche ore il mondo sarà avvolto dal fumo dei cannoni e la terra esalerà i vapori del sangue dei nostri uomini.
O guerra come sei crudele! Signore del cielo non punirci nella tua ira, manda la tua luce a rischiarare le tenebre, risparmiaci, conduci a casa vittoriosi i nostri cari affinché noi non moriamo nella tristezza!

Su Pinzon si è scatenato un temporale. Rosa ascolta la pioggia che batte contro i vetri. In quella sera del 20 maggio 1915 si è coricata presto, dopo il bacio della buonanotte ai suoi figli. Ringrazia Dio che la spensieratezza dell'infanzia li protegge ancora dai dolori della vita. L'esito della guerra è più incerto che mai, e lei anche stasera ha pregato davanti all'alto crocifisso della stanza perché Jakob torni a casa presto e al Kaiser sia concesso il trionfo. Non riesce a prendere sonno, la lampada è accesa accanto al suo letto e la sua mente è oppressa da un funesto presentimento: le notizie sul giornale non sono incoraggianti. Gli austriaci non hanno fatto alcun progresso contro i serbi, e sul fronte occidentale l'offensiva delle forze tedesche contro i francesi è stata bloccata. I dispacci dal fronte parlano di una guerra di posizione combattuta nelle trincee. La vittoria non sarà facile per nessuno.

Sono le undici passate quando Rosa avverte un rumore secco tra le raffiche di vento, uno schiocco, come se un'anta di legno avesse sbattuto o un ramo avesse urtato la finestra. Poi ecco di nuovo lo stesso suono. Rosa si alza a sedere sul letto, tendendo l'orecchio. Un terzo colpo. Si alza, a piedi nudi va a scostare una tenda e socchiude appena la persiana. La pioggia cade regolare e fitta, la strada è piena di pozzanghere fangose. La chiesa di Pinzon si staglia scura contro il cielo infuriato. Gli occhi di Rosa cercano nella penombra, finché all'improvviso lo vede, in piedi sul sagrato.

«Mio Dio!» si lascia sfuggire in un soffio. Poi, senza neanche indossare le pantofole, si precipita verso le scale.

In piedi nell'ingresso, la porta appena socchiusa, Rosa stringe Jakob tra le braccia senza dire una parola. L'uomo dal mantello cerato grondante di pioggia restituisce l'abbraccio a sua moglie e la bacia teneramente. Lei vorrebbe parlare, ma lui le posa l'indice sulle labbra e indica la Stube. Si richiude alle spalle la porta e ammonisce sottovoce: «Sst, non svegliamo nessuno!».

Jakob si toglie la cappa militare e posa il cappello fradicio su una sedia. Negli occhi gli danza un sorriso: «Sapevo che sarebbe bastato gettare dei sassolini contro le tue finestre. Come da tuo padre a Kalditsch, quando eravamo ragazzini!».

«Che cosa ci fai a casa? E perché così, in segreto, come un ladro? È successa qualche disgrazia?» Questo incontro nel cuore della notte le sembra uno strano sogno.

Jakob si siede al tavolo della Stube e si versa un generoso bicchierino di grappa. Rosa va a preparare un tagliere di speck e un cestino di pane nero e mesce una caraffa di vino rosso.

«Sono venuto da Bolzano a cavallo, ma l'ho lasciato a Neumarkt. L'ultimo tratto l'ho fatto a piedi tagliando per le vigne. Non volevo farmi notare» racconta Jakob con la bocca mezza piena. All'improvviso solleva la testa e tende l'orecchio.

«Ma cosa è successo?» ripete Rosa. Non è la prima volta che suo marito rientra in licenza, ma aveva sempre avvertito per tempo. Ogni volta lei riuniva i bambini per far loro intonare una canzone di benvenuto, preparava un pranzo speciale, lo accoglieva insomma con tutti gli onori.

Jakob fa per rispondere, quando un colpo lo zittisce all'improvviso. Si alza, attraversa a grandi passi il pavimento di terrazzo veneziano dell'atrio, apre il battente di legno e la sagoma di un uomo in uniforme si staglia nella cornice della porta. Fa un passo avanti e Rosa lo riconosce. Non crede ai suoi occhi.

È Karl von Larcher! Il marito di sua sorella Gusti, membro dello stato maggiore dell'esercito imperiale.

«Karl, sei tu? Cosa ci fai qui?»

«Forse dovrebbe spiegarcelo tuo marito. Ho ricevuto un messaggio che mi pregava di raggiungerlo qui in gran segreto.» Le bacia la mano e poi guarda Jakob, con occhi indagatori. «Di che si tratta?»

L'orologio a pendolo segna la mezzanotte. Ha smesso di piovere, in un angolo del cielo la luna ha fatto capolino tra le nuvole e manda in terra un luccichio pallido. Rosa vede un'ombra scivolare attraverso la porta ancora aperta. Riconosce l'abito nero dei gesuiti. Il religioso si libera dal cappuccio del mantello, scoprendo un viso giovane in cui spiccano due occhi verdi.

La strana compagnia entra in silenzio nella Stube.

«Il tempo stringe, amici. C'è molta, molta fretta» esordisce il gesuita con una voce calma e grave. Si rivolge a Rosa: «Vi ringrazio, sorella, per averci accolti qui, sotto il vostro tetto. Vostro marito, che ho l'onore di confessare a Bolzano, mi ha assicurato che da voi saremmo stati al sicuro. Ahimè, la guerra ha gettato il seme del tradimento anche nelle anime dei più acerrimi avversari del Maligno».

I suoi occhi cercano quelli di Karl.

«Devo trasmettervi un messaggio che proviene direttamente dall'arcivescovado di Bressanone» gli dice. «Non mi fate domande, non potrei rispondervi. Ma tornate al più presto a Innsbruck e parlate coi vostri superiori.»

Il gesuita parla con il tono posato e sicuro degli uomini abituati al potere. Fa uno strano contrasto con il viso liscio e quegli occhi luminosi.

«Abbiamo saputo che i Paesi dell'Intesa si sono riuniti in segreto con alcuni emissari del Regno d'Italia. Gli incontri si sono tenuti a Londra, e gli inglesi e i francesi sono quelli che si sono dati più da fare. Il 26 aprile è stato firmato un accordo che prevede l'entrata in guerra dell'Italia entro il termine di un mese. Stando alle informazioni che ci hanno trasmesso i fratelli di Roma, l'Italia dichiarerà guerra all'Impero di qui a tre giorni.»

Karl e Jakob si fissano in silenzio. Rosa non dice una parola. Sa bene che il gesuita non può essersi sbagliato. Da secoli il suo ordine si batte contro l'influenza protestante in Tirolo. La Compagnia di Gesù è un ordine potente, ben organizzato, noto per la sua valida rete di informatori. Oggi, in un'epoca inquieta, si muove con decisione per difendere i propri interessi. La Chiesa cattolica tirolese ha scelto di stare dalla parte dell'Impero, gli Asburgo la proteggono e la finanziano praticamente da sempre. Ed è a Vienna, non a Roma, che vengono suggerite le nomine vescovili della diocesi di Bressanone.

Quell'incontro è solo uno dei tanti organizzati dai gesuiti, come da tutte le altre parti in causa, per essere certi che le notizie giungano a destinazione. Gli agenti che percorrono l'Europa in quegli anni sono molti ed efficienti.

Karl, chiaramente, non è sorpreso: «Le vostre informazioni confermano le nostre. Abbiamo saputo che la mobilitazione dell'esercito italiano è stata ultimata pochi giorni fa. Ci sono oltre un milione di uomini pronti a combattere. Abbiamo anche i piani dello stato maggiore del generale Cadorna. Attaccherà verso nord per cercare di strapparci Trieste.

Il suo obiettivo è spaccare il Tirolo in due all'altezza di Trento».

Rosa avverte la collera nella voce misurata di suo cognato. Come biasimarlo? Sulla base degli accordi di Vienna del 1882 l'Italia era tenuta a entrare in guerra al fianco dell'Austria e della Germania, in caso venissero attaccate. Roma, invece, si è dichiarata neutrale nel conflitto che è divampato subito dopo l'attentato di Sarajevo. La guerra, hanno sostenuto, non era difensiva ma offensiva, per via delle rappresaglie di Vienna contro la Serbia. E ora, pensa Rosa, ecco che gli italiani voltano la schiena ai loro alleati e si schierano al fianco dei nemici dell'Impero. L'intervento militare è un tradimento che costringerà le truppe austriache e tedesche ad aprire un nuovo fronte di battaglia. Molto vicino a Pinzon.

Il giovane gesuita si è già rialzato: «Devo rimettermi in cammino. Fate buon uso delle notizie che vi ho trasmesso. Temo che ormai sia troppo tardi, ma chi può saperlo».

«Ci impartisca la sua benedizione, padre» lo prega Rosa chinando il capo. Il religioso accenna un segno della croce mormorando una rapida preghiera.

«Che il Signore ci protegga» conclude calandosi il cappuccio sul viso. Nel giro di un attimo si è dileguato nella notte.

Karl si getta nuovamente sulle spalle la cappa militare e Jakob il mantello. Non si sono ancora asciugati. Rosa vorrebbe trattenere i due uomini stanchi e farli riposare, ma devono ripartire.

Si rivolge a Karl: «Credi davvero che gli italiani ci tradiranno? Ma perché?».

Il giovane ufficiale dell'Impero risponde cupo senza esitazione: «Vogliono strapparci Trieste, l'unico porto che abbiamo. Vogliono il Sudtirolo. Vogliono i nostri campi, le nostre case, le nostre chiese. Ecco perché».

Domenica 23 maggio 1915 l'Italia entra in guerra. Il Regno ha ultimato la mobilitazione delle truppe il 4 maggio e dispone ora di un milione e trecentomila soldati. Il piano del generale Luigi Cadorna prevede di bloccare le armate austriache sul fronte delle Alpi, e di concentrare le forze nei pressi di Gorizia. La guerra è giunta fino alla porta di Rosa, e abiterà a Pinzon per molti mesi a venire.

Il 3 giugno lei confida la propria amarezza al diario.

Oggi è il Corpus Domini, la processione sembrava più un funerale, tanto l'atmosfera era depressa e si sfilava senza la minima interruzione. Dietro il Santissimo si vedevano solo bambini e vecchi, con gli occhi colmi di lacrime, e Cristo grida ancora, la mia ora non è giunta! I nostri uomini sono sui campi di battaglia già da dieci mesi e purtroppo non si prevede una pace a breve. Si è aggiunto un nuovo nemico: il 20 maggio l'Italia ci ha dichiarato guerra, questi vigliacchi hanno rotto la Triplice Alleanza.
Ma hanno avuto torto ad agire così. Il suono delle campane non annuncerà loro niente di buono per il futuro. Uno Stato che volge le sue

armi contro coloro che erano suoi amici da oltre trent'anni, che hanno protetto la sua crescita e che in ogni circostanza difficile gli hanno spianato la strada spingendolo avanti con braccio forte, quasi sempre commette peccato contro se stesso e contro il popolo che si raduna sotto la sua spinta.
Questi farabutti vogliono prendersi il Tirolo e non accettano alcuna offerta vantaggiosa, lasciano decidere le armi. Noi siamo in grande pericolo, mentre le fiamme della guerra divampano al nostro confine, siamo attaccati. Vuol dire combattere di nuovo per la vita o la morte, combattere per Dio, l'imperatore e la nostra amata patria. «Aquila del Tirolo, perché sei così rossa?»
Anche in queste ore difficili confidiamo in Dio che presta il suo braccio alla giustizia, vogliamo soprattutto implorare il Sacro Cuore di Gesù, a cui il Tirolo è consacrato, affinché i comandanti supremi del nostro esercito e degli alleati ottengano la pace e la vittoria. Su ordine del Kaiser c'è stata una nuova chiamata alle armi, dai diciassette ai sessant'anni, ragazzi che hanno appena smesso le braghe corte o uomini smagriti, con la barba bianca. Chi può aiutare aiuti. Anche la Germania ha mandato il suo esercito di milioni di uomini, che ci sono sempre stati accanto fedeli, e così partono, mano nella mano, colmi di rabbia e di entusiasmo per gettarsi sui Welschen. O carissimi, vi accompagnino la benedizione delle madri e la preghiera.
La popolazione è stata quasi tutta evacuata fino

a Trento, e presto toccherà anche a noi dover lasciare in tutta fretta la nostra casa e il nostro paese. Vieni cacciato dalla mano traditrice, in un luogo dove sarai circondato dalla miseria e dal dolore.

Es gibt kein Feld der Ehre
für Räuber auf der Welt!

Non esiste campo dell'onore
per i ladri, in questo mondo!

L'entrata in guerra dell'Italia scatena un autentico terremoto a Pinzon. Di punto in bianco il pacifico villaggio si ritrova in prima linea, e il conflitto acquista volti e voci. Il fronte è poco lontano, sulle montagne. Rosa e i bambini sentono le cannonate che echeggiano nella valle, e l'esercito imperiale ha stabilito un posto di comando proprio a casa loro. Pinzon ora alloggia ufficiali eleganti dai modi educati, mentre negli altri edifici della tenuta prendono posto i soldati austriaci e ungheresi.

A sera, quando la cena è finita e ci si rilassa con un bicchiere di vino, viene aperto il *Gästebuch*, il libro degli ospiti di casa Tiefenthaler-Rizzolli. Gli ufficiali non si fanno pregare per lasciare un ricordo del loro passaggio, e le pagine fioriscono di messaggi, firme, disegni, poesie, note musicali e fotografie.

A quasi un secolo di distanza, seduta dove sedevano quei militari, scorro questo libro dai fogli pesanti, a volte un po' strappati, e ho un brivido. È come se potessi toccare con mano la storia di quella casa. Mi sento grata che attraverso le generazioni le parole di questi testimoni siano arrivate fino a me. E sono riconoscente a chi è venuto dopo Rosa, e ha saputo conservare con tanta cura le tracce del passato di famiglia.

Nella prima istantanea che ritrae dei soldati ce ne sono solo due, al centro della piazza, immortalati mentre immergono le mani nella fontana. È il marzo 1915, probabilmente i primi ospiti in divisa di Pinzon sono solo un'avanguardia.

Nel 1916 arriva sul fronte italiano il secondo battaglione del 92° reggimento di fanteria imperiale «Edler von Hortstein». Immagino l'ufficiale di comando che batte i tacchi presentandosi a Rosa, la sconosciuta le cui proprietà sta occupando con la sua truppa. «Né a voi né ai vostri figli sarà fatto alcun male.»

A sera, c'è una festa per il loro arrivo, all'aperto, con una grande tavolata di cibo e di buon vino. Due intere pagine sono occupate da un affastellarsi di firme, poste sotto una poesia:

Wir sahen Serbien, Montenegro und den Isonzostrom
Jetzt geht es hoffentlich bis weit nach Rom!
So schön war´s nirgends, nie war uns so wohl,
Als wie im schönen Lande Südtirol.

Nach harten Kämpfen folgt als reicher Lohn,
die Retablierung in Pinzon.
In Deinem schönen stilgerechten Haus
Geh´n 92er glücklich ein und aus!

Mög Dich der liebe Herrgott schützen und die Deinen
Mög Euch das Glück so warm wie Eure Sonne scheinen!

Zur Erinnerung an lustige Tage in Pinzon
März 1916
Theodor Schulhoff, Major

Abbiamo visto la Serbia, il Montenegro, le acque dell'Isonzo
e speriamo di arrivare fino a Roma!
Ma nessun luogo era così bello, nessuno così perfetto,
quanto la bella terra del Sudtirolo.

Dopo la dura battaglia segue la ricca ricompensa
di potersi ristorare a Pinzon.
Nella tua bella ed elegante dimora
il 92° felice si è sentito a casa sua!

Che il buon Dio protegga te e i tuoi
e che la fortuna splenda come il sole su tutti voi!

Nel ricordo dei bei giorni di Pinzon
Marzo 1916
Maggiore Theodor Schulhoff

Una bella foto di gruppo ritrae Rosa e le sue figlie sotto il tiglio, sedute composte con dietro di loro una vera e propria guardia d'onore di militari sorridenti. È il 1° aprile 1916 e la pagina accanto è interamente occupata da un nitido disegno, una veduta del paese con il suo campanile in bella evidenza al centro.

Sono uomini abituati alla guerra ma sono anche ragazzi lontani da casa, grati di trovare un'atmosfera familiare e calore umano. Le figlie di Rosa sono piccole, la maggiore, mia nonna Elsa, ha appena tredici anni, ma in casa c'è la servitù femminile e in paese mancano gli uomini. Quando non sono intenti a manovre, esercitazioni e piani di guerra, i militari hanno certo il tempo di innamorarsi. Ecco forse perché svariati di questi giovani votati al mestiere delle armi fanno lo sforzo di un componimento in versi o di uno schizzo grazioso, persino fiori. Come il 2 agosto 1916 quando uno di loro lascia per ricordo il disegno di un *Edelweiss*, una stella alpina, e una pagina assai lirica. È un certo Hans, che a giudicare dalla sua abilità grafica deve essere il disegnatore e fotografo in forze al reggimento. Il mese prima ha riempito due fogli interi di bozzetti assai ben fatti: soldati in divisa, uno dei quali turco, la chiesetta di Pinzon, un ufficiale barbuto che legge una lettera. Sotto aggiunge una foto della Stube.

Un drappello lascia la casa poco dopo la nascita di Hella, che ricordano con una poesia:

Noch einmal, eh uns heiß der Kampf umfängt,
grüßt uns der stille, sonnengoldene Friede.
Er führt uns in das gastliche offene Haus.
Er gleitet mit dem lichten Sonnenstrahl an dunklem Fels...
Und an dem Schmuck der bunten Blumen hin.
In frohem Kinderlächeln grüßt er uns
Und in der Hausfrau still bescheidener Würde.
Sechs schöne Wochen lädt er uns zu Gast
Und da wir scheiden, ruft er uns nach

Durch eines neugeborenen Engels Stimme:
«Erhellet mir das sonnig traute Heim,
dies Heim, das meine ganze Zukunft ist!».
Da wissen wir, warum zum Kampf wir gehn:
Wir kämpfen für dies schöne Fleckchen Erde,
daß es auch weiterhin dem Glück zur Heimat werde.

Una volta ancora, prima che la battaglia ci circondi
col suo abbraccio ardente, ci saluta la silenziosa
pace dorata.
Ci conduca nella casa aperta, ospitale.
Con il raggio del sole scivola luminosa sulla roccia scura...
E sullo splendore dei fiori variopinti.
Ci saluta nel lieto sorriso dei bimbi
e nella tranquilla dignità della padrona di casa.
Per sei liete settimane ci ha offerto ospitalità
e ora che ce ne andiamo ci chiama
chiama la voce di un angelo appena nato:
«Rischiaratemi l'amata patria solatia,
questa terra che è tutto il mio futuro!».
E noi sappiamo allora perché andiamo in battaglia:
per questo bell'angolo di terra,
affinché continui a essere la patria della felicità.

Il 22 febbraio 1917 un gruppo di tre o quattro ufficiali si ingegna a riprodurre un cartiglio con lo stemma di famiglia, sotto cui inscrivono il loro ricordo. Molti chiamano affettuosamente Rosa «La nostra cara signora della casa».

Il 25 luglio 1917 l'aria si è fatta più pesante e il disegno mostra invece una testa d'uomo dai tratti mongolici, verso cui è puntata una pistola.

È l'ultima pagina firmata da un militare.

In quegli stessi mesi in cui il Sudtirolo è in armi contro i «Welschen traditori», un trentino di nome Cesare si è arruolato nell'esercito italiano. È dai tempi dell'università che combatte per la difesa dei diritti della nazionalità italiana nell'Impero austroungarico. Dieci anni prima a Innsbruck lui e i suoi hanno perso una battaglia, ora c'è da vincere una guerra. Forse questo è il momento in cui potranno finalmente raccogliere i frutti del lavoro di questi anni. Già dal 1914 lui e i suoi si sono trasferiti in Italia, e sono andati a Roma per fare pressione sul re e sul governo affinché intervenissero nel conflitto. Poi è venuto il momento di vestire la divisa di un Paese che non è il loro, non ancora.

In questo inverno del 1916, al fronte, l'ardito irredentista si è già accorto che la guerra è una faccenda inutile e crudele: in centinaia ogni giorno muoiono per guadagnare pochi metri che il giorno dopo gli austriaci riconquistano. A volte vacilla persino la certezza assoluta della propria missione, quella che lo ha spinto ad arruolarsi, lui cittadino austriaco, nell'esercito italiano in guerra contro gli Asburgo. Su quelle montagne piene di fango, neve, cecchini, fame e abbrutimento gli uomini non sono mai stati così uguali. Ma mai così nemici.

Finché Cesare viene catturato. È con un compagno in un giro di perlustrazione, si imbatte in un'unità di Kaiserjäger, fanteria leggera. Viene rapidamente identificato come un «Welscher traditore», è uno di loro che sta combattendo *contro* di loro. Viene tradotto rapidamente a Trento, la sua città, e rinchiuso in carcere. Non c'è tempo per i dubbi, per la clemenza, né voglia di fare concessioni a chi ha voltato le spalle all'Impero. Lo schiaffo è reso ancora peggiore dal fatto che lui è un intellettuale, è stato un deputato austriaco. La punizione deve essere esemplare. Gli viene rifiutata l'unica grazia che chiede: essere fucilato come soldato nemico catturato, e non impiccato come traditore.

È perfettamente cosciente di quello che gli accadrà, non è il primo. Incatenato e portato in giro per le strade di Trento, esposto al pubblico ludibrio, sente gli insulti, gli sputi che gli arrivano in faccia. Il processo a lui e ad altri come lui si svolge per direttissima. Il giudice gli chiede di rinnegare la sua scelta, di implorare il perdono del Kaiser. Ma lui non ha lottato tanto per poi rimangiarsi tutto proprio alla fine.

«Viva l'Italia!» grida Cesare Battisti, e il cappio si stringe.

Rosa continua a seguire col fiato sospeso le notizie dal fronte. Ai giornali e ai bollettini di guerra si è aggiunta una nuova preziosa fonte di informazione, gli ufficiali suoi ospiti che cenano nella Stube.

Sul fronte serbo le truppe austriache e tedesche hanno subìto alcune sconfitte, ma la Bulgaria è intervenuta in loro soccorso, finché nel 1915 Belgrado è caduta.

In Francia l'offensiva tedesca è stata bloccata sulla Marna nel settembre 1914. Il fronte si va stabilizzando. Ben presto, e per mesi interi, i giornali potranno riferire solo le alterne vicende di un sanguinoso faccia a faccia, in cui i soldati di entrambe le parti muoiono per nulla. A est le cose vanno meglio, tanto che le offensive contro i russi in Polonia porteranno alla presa di Varsavia.

Contemporaneamente l'Impero ottomano entra in guerra al fianco di Vienna e Berlino. Le forze russe lo attendono sul Caucaso, e quelle britanniche in Mesopotamia, Egitto e Africa. Le autorità ottomane dovranno inoltre fare i conti con la rivolta araba del 1916, fomentata dai servizi segreti britannici, che divamperà dalla Mecca a Damasco.

Ad appassionare di più Rosa, però, sono le notizie sulle battaglie contro gli italiani. Segue passo passo le fasi della resistenza accanita che le truppe dell'Impero oppongono alla loro avanzata lungo le rive dell'Isonzo, nella regione di Trieste. Le osservazioni dei suoi ospiti la rassicurano: le Alpi tirolesi, spiegano, non si prestano a offensive su larga scala. «Signora può stare tranquilla, non vedrà mai i soldati di Roma alla sua porta.»

Nei primi giorni del 1916 Rosa confida al suo diario, accanto ai moti di tristezza, anche slanci di fiducia nella provvidenza divina. Senza dimenticare l'annuncio di una grande gioia destinata a illuminare quei giorni tragici.

Pinzon, 16 gennaio 1916

Abbiamo iniziato di nuovo un altro anno, ma tra dolore e lamenti perché all'orizzonte ci sono ancora nuvole cupe e pesanti che oscurano il cielo. La guerra continua a imperversare, le immagini della battaglia sono sempre davanti ai nostri occhi.
Anche se finora, nonostante la strapotenza, i nemici non ci hanno potuto fare molti danni, non

passa giorno senza che ci siano perdite immani. In questi tempi difficili ci vogliono proprio una fede salda, coraggio e pazienza. C'è stata una nuova leva e chi era stato scartato è stato dichiarato idoneo, perché l'imperatore deve vincere. Che triste commiato, ora la guerra si prende anche l'ultima forza rimasta e crea vuoti nelle famiglie e nelle attività. Per molti cuori è il momento dell'addio, madri con una prole numerosa o bambini che vanno in custodia da estranei restano indietro come orfani abbandonati. Coloro che sono chiamati alle armi devono essere afflitti da cupi pensieri, e si capisce come a pesare sui loro cuori non sia solo il dover apprendere da vecchi un mestiere sconosciuto, ma anche la separazione dalle loro case e dalle loro famiglie. Ma bisogna andare avanti a testa alta e con coraggio per portare la pace nell'Impero.
Il mio buon marito se ne sta ancora nel suo vecchio posto, sano e salvo, oh come ringrazio Dio per la Sua grandissima bontà. Avrò la gioia di diventare mamma per la sesta volta! In questi tempi tristi è doppiamente difficile, ma non si muove foglia senza che Dio lo voglia. Speriamo che vada tutto liscio. Sì, anche noi donne dobbiamo lottare e anche la nostra vita è in pericolo. Ovunque c'è carenza di cibo e gli alimenti diventano sempre più cari.

La guerra contro l'Italia è ormai entrata nel secondo anno, e Rosa, in piedi nella piazza assieme agli altri abitanti di Pinzon, fissa senza capire le scale di legno che i militari austriaci hanno posato contro il campanile della chiesa. Si sono sfilati le giubbe grigie e lavorano in maniche di camicia nel sole dei primi di giugno 1916. Montano un'impalcatura sormontata da grosse carrucole e annodano intorno alle campane grosse funi di canapa.

Rosa stringe tra le braccia un neonato, una bambina. Dio ha deciso di regalarle un sesto figlio, a nove anni dalla nascita di Berta. Come una sorta di meraviglioso dono del cielo, la piccola è venuta al mondo una settimana prima del suo trentanovesimo compleanno. Jakob non era accanto a lei, ma ad assisterla c'era il medico militare, uno degli ufficiali che alloggiano sotto il suo tetto. Racconterà nel diario, qualche settimana dopo l'evento:

> *Il 15 maggio ho partorito una bambina, che lo stesso giorno è stata battezzata dal nostro reverendo Geier. Mia sorella Luise ha fatto anche questa volta da madrina e alla piccola è stato dato il nome di Helene Aloisa. Avevamo la casa piena zeppa di soldati austriaci alloggiati da noi e così il dottor Richard Jenny, di Rankweil nel Vorarlberg, mi è stato amorevolmente accanto come un angelo salvatore per tutta la notte, finché quelle ore di ansia sono passate. Non è arrivato l'atteso giovanotto, ma una meravigliosa bambina dagli occhi scuri. La piccola è molto forte, ha le guance rosse del padre e sorride in modo dolcissimo a un roseo futuro. Speriamo che possa vivere giorni migliori di oggi quando questa tempesta, questo massacro terribile, sarà finalmente passato.*

Che cosa ne sarà di Helene, subito chiamata Hella, nata in un mondo impazzito? Rosa non può sapere che quella minuscola creatura le riserverà molte sorprese, e diventerà ben nota ai suoi compaesani. Ma forse lo immagina. Figlia di un tempo di guerra Hella è nata «molto forte», e saprà affrontare altre, peggiori battaglie.

Padre Geier le si avvicina e la riscuote dai suoi pensieri mormorando: «Non c'è stato modo di evitarlo. Dobbiamo sacrificare le nostre campane. Stanno facendo la stessa cosa in tutto l'Impero».

«Ma perché? Che cosa se ne fanno delle nostre campane?» domanda Rosa, senza smettere di cullare la bambina, che dorme quieta.

«Vogliono fonderle. Fondono le campane delle chiese per ricavarne armi e munizioni.»

«Che orrore!» sussurra Rosa. «Come abbiamo potuto arrivare fino a questo punto?»

«La guerra sta andando per le lunghe, *Frau Mutter*» le risponde padre Geier accarezzando la fronte della piccola Hella. La chiama affettuosamente «signora madre», il soprannome che gli abitanti del paese le hanno dato, per la sua presenza forte e amorevole e il suo soccorso costante in quei tempi così difficili. «E più durerà, peggiori saranno le sofferenze per tutti.»

«Ma portare via le campane della chiesa è come rubare a un paese la sua anima» protesta Rosa.

«La Chiesa deve sacrificarsi come tutti gli altri sudditi dell'imperatore» risponde il prelato con voce triste. «Guardatevi intorno. Le famiglie sono decimate, gli uomini che sono tornati dal fronte sono invalidi o feriti, le donne e i bambini muoiono di fame. Ma voi lo sapete meglio di me.»

Rosa, in effetti, conosce bene la situazione. Il suo cuore generoso sanguina per l'angoscia in cui si dibatte la comunità che dipende da lei. Tutti gli uomini abili sono stati chiamati alle armi. Giovani, vecchi, padri di famiglia: nessuna distinzione. È così in tutta Europa, in Sudtirolo, a Pinzon. Un continente intero è sprofondato nella follia. Il conflitto lanciato nell'estate del 1914 con tanta forza e prosopopea, profetizzando una rapida vittoria dell'imperatore, ha già divorato centinaia di migliaia di vite umane. Le fotografie dei soldati in partenza per il fronte in una pioggia di petali di fiori hanno lasciato il posto a immagini di trincee fangose, mitragliatrici in azione, esplosioni, granate e mine. La grande macelleria non accenna a placarsi.

Per le strade di Pinzon, Montan, Neumarkt, Rosa incontra donne e bambini emaciati. Le provviste si fanno sempre più scarse e costose. La macchina della guerra ha bisogno di essere alimentata, i militari vengono prima dei civili. Spesso la signora di Pinzon organizza in piazza grandi tavolate a cui rifocillare i concittadini, oltre ai soldati. Si adopera in ogni modo perché anche le famiglie che non lavorano sulle sue terre abbiano di che sopravvivere. I campi, gli orti e la fattoria però non bastano più a nutrire tutti quegli affamati.

Scrive nel diario:

Siamo ancora oppressi da una grave minaccia, di cui non vediamo la fine. I combattimenti imperversano, a destra e a sinistra si sentono le esplosioni come se fosse vicina la fine del mondo.

La carestia si fa sempre più percepibile, specialmente nelle città. La gente ha un aspetto sempre più magro, i generi alimentari si possono avere solo con le tessere. I prezzi aumentano quotidianamente, con il denaro non si può più comprare quasi nulla, il baratto è ormai all'ordine del giorno. Alcuni poveri invidiano i morti. Le ultime suppellettili della casa in rame, ottone o peltro sono state raccolte per essere trasformate in munizioni. Non bastando quelle sono state prese anche le belle vecchie campane della chiesa, che per tanto tempo hanno svolto fedeli il loro dovere, facendo risuonare per la valle i loro rintocchi, ora tristi ora lieti, secondo il desiderio degli uomini. Dover essere testimoni di una cosa come questa mette a dura prova i nervi e si sono visti molti anziani piangere. Che cosa deve accaderci ancora, quando saremo stati puniti abbastanza?
Tutti i giorni viene la sera, una volta sarà l'ultima anche per noi.

Ai piedi del campanile di Pinzon tutto è ormai pronto. I due «carillon» della torre campanaria sono stati svitati e sfilati dal loro asse. Le campane penzolano inerti dalle corde che le calano un centimetro alla volta verso il suolo.

«Sembrano angeli caduti» pensa Rosa, chinando lo sguardo velato dalle lacrime sulla bambina che le dorme tra le braccia. Ma poi torna a fissare la triste scena, con una nuova determinazione negli occhi. Se la imprime bene nella mente, la rabbia la aiuterà a resistere e a lottare perché il suo paese rinasca. «Comprerò io nuove campane per la nostra chiesa. Un giorno, presto, le rimetterò lassù» sussurra a sua figlia. «Lo prometto.»

7

«L'anno è cominciato nel sangue»

Alla vista degli occhi arrossati di Luise il cuore di Rosa si spezza. Nella chiesetta di Margreid sua sorella è sorretta dai figli, e intorno a lei è raccolta la famiglia colpita da una nuova tragedia. Il sacerdote abbassa l'aspersorio dopo aver benedetto un'ultima volta il corpo senza vita di Johann Tiefenbrunner. Il marito di Luise è morto di un'epatite fulminante. I medici hanno tentato di operare, ma è stato tutto inutile. È il maggio del 1917, e Luise è rimasta sola, a quarantaquattro anni con cinque figli. Il maggiore, Johannes detto Hans, ha già diciannove anni, ma è a lei che è affidata la gestione dei vasti possedimenti e del castello di Entiklar. Il tutto in una congiuntura economica pesantemente segnata dalla guerra.

Rosa si avvicina a Luise e la abbraccia. Oggi tocca a lei consolare la sorella maggiore, proprio come Luise aveva fatto con lei il giorno in cui la mamma, Anna, se n'era andata per sempre. La stringe forte. «Dio ci guarda da lassù» le sussurra. «Lui saprà infonderti il coraggio per rispettare la Sua volontà.» Dentro di sé ringrazia il cielo che suo figlio Josef sia ancora piccolo: Hans è già soldato e dopo questo breve congedo, che ha avuto per il funerale del padre, Luise lo vedrà ripartire per il fronte.

Sul sagrato della chiesa prende forma il corteo che accompagnerà la salma di Johann al cimitero di Margreid. La famiglia, i dipendenti della tenuta e gli abitanti del posto e dei villaggi vicini sono venuti a porgere l'estremo saluto.

La processione si avvia, il passo pesante e cadenzato. In lontananza la valle dell'Adige risuona delle esplosioni dei campi di battaglia. Gli scontri tra austriaci e italiani sono frequenti sul fronte alpino, e col vento arriva il rimbombo delle cannonate.

I volti sono gravi, la morte di Johann pesa sui cuori di tutti. Alla tristezza del lutto si mescola l'angoscia di una vita quotidiana che si sta facendo ogni giorno più dura.

«A che cosa serve combattere? Un giorno guadagnano terreno, il giorno dopo devono indietreggiare. E intanto centinaia di ragazzi vengono massacrati!» rumina una donna anziana.

«E questi aerei che sorvolano il villaggio? State a vedere, uno di questi giorni ce ne cadrà uno in testa!» le fa eco un'altra.

Rosa le ascolta e capisce che parlano per farsi sentire da lei. Come se la signora potesse intervenire, compiere un miracolo, alleviare le pene dei compaesani. Ma per quanto possano considerarla una sorta di fata buona, una tragedia di queste proporzioni è ben al di là delle sue forze.

«I militari hanno aumentato ancora la quota di prodotto requisito, è la volta che moriremo di fame» le dice uno dei mezzadri, che avanza al suo fianco. «Il raccolto non è ancora nei granai, e già ce lo portano via.»

«Lo so bene» risponde Rosa, che è venuta a pregare per l'anima di un morto, ma viene assalita dalle paure dei vivi.

Perfino a Pinzon deve lottare ogni giorno per sfamare tutti. La carne, il burro, le uova, la farina, lo zucchero e il formaggio non bastano mai, e hanno raggiunto prezzi proibitivi. Ecco che il corteo funebre raggiunge il cimitero, e lo scalpiccìo delle scarpe e degli zoccoli sui ciottoli del sentiero si va smorzando. Una alla volta, le conversazioni si spengono.

Qualcuno osserva ancora a mezza voce: «C'è chi nasce per diventare milionario, e chi è costretto a chiedere la carità». Rosa si volta, ma non riesce a capire chi ha parlato.

A quel punto cala il silenzio e il curato prende la parola: «Fratelli, non dimenticate che Gesù ha detto alla sorella del suo amico Lazzaro: "Io sono la Resurrezione e la Vita. Chi crede in me, anche se muore, vivrà"».

Il 21 novembre 1916 è scomparsa un'altra persona molto importante per Rosa, ma lei non ha potuto assistere al suo funerale. Aveva cercato per un'ultima volta la sua figura tra la folla di Innsbruck, quando il mondo era ben diverso: l'imperatore Francesco Giuseppe. Ora è morto, a ottantasei anni, lasciando incompiuta una guerra che aveva sostenuto. Probabilmente ha chiuso gli occhi senza sospettare di aver precipitato il suo Impero in un'impresa avventata che lo distruggerà. Era salito al trono nel 1848 e aveva regnato per sessantotto anni come un monarca benevolo, sforzandosi di tenere in vita le tradizioni del potere dinastico. Ma le tensioni nazionalistiche interne all'Impero avevano ormai messo radici profonde. L'idea di governo di cui era portatore è irrimediabilmente tramontata.

> *Ogni sera, prima di andare a dormire, guardo fuori nella notte – e se vedo una graziosa stellina, le chiedo: quando tornerà la pace? Ma le dolci stelle tacciono, mute come una tomba; anche la luna, la vecchia e fedele luna, è diventata muta e i suoi raggi illuminano come fari le nazioni in lotta e le tombe abbandonate degli eroi. Attraverso le nuvole nere levo al cielo una fervida preghiera di ringraziamento perché ho mio marito, il mio più grande tesoro su questa terra. Ma sono una persona di cuore e sento l'altrui dolore, perché il dolore condiviso è mezzo dolore.*
> *Il nostro amatissimo imperatore Francesco Giuseppe non è riuscito a vedere la pace. È andato là dove lo aspettano i valorosi del suo popolo, coloro che non hanno avuto paura di morire per il loro sovrano. Il nostro giuramento vale ora per il suo successore, l'imperatore Carlo* I. *A lui vogliamo restare uniti e fedeli resistendo fino alla vittoria o alla morte.*
> *L'anno nuovo è cominciato nel sangue, la pazienza è messa a dura prova. È fortunato solo chi trova consolazione nella preghiera. Oh Signore, liberaci dal male!*

Per Rosa, come per molti sudtirolesi, la figura di Francesco Giuseppe ha sempre significato autorevolezza paterna e infallibilità. L'emblema di un mondo più semplice e sicuro. Al tempo stesso la nostalgia che le ispira il ricordo del vecchio sovrano è macchiata da una punta di amarezza. I suoi amici viennesi le hanno parlato delle voci che circolavano nella capitale sull'attentato di Sarajevo. Sembrava che l'imperatore avesse usato parole molto dure: non aveva mai perdonato a suo nipote Francesco Ferdinando, l'erede designato, di aver sposato una semplice contessa. Aveva autorizzato il matrimonio, ma non aveva mai concesso alla nuora Sofia gli onori dovuti al suo rango. Alla notizia della morte dei due sposi, Francesco Giuseppe aveva sospirato: «Finalmente una forza superiore è intervenuta per disfare un imbroglio che io non ho saputo impedire».

Come sempre, Rosa si confida con il suo diario. Un tempo aveva creduto alla vittoria, ora desidera solo il ritorno della pace.

Pinzon, 25 gennaio 1918

Oggi è domenica e fuori è così tetro che si sta volentieri seduti in casa al caldo, nella Stube... Chi ha la fortuna di averne una. Molta povera gente è costretta a patire il freddo per via della penuria di carbone. L'anno vecchio se n'è andato lasciandoci tanto tristi, ma con la speranza che il «1918» compenserà tutto e porterà la pace. Sui giornali si legge che sono in corso le trattative di pace, ma ci hanno ingannato così tante volte che nessuno ci crede più. Per poter portare avanti rapidamente l'offensiva contro

l'Italia e la Francia, devono essere di nuovo chiamati alle armi in molti.
O così o così!
[...] Abbiamo mandato le nostre due figlie maggiori a Bressanone nel collegio delle Dame inglesi, gli altri tre frequentano la scuola del paese. E la piccolina? Gironzola per casa e sa farsi valere. Con i generi alimentari va sempre peggio, perché i cereali vengono requisiti fino alla quota prescritta e a questo si aggiungono i furti ormai quotidiani; la gente non sa più cosa sono i comandamenti. È un inverno molto freddo e i primi a farne le spese sono i poveri soldati. Il morale poi è molto basso, si trema al pensiero dei figli.

In quel primo scorcio dell'anno 1918 le cose si stanno mettendo male. I giornali elogiano in continuazione le valorose schiere dell'Impero, ma Rosa ha ormai capito che le guerre non si vincono con il coraggio, né purtroppo con i sacrifici quotidiani. Le grandi potenze – la Francia, la Gran Bretagna, l'Italia, e perfino gli Stati Uniti, il Canada e l'Australia – si sono tutte alleate contro gli austriaci e i tedeschi. Si preparano tempi ancora più difficili.

Sul fronte serbo, dove tutto è cominciato, la vittoria su Belgrado è stata rimessa in discussione. I superstiti dell'esercito serbo hanno ripiegato sulla Grecia, e qui hanno serrato i ranghi e si sono riorganizzati. La Grecia e la Francia hanno dato loro manforte. La linea del fronte è stata sfondata, la determinazione dei soldati bulgari non è servita a molto. Nel settembre del 1918 sarà proprio la preziosa alleata dell'Austria e della Germania, la Bulgaria, a capitolare per prima. Sarà l'inizio della fine.

A est, nel frattempo, la Russia è alle prese fin dal 1917 con una rivoluzione che annuncia l'alba di una nuova era nella storia del mondo. E che ha deciso il ritiro delle truppe zariste. Anche l'Impero ottomano si sfalda, e i vincitori si spartiranno la sua carcassa.

Sul fronte occidentale, in Francia, l'anno si è aperto con un'offensiva tedesca. Le manovre di marzo garantiscono una vittoria rapida, consentendo alle truppe del Kaiser Guglielmo II, re di Prussia, di aprirsi un varco e di attestarsi a soli 150 chilometri da Parigi. L'avanzata, però, sarà bloccata, e nella seconda metà dell'anno l'iniziativa passerà alle forze alleate, che in agosto attaccheranno su tutta la linea.

L'esercito prussiano non è in grado di tenere testa a una coalizione di forze francesi, inglesi, americane, canadesi, australiane e perfino neozelandesi. Le perdite sono enormi, i caduti, i mutilati e i feriti si contano a milioni. Nei ranghi della truppa, tra i soldati stremati, il senso dell'assurdità di quell'uragano di violenza è ormai così palpabile che le diserzioni si moltiplicano. In settembre lo stato maggiore ha ormai capito che la sconfitta è inevitabile.

A nulla servirà il cessate il fuoco che la Germania proporrà per il tramite degli americani. La guerra ha sprofondato l'economia tedesca nel caos. La miseria dilaga. La rivolta sta già covando sotto la superficie. Il 9 novembre del 1918 l'Impero tedesco cessa di esistere e al suo posto viene proclamata la Repubblica di Weimar. L'11 novembre la Germania sceglie di capitolare.

Dopo la battaglia di Caporetto, tra l'ottobre e il novembre del 1917, austriaci e tedeschi hanno avuto la meglio sull'Italia sul fronte dell'Isonzo. Le truppe del Regno sabaudo sono state sbaragliate e decine di migliaia di soldati sono caduti prigionieri. Rosa ricorda ancora il giorno di metà novembre in cui la notizia della vittoria è giunta a Pinzon: gli ufficiali austriaci hanno bevuto, cantato e ballato fino a notte fonda. Ma pochi mesi dopo la situazione si è rovesciata con la battaglia di Vittorio Veneto, e ora l'esercito dell'imperatore è costretto a battere in ritirata.

Anche l'Austria è costretta a chiedere il cessate il fuoco. L'Impero sta andando a pezzi, con le dichiarazioni di indipendenza di Budapest, Praga e Zagabria. Il 29 ottobre sarà Vienna a proporre agli italiani un armistizio. Sarà firmato il 3 novembre a Villa Giusti.

Nel giro di alcuni mesi, nel 1919, verranno siglati i trattati di pace di Versailles e Saint-Germain-en-Laye. I principi dettati agli europei dal presidente americano Woodrow Wilson riconosceranno alle minoranze il diritto all'autodeterminazione. Eppure il Sudtirolo, passato sotto il controllo degli italiani in seguito agli accordi sottoscritti con l'Inghilterra e la Francia, non avrà alcuna voce al tavolo delle trattative.

Per Rosa il Brennero resterà una bruciante ferita aperta. Sarà lo stesso per tutti gli abitanti del Sudtirolo, sudditi dell'Impero, cittadini austriaci ora soggetti a un nuovo governo, quello di Roma. Non c'è da stupirsi che vivano l'arrivo degli italiani come un'occupazione straniera, la divisione del Tirolo come un'amputazione. E il distacco dall'Austria come una ingiusta separazione dalla madrepatria.

Günther Pallaver, brillante professore di Scienze politiche all'università di Innsbruck, mi ha raccontato che suo nonno Battista, chiamato Tittele, di origine trentina, nato nel 1869 che faceva il mezzadro, usava dire: «Sen trentini ma no sen italiani: sudtirolesi». I due popoli si conoscevano ovviamente prima dell'annessione. Avevano rapporti di buon vicinato, molti trentini emigravano in Sudtirolo per lavorare, la borghesia sudtirolese mandava i figli a imparare l'italiano. Ma, come scriveva lo storico giornalista Claus Gatterer, «il trauma per i tirolesi a sud del Brennero nel 1919 non era [...] l'incontro con gli italiani, ma l'incontro con lo Stato italiano come ordinamento, e se si vuole come sistema di valori». La burocrazia, il centralismo, gli amministratori inefficienti: è l'impatto con questa realtà che dà ai sudtirolesi l'impressione di essere stati invasi dai barbari.

Per colmo di sfortuna, nel giro di un paio d'anni il colpo di Stato di Mussolini porterà al potere i fascisti. Che non solo perseguiranno una politica di colonizzazione economica e culturale, ma, mi ricorda Pallaver, manderanno in Sudtirolo i loro burocrati più inetti, non proprio la crema.

È per toccare con mano le radici di questo trauma che decido di andare al Brennero. È il paese in cui Rosa andava a passare le acque, quando i problemi alla cistifellea si aggravavano. Ma «il» Brennero è soprattutto un passo. Uno dei più bassi delle Alpi, da secoli offre una via di passaggio tra l'Europa centrale e la penisola italiana. La costruzione di una ferrovia, nel 1867, dieci anni prima della nascita di Rosa, ne ha fatto un luogo cruciale per gli scambi economici e per la strategia militare.

Parto, assieme a mio marito Jacques, per il comune di Brennero, e non è solo un viaggio nella storia turbolenta di inizio secolo, ma anche nella mia storia personale.

Sono cresciuta a Vill, vicino a Neumarkt, in una casa immersa nei vigneti, che guarda la valle dell'Adige. Per poter vedere la Bassa Atesina dalla chiusa di Salurn fino quasi al passo del Brennero mi basta salire, circa mezz'ora di marcia a passo alpino, fino a Castelfeder. È un'altura selvaggia e silenziosa, disseminata di antiche pietre e aspre piante di cardi, intrisa di suggestioni. Fa quasi paura quando il tempo cambia, le nuvole ti sorprendono inseguendoti rapide e scure e le ombre scorrono sull'erba e richiamano dalle rocce le anime del passato. In quell'insediamento i Reti fecero sacrifici ai loro dèi, i Romani costruirono fortificazioni, e i signori medievali coltivarono i loro sogni di gloria. La valle fertile e popolosa che contemplo una volta arrivata in cima non era altro, allora, che un acquitrino malsano. Ma oggi capisco chi ha dedicato la vita a difenderla.

In basso corrono una ferrovia e un'autostrada trafficata. Da ragazzina, quando aprivo la finestra della mia camera, sentivo il rumore di treni e camion. In estate si aggiungevano colonne di caravan, le grandi migrazioni turistiche che hanno preso il posto delle invasioni e delle conquiste.

Si impiega meno di un'ora per coprire il tragitto tra casa mia a Neumarkt e il comune di Brennero. C'è una sola strada, bordata di ristoranti, con negozietti di vestiti e accessori vari e la facciata rossa di un enorme centro commerciale dove gli austriaci vengono a fare provvista di salumi, formaggi e moda italiana. Mi avvicino a una donna dai capelli neri e dal sorriso luminoso, proprietaria di una piccola boutique di souvenir. Mi riconosce e tiene a farmi sapere che non ama i giornalisti, non vuole che faccia il suo nome. «La stampa ha sempre giocato sporco con noi» sentenzia, spiegando che i giornali amano descrivere il passo come un luogo di contrabbando e traffici loschi. Per lei, invece, è soprattutto un angolo di Italia allo sbando. «Non c'è più niente» dice. «Non abbiamo neanche più una parrucchiera, non una farmacia, il medico viene due ore a settimana.»

Considera il suo villaggio una vittima dei cambiamenti che hanno investito il mondo. L'eliminazione delle frontiere interne dell'Europa ha stroncato la principale risorsa economica del luogo: la dogana e le attività di intermediazione. Poi è venuta l'autostrada, che ha dato il colpo di grazia dirottando sulle sue corsie veloci le colonne di camion. Non ha tutti i torti: nessuno passa più da Brennero. L'unica distrazione sono i motociclisti provenienti dai quattro angoli della terra che percorrono la vecchia statale per guidare su una strada più gradevole e interessante. Mi imbatto infatti in un drappello di australiani in viaggio verso nord, bardati di cuoio, che si fotografano a vicenda accanto alla pietra che segna il confine, il «cippo».

Le terme che Rosa ha visitato nel 1906 hanno chiuso i battenti, vittima di un contenzioso legale. Eppure, la mia interlocutrice ne è convinta, la loro riapertura potrebbe attirare turisti: l'acqua che sgorga in quel punto è in grado di curare ogni sorta di malattie. Realtà o illusione? Chi può dirlo, in questa valle in cui il vento, prigioniero tra le montagne, soffia senza posa. Il paese ha circa centocinquanta abitanti, ma gli autoctoni sono rimasti quattro gatti. Le famiglie tradizionali se ne sono andate, o si sono estinte. Chi è rimasto si lamenta degli immigrati, soprattutto pakistani, che si sono stabiliti in paese.

Al vicino bar Anita incontriamo la memoria storica locale: il signor Remo. Ha settantasette anni, un'aria fragile e mingherlina nella sua giacca a quadri, ma un atteggiamento ben più positivo della sua compaesana. «Qui siamo nel cuore dell'Europa» dichiara, ben felice di condividere qualcuno dei suoi ricordi. Accetta di farci da guida e ci accompagna alla stazione. «Giocavo proprio qui con gli altri bambini» racconta mentre costeggiamo il binario lungo il quale Mussolini è venuto ad attendere Hitler. Ricorda ancora il freddo che faceva, la pelle delle mani nude che si incollava all'acciaio gelato delle porte dei vagoni, su cui si arrampicava insieme ai suoi amici. Ha ben vivi nella mente i bombardamenti americani, che prendevano di mira le stazioni ma per sua fortuna spesso le mancavano. Insieme ai suoi genitori, zaino in spalla, cercava rifugio nei boschi, nelle grotte sul fianco della montagna. Una targa su un muro commemora l'«incursione aerea» del 21 marzo 1945, che ha ucciso dodici civili e un ufficiale di polizia italiano. Remo racconta anche che dopo il 1943 sua sorella cercava di portare da mangiare ai prigionieri rinchiusi nei vagoni che attraversavano il passo del Brennero. «*Weg! Weg!*», «circolare, circolare», urlavano le sentinelle naziste per scacciare la ragazzina, che non sapeva nulla di ebrei e campi di sterminio.

Proprio in questa stazione, vent'anni dopo la frattura del 1918, si sono consumati altri eventi che hanno forgiato il destino del Vecchio Continente. Uno dei più nefasti è stato la stretta di mano nel marzo 1940 tra Adolf Hitler e Benito Mussolini. I due tiranni sorridevano, allora, incontrandosi sul binario. Siglato a Berlino il «Patto d'acciaio», riaffermarono qui la loro alleanza, anche dopo aver gettato il mondo in un conflitto che si sarebbe rivelato il più mortale della storia. E che avrebbe scatenato l'orrore più spaventoso con l'annientamento sistematico di sei milioni di ebrei.

Come una mera nota a piè di pagina della grande tragedia che si sta preparando, in quell'incontro Hitler conferma a Mussolini che abbandonerà la comunità tedescofona del Sudtirolo. Rinnegherà chi aveva creduto di trovare nella Germania nazista un Paese protettore, l'erede della grande Austria, ridottasi nel frattempo a una provincia del Terzo Reich.

La mia guida mi conduce nel cimitero, accanto alla chiesetta di San Valentino. Sono tutti sepolti nella stessa terra: quelli che pregavano in italiano e quelli che pregavano in tedesco. Queste vette non hanno più storie da raccontare, né tristi né gioiose, il passo è diventato il simbolo di un continente senza più frontiere, dove certe lezioni sono state apprese. Ma sarà poi così vero? A quasi un secolo dal crollo degli imperi centrali, una nuova e grave crisi economica, politica e morale minaccia oggi con i suoi sconvolgimenti la costruzione di un'Europa riconciliata.

8

Arrivano le camicie nere

Rosa stringe la mano di Hella nella sua e trattiene la bambina con tutte le sue forze. Non ha ancora compiuto cinque anni, ma è animata da un'energia incontenibile: «Tesoro, tesoro, aspetta! Il treno non è ancora fermo!».

«Siamo arrivate, siamo arrivate!» gioisce la piccola, incollando il visetto al finestrino dello scompartimento.

Il treno entra a passo d'uomo nella stazione di Bolzano e finalmente si ferma con uno stridio metallico di freni. Le porte si spalancano di colpo sotto la pressione dei passeggeri ammassati nei corridoi, in piedi fin dalla stazione di Neumarkt.

Le banchine brulicano di gente, in quella domenica 24 aprile del 1921. La folla è incerta, non sa ancora se prendere d'assalto il convoglio appena giunto in stazione o aspettare, perché potrebbe non ripartire. I dipendenti delle ferrovie sono in sciopero da settimane, e non soltanto in Sudtirolo, ma in diverse regioni d'Italia. Circolano pochissimi treni, e sono alla mercé dei macchinisti che senza alcun preavviso possono arrestarne la corsa. Ogni fermata è una scommessa.

Rosa si apre un varco tra i viaggiatori spazientiti.

Con gli occhi cerca un capostazione che possa darle indicazioni.

«Signore, scusi, signore» chiama un uomo che indossa l'uniforme delle Ferrovie dello Stato.

L'uomo si volta. Non è più giovane, e il suo viso porta i segni di una profonda stanchezza. Squadra Rosa dalla testa ai piedi e le risponde in dialetto. Rosa si sente rassicurata da quegli accenti familiari.

«Che cosa posso fare per lei, *Gnädige Frau*?»

«Mia figlia dovrebbe arrivare da Bressanone, ma non so se il treno è partito.»

«Tutti i treni provenienti da Bressanone sono stati soppressi. Non penso proprio che sua figlia sia riuscita ad arrivare in città, a meno che non abbia trovato un posto su un autobus.»

Rosa scuote il capo. Elsa è una ragazza troppo prudente, difficilmente partirebbe all'avventura su una delle corriere affollate che cercano di sopperire ai convogli bloccati. Senza contare che la direttrice della scuola del collegio, dove Elsa sta per finire le superiori non la lascerebbe mai partire in quel modo.

«La ringrazio» gli sorride Rosa. «E il treno del pomeriggio per Trento? Quello è confermato?»

L'uomo getta un'occhiata al foglio scribacchiato che ha in mano. «L'accelerato delle 18:10? Sì, dovrebbe partire. Almeno sembra.»

Il capostazione abbassa lo sguardo su Hella.

«Pensa di andare in città?»

«Sì» risponde Rosa. «Mia figlia vuole vedere la sfilata.»

Anche Elsa avrebbe dovuto raggiungerle per passare la domenica insieme. Due giorni prima era sembrata felice di sentire la voce di sua madre al telefono. La linea era disturbata, perché passava per il nuovo centralino di Trento. Le chiamate erano così numerose che le centraliniste non sapevano più dove sbattere la testa, senza contare che alcune di loro parlavano solo l'italiano. Al punto che Rosa si era domandata se non sarebbe stato più rapido mandare un messaggero a cavallo, come ai vecchi tempi.

«La sfilata...» borbotta l'uomo con aria perplessa.

Negli ultimi giorni Bolzano ha ospitato la prima fiera agricola del dopoguerra. Ci sono animali, macchinari, prodotti regionali esposti in diversi punti della città. Per il pomeriggio è prevista una sfilata in abiti tradizionali tirolesi. Rosa si è detta che era l'occasione ideale per regalare a Hella il suo primo viaggio in città e vedere anche Elsa, che non era riuscita a rientrare a Pinzon per le vacanze di Pasqua.

«Non saprei se consigliarglielo, sa...» si lascia sfuggire il capostazione, senza staccare gli occhi dalla bambina, che scalpita impaziente e strattona la mano di sua madre. «Gli squadristi sono arrivati stamattina.»

«Gli squadristi?»

«Il giornale diceva che gli organizzatori della fiera hanno rinunciato ai canti patriottici e agli slogan politici» continua l'uomo, guardandosi nervosamente intorno. «Però i fascisti sono venuti lo stesso. Quei tre o quattro treni che circolavano stamattina erano pieni di camicie nere. Squadracce armate, signora. Pessimo segno...»

Rosa ascolta attentamente e ha un momento di indecisione, ma Hella ha perso la pazienza, è impossibile trattenerla oltre. I viaggiatori si avviano verso l'uscita, hanno finalmente capito che il treno non ripartirà. Tutto intorno a Rosa la gente spinge e perde le staffe. Di punto in bianco Hella scoppia in lacrime. Rosa la conduce via, lanciando al capostazione gentile uno sguardo quasi di scusa. Senza sapere perché, vorrebbe dire che le dispiace, che ha ragione lui e dovrebbe stare più attenta, tornarsene a casa. Dopotutto non sono passati neanche due mesi da quella terribile giornata in cui Jakob ha rischiato di farsi molto male.

È il 6 marzo del 1921. Nel freddo di fine inverno la piazza di Neumarkt è gremita. Tutti gli occhi sono puntati sul canonico Michael Gamper, che sta per iniziare il suo discorso. C'è anche Jakob, insieme a un gruppo di altri possidenti, proprio in prima fila.

«È in gamba, questo Gamper.»

«Mia figlia lo adora. È il suo insegnante di religione alla Marienschule.»

«Secondo me ha le idee molto chiare. Leggo sempre i suoi articoli sul "Volksbote".»

«Servono uomini come lui, ora che gli italiani vogliono fregarci. Se non stiamo attenti, dopo queste elezioni ci ritroveremo senza neanche un rappresentante.»

«Già, è triste essere finiti nel Parlamento italiano...»

«Zitti, comincia.»

«Cari concittadini della Bassa Atesina, in questo vigoroso comizio di popolo, avete fatto sentire la vostra voce così forte che i potenti a Trento e a Roma non potranno evitare di ascoltarla. Non serve più che noi si dica che voi appartenete a noi, che siete carne della nostra carne e sangue del nostro sangue. Il vostro destino è anche il nostro. Ci apparteniamo gli uni con gli altri come membra dello stesso corpo e se, in modo criminale, si volesse procedere a una divisione della provincia o a una nuova costituzione della circoscrizione elettorale, noi stessi saremmo mutilati o lesi; se si taglia la carne della nostra stessa carne, fa male e fa sì che noi si gridi assieme a voi.»

Il canonico Gamper fa una pausa e i suoi occhi acuti, un po' infossati sotto l'arco marcato delle sopracciglia, scrutano la folla radunata sotto di lui. Ha trentasei anni, fa politica fin da quando era studente universitario, e nel 1908 è stato ordinato sacerdote. Da molti anni scrive regolarmente sui giornali, ma da quando è diventato presidente della casa editrice Tyrolia è ancora più convinto della sua missione culturale: preservare l'unità del suo popolo e il suo stretto legame con la religione cattolica. Oggi, questa è più che mai anche una missione politica.

«Sì, la Bassa Atesina ci appartiene, appartiene al resto del Sudtirolo tedesco e questo non solo da ieri o dall'altro ieri, non solo dai giorni di novembre del 1918, non da un secolo e non da un millennio, ma tanto a lungo quanto esistono i tedeschi in questa terra. E questo tempo raggiungerà presto i millecinquecento anni!»

Gamper ha studiato a lungo questo discorso. Il problema sembra tecnico ma è cruciale. Tra poco più di due mesi, il 15 maggio, ci saranno le elezioni per il Parlamento, le prime a cui il Sudtirolo parteciperà come provincia del Regno d'Italia. La questione è come verranno composte le circoscrizioni elettorali. Se la comunità tedesca sarà inglobata in circoscrizioni a maggioranza italiana, nessun candidato di lingua tedesca conquisterà un seggio. Non ci sarà quindi alcuna possibilità di portare avanti la loro causa nella politica nazionale. Il Deutscher Verband, la lega di partiti sudtirolesi fondata nel 1919, a cui appartiene il movimento cattolico di Gamper, vuole che tutti i territori tedeschi e ladini vengano raccolti in un'unica circoscrizione. In particolare, vuole che la Bassa Atesina, la zona tra Bolzano, Salurn e Tramin, venga considerata tedesca, e non italiana come cerca di dimostrare quell'Ettore Tolomei, che da quando l'Italia ha conquistato il Sudtirolo va in giro come se fosse lui il re.

«L'impegno e il lavoro tedesco hanno trasformato quella che un tempo era una landa paludosa nel giardino attuale, in un vero paradiso» continua il canonico. «E questo paradiso aveva un suo portone d'accesso, che era la chiusa di Salurn. Lì i Basso Atesini misero degli uomini a fare da sentinella, nel caso in cui gli invidiosi dei territori del sud cercassero di invadere questo paradiso.»

Il preambolo è lungo, d'altra parte è difficile infiammare gli animi di una folla parlando di circoscrizioni elettorali. Gamper sa che deve riuscirci. Solo se faranno abbastanza rumore Roma sarà costretta ad ascoltarli.

Jakob è concentrato sull'oratore, e annuisce. Ma si trova al margine del suo gruppo di conoscenti e con la coda dell'occhio intravede un movimento, come un'ombra scura e compatta che si sposta rapidamente. Allunga il collo per guardare al di sopra della folla. E si accorge che ai lati delle prime file, sulla destra e sulla sinistra, si sono posizionate due squadre di uomini in camicia nera. Sono armati. Non riesce a contarli, ma saranno almeno una cinquantina, e la macchia cupa che formano, con quelle divise tutte uguali, li fa sembrare ancora più numerosi. Dà di gomito all'amico in piedi accanto a lui e glieli indica senza parlare.

«Guai in vista» commenta l'altro, e passa parola.

«Non sono gente di qui.»

«Devono essere venuti da Trento.»

«Forse da Bolzano, ce ne sono sempre di più. Ho letto che hanno appena fondato una loro associazione.»

«I Fasci di combattimento. Non suona per niente bene. E naturalmente la prima tessera l'hanno portata a quel Tolomei.»

«Quello la tessera fascista ce l'ha da anni. Ma sarà stato contentissimo di prenderne un'altra.»

Intanto la folla si è accorta di quella presenza estranea. L'agitazione comincia a serpeggiare. Dal palco, Gamper osserva preoccupato. Spera che vada tutto bene, ma la situazione è esplosiva.

«... e anche negli anni successivi, Salurn rimase il confine fra i tedeschi e i Welschen. È altresì vero che alcuni italiani della Val di Non e di Fiemme si installarono grazie alla loro laboriosità. E voi Basso Atesini li avete accolti in amicizia. E se volevano parlare la loro lingua non li avete irrisi, e loro stessi si consideravano come ospiti in terra tedesca e non come italiani.»

Si leva un applauso spontaneo, che nell'aria fredda e tesa suona come una sfida. Alcune camicie nere mettono mano al manganello che portano al fianco. Jakob si irrigidisce, non sa che fare. Dovrebbe andarsene ed evitare di farsi coinvolgere, gli sembra di sentire la voce di Rosa che gli dice di tornare subito a casa. Ma non può, non vuole abbandonare il suo posto. Il suo popolo. Raddrizza le spalle e si prepara al peggio.

«Che fai, passi davanti? Lasciami guardare, idiota» sente esclamare uno dei fascisti.

«Cosa vuoi guardare, non capiresti niente comunque» lo rimbecca il suo vicino. «Tanto varrebbe parlare di politica alle mie mucche.»

«Magari a loro piacerebbe, questo discorso di merda.»

«E allora tornatene a casa tua, in Italia!»

Nel frattempo sul palco ha preso la parola l'avvocato Josef Noldin, di Salurn, e sta concludendo il comizio.

«Ai nostri nemici a Trento che si accingono a portare scontri e disordini nei nostri villaggi pacifici, gridiamo il nostro ammonimento: *Hände weg vom deutschen Tirol!*» esclama. Giù le mani dal Tirolo tedesco!

E in quel momento si scatenano i tafferugli.

Jakob si sente spintonare dalla folla. Assieme agli altri si fa largo verso i margini dell'assembramento, dove alcuni uomini hanno cominciato a menare le mani. Le donne cercano di scappare e di portare in salvo i bambini. A Jakob sembra di sentire esplodere un colpo di pistola, o forse è il rumore di una panca rovesciata. Lo invade la rabbia per questi stranieri arroganti. Avanza con più foga verso il centro dei disordini. È un uomo pacifico e bonario, ma in questo momento ci vede rosso.

Prima che possa trovare l'avversario su cui scatenare la sua collera, però, interviene la polizia.

«Cosa succede qui? Fermi tutti! Il primo che si muove va in galera!»

La rissa è solo agli inizi e quelle parole riescono a penetrare negli animi agitati.

«È possibile che voi tedeschi non riusciate neanche a riunirvi senza fare dei danni? Non vi è bastato perdere una guerra?» continua il commissario di polizia.

Jakob abbassa i pugni. La sua ira si spegne all'improvviso per la delusione e l'umiliazione.

Intorno a lui, i suoi concittadini scuotono il capo, hanno capito che per oggi bisogna lasciar perdere. È chiaro che le camicie nere se ne torneranno a casa indisturbate. Loro invece sono stati provocati, e poi messi dalla parte del torto. È così che sarà d'ora in poi?

Rosa scaccia dalla sua mente quell'inquietante ricordo e si lascia alle spalle la stazione di Bolzano.

«Mamma, mamma, guarda che bello!» esclama la piccola Hella, meravigliata.

Nei giorni scorsi sulle montagne e in città è caduta l'ultima neve dell'anno. I tetti dei palazzi luccicano sotto il sole, il cielo è dell'azzurro profondo che promette la nuova stagione.

«Vieni, cara, andiamo.» Rosa si china sulla bambina, bacia le sue guance arrossate dall'aria pungente e le aggiusta il colletto del cappottino di lana verde scuro. «Andrà tutto bene» la rassicura, senza neppure sapere se la promessa è rivolta a lei o a se stessa.

Si avviano, lasciando sulla sinistra la facciata maestosa dell'hotel Laurin, che in tempo di guerra ha ospitato il quartier generale dell'esercito imperiale. Ha riaperto al pubblico da pochi mesi. Sbucano su una grande piazza: sono giunte in centro. Hella indica una statua.

«Chi è quel signore?» domanda, fissando una sagoma slanciata avvolta in un mantello di pietra.

«È Walther von der Vogelweide» risponde Rosa, scandendo bene le sillabe di quel nome difficile. «Il nostro grande poeta.»

«Che cos'è un poeta, mamma?» incalza Hella.

Rosa fissa la bambina, perplessa. Come rispondere a una domanda simile? Nessuno dei suoi figli gliel'ha mai fatta.

«Un poeta è una persona che gioca con le parole, che usa le parole per farti battere il cuore. Per riempirti di gioia o farti piangere.»

«Ma le parole non fanno male, non possono farti piangere» insiste Hella.

«Le parole sono potentissime. Certo che possono fare molto male. O molto bene» spiega Rosa. Sua figlia sembra pensarci su, ma con suo sollievo non prosegue nell'indagine.

Bolzano è già molto cambiata da prima della guerra. Sulle facciate degli edifici pubblici garriscono bandiere italiane, e la valuta corrente non è più la corona ma la lira. Nell'agosto del 1920 la Camera dei deputati di Roma ha ratificato il Trattato di Saint-Germain-en-Laye, e in settembre il Senato ha confermato la misura: l'annessione del Sudtirolo all'Italia è ormai ufficiale e irreversibile. Il «Bozner Nachrichten», il quotidiano locale, ha pubblicato un lungo articolo in prima pagina, un editoriale che faceva appello al coraggio e alla pazienza della popolazione. Rosa quelle righe le ha mandate a memoria. Sono l'ammissione di una sconfitta, ma anche un invito alla forza e all'unione: «SUDTIROLESI. Con la giornata odierna l'annessione del Sudtirolo al Regno d'Italia è una realtà compiuta. Con ciò l'antica terra tirolese è spezzata in due tronconi. Il Sudtirolo è la vittima sacrificale del trattato di pace che, a dispetto del diritto dei popoli all'autodeterminazione, solennemente proclamato, ci strappa dai nostri fratelli. Noi sudtirolesi abbiamo l'incrollabile speranza che giorno verrà in cui giustizia e una politica lungimirante ci riporteranno alla libertà nazionale. SUDTIROLESI! Sopportiamo questa giornata virilmente! Vi invitiamo a respingere ogni ingiustizia e ad affrontare il destino con calma e dignità».

Madre e figlia sono giunte nei pressi dei Portici, la strada lungo la quale si allineano i negozi e le boutique di moda. Rosa si sofferma a un'edicola: i giornali e le riviste in italiano fanno bella mostra di sé accanto a quelli in tedesco. Titoli cubitali annunciano che il Rapid di Bolzano ha battuto per 3 a 1 il Turnverein di Merano. La squadra cittadina è al primo posto in classifica. Come se importasse qualcosa del calcio in un momento così difficile! Più interessante leggere che le patate e il grasso bovino sono nuovamente in vendita. Forse questa crisi si allenterà. Rosa sospira leggendo che le retate di prostitute sono in aumento. Povere ragazze: alcune sono poco più che bambine. Vengono in città dalle valli vicine e vendono il proprio corpo per non morire di fame, ma cadono vittima delle malattie.

I giornali tedeschi mettono anche in guardia la popolazione dalle bande fasciste, che imperversano con sempre maggiore violenza in tutta Italia. Gli autori hanno parole dure per le provocazioni degli squadristi, le masnade di picchiatori agli ordini di Benito Mussolini, un modesto giornalista sconosciuto ai più che si è lanciato in politica.

Il sindaco di Bolzano, Julius Perathoner, è un uomo di buon senso. Dirige il consiglio municipale da oltre venticinque anni. Fa il possibile per conciliare la nuova realtà con le aspirazioni dei suoi concittadini, che contestano la scissione del Tirolo e sognano la riannessione all'Austria. Malgrado i suoi sforzi, la tensione è palpabile.

Rosa si sofferma di fronte alla cappelleria Vera. La boutique ha aperto pochi mesi prima, ed espone gli ultimi modelli di Vienna. In quella radiosa domenica il negozio è chiuso, però madre e figlia si divertono a scherzare con i loro riflessi nella vetrina, dietro le maglie della saracinesca di ferro. Un po' più in là Hella strattona la mano di Rosa per condurla di fronte al cinema Eden. Un cartellone che raffigura la sagoma di un leone abbattuto da un cavaliere armato di lancia annuncia a caratteri cubitali: *Veritas vincit*.

«Che cos'è, mamma?»

«È un film» risponde Rosa, ma capisce subito che quella spiegazione non basterà. Hella non ha ancora cinque anni e non è mai stata al cinema. «È come una serie di cartoline messe una dopo l'altra per raccontare una storia.»

«Una storia? Che storia?» continua Hella, lo sguardo fisso sul leone e il cavaliere.

«Vedi il cartellone? C'è scritto "La verità trionfa sempre". Il film racconta di un uomo e una donna che si vogliono bene. La crudeltà di certe persone li separa, ma alla fine l'amore li riunisce.»

«Mamma, che cosa vuol dire "verità"?»

Rosa fissa la bambina e le viene il magone. Come rispondere dopo aver visto naufragare le proprie, di verità? L'Imperatore. La Patria. L'unico sostegno che le resta è la Fede, e sull'argomento sua figlia sa già tutto quello che deve sapere, per il momento: che Dio è buono e veglia su di lei.

«Andiamo a bere una cioccolata calda!» propone. Camminando verso il caffè Streitberger, Rosa si accorge presto che la folla si è fatta più fitta, avanzare è diventato difficile. Trascina Hella per mano e cerca di fendere gli assembramenti. «Non allontanarti, tieniti stretta» intima alla bambina, che ha occhi soltanto per le mille novità che la circondano. La Fiera di Primavera di Bolzano è al culmine. L'aria è piena degli squilli di ottoni delle fanfare. Sui marciapiedi i passanti si accalcano per veder sfilare gli uomini e le donne in abiti tradizionali.

Rosa sgomita, si sente sempre più inquieta. Il capostazione l'ha avvertita: gli squadristi sono in città, e lei ha paura di quei teppisti in camicia nera. Come proteggere Hella, se succedesse qualcosa? Ecco piazza delle Erbe: la sfilata e la folla che la accompagna sono imbottigliate in uno spazio sempre più ristretto, e di fronte a loro sono schierati alcuni giovanotti con il berretto floscio sulla nuca. Sotto le giacche di lana grezza spicca il nero delle camicie. Sono armati di manganelli e coltellacci, probabilmente anche armi da fuoco.

«Oh Signore!» mormora Rosa. «Vieni, Hella!»

All'improvviso risuonano delle grida e volano insulti da ogni parte. I fascisti urlano a pieni polmoni «A noi!» e si avventano sulla sfilata. Le prime manganellate si abbattono tra i gemiti dei feriti. Sono organizzati in piccoli gruppi mobili. Scelgono con cura le loro vittime, le circondano e si accaniscono sistematicamente su di loro. Picchiano brutalmente anche le madri e i bambini. La folla è in preda al caos. Gli uomini e le donne in abito tirolese si sono dati alla fuga, abbandonando per strada i loro strumenti. Gli spettatori cercano di scappare, ma inciampano e cadono a terra, tra gragnuole di colpi. Cominciano a volare le pietre e le vetrine dei negozi vanno in frantumi. «Chi si ferma è perduto!» ruggiscono le camicie nere lanciandosi all'inseguimento delle loro prede.

Rosa è terrorizzata. Ha preso in braccio Hella, ma non sente neppure il peso della bambina. Sa soltanto che deve proteggerla. La piccola è stranamente calma. Assiste alla rissa con occhi carichi di disapprovazione. Quello scompiglio l'ha privata del giro sugli aerostati e della tazza di cioccolata calda che la mamma le aveva promesso. Al tempo stesso, però, è spaventata, sente Rosa stringerla con la forza della disperazione.

I primi feriti giacciono riversi in una pozza di sangue, Rosa sa che bisogna allontanarsi a tutti i costi. Alza gli occhi al cielo e vede un doppio campanile stagliarsi contro l'azzurro. «La chiesa del Sacro Cuore!» Ecco dove cercare rifugio. Attenderà al riparo che quella tempesta di violenza si plachi. Si precipita in una viuzza assieme ad altri fuggiaschi. Corre, il cuore le batte come impazzito. «Va tutto bene! Va tutto bene» si ripete. «Dio non ci abbandonerà.»

Rosa rallenta e mette giù Hella, prendendola per mano. La folla si è diradata. Ancora un piccolo sforzo. Quattro uomini la superano a passo di corsa. Ansimano e masticano parolacce. Si fermano davanti a un uomo in abito tradizionale. Urlano qualcosa, ma Rosa non sente più nulla. Il mondo è precipitato in un colossale silenzio. Il suo sguardo è fisso sull'oggetto brandito da uno degli uomini. Una rivoltella. Si preme contro la gonna il viso di Hella. Un boato secco lacera l'aria.

Rosa vorrebbe urlare, ma è come paralizzata. La piccola si divincola dalla sua stretta e si gira a guardare i quattro uomini chini su un cadavere. La strada è deserta. Gli occhi di Hella li fissano intensamente. Rosa si riprende dal panico che l'ha inchiodata per quegli eterni secondi e ricomincia a correre all'impazzata. Deve sparire alla vista, con Hella, prima che quegli assassini le scorgano. Cambia direzione, meglio non entrare in chiesa. Deve raggiungere in fretta la stazione. Vuole tornare a casa. Ritrovare la protezione delle pareti domestiche, le braccia di Jakob. Hella tace, non si è nemmeno messa a piangere. Spera solo che quegli uomini cattivi non tornino mai più.

L'indomani Rosa verrà a sapere dai giornali di aver assistito all'assassinio di Franz Innerhofer, un insegnante elementare di Marling. È il primo sudtirolese a cadere vittima della violenza fascista.

Nelle pagine del diario, che riprenderà solo mesi dopo quell'incubo, la sua scrittura vibra di collera contro gli invasori della sua terra.

Pinzon, 16 ottobre 1921
domenica di sagra

Sono appena tornata con i miei bambini dalla messa pomeridiana. Oggi era una festa solenne, di ringraziamento per il raccolto tanto abbondante, così mi sono sentita in dovere, come madre di famiglia e amministratrice, di partecipare alla festa. La giornata d'autunno era così bella che i vecchi non se ne ricordavano una simile. Il sole era così caldo come se volesse farci credere che eravamo in piena estate. Ancora pochi giorni e avremo messo tutto al riparo, così saremo coperti per l'inverno. Ce lo siamo davvero meritato che il Signore sia così buono con noi. Com'è triste invece la situazione nell'Austria tedesca! La nostra cara indimenticabile Austria è diventata ancora più povera. Il denaro non vale più nulla: 1 lira sono 160 corone. Com'è priva di valore ormai la corona, in testa... e in tasca! A dire il vero siamo anche noi un po' avviliti perché i Welschen vogliono derubarci del tedesco, la nostra vera lingua madre, accollarci tasse colossali, far salire alle stelle i prezzi della merce, in poche parole portare alla rovina agricoltori e proprietari terrieri. Per gli italiani anche la religione, la nostra unica guida, è una spina nel fianco: il massimo per loro sarebbe chiudere conventi e scuole. Per questo, molte famiglie sono state consacrate al «Sacro cuore di Gesù», anch'io non ho esitato a mettere un quadretto di nostro Signore in soggiorno. Il 23 settembre alle 21 è stato solennemente benedetto dal parroco, il reverendo Johann Dosser, alla presenza di tutti e otto i membri della famiglia. «Dov'è la fede c'è l'amore, dov'è l'amore c'è la pace, dov'è la pace lì c'è Dio, dove c'è Dio non c'è miseria.»

9

L'occupazione

Hella sta crescendo, è vivace, dorme poco, è curiosa. Le piace leggere, anche di notte, nonostante la mamma non voglia. È così che si accorge che anche Rosa in quel periodo è spesso sveglia, la sente muoversi nel silenzio della casa. Una sera Hella esce piano dalla sua stanza, la segue, va a sbirciare nella Stube, dove l'ha vista entrare, spingendo piano la porta per guardare attraverso la fessura.

Rosa infila un ciocco di legno nella stufa e apre un grande registro. In casa lo conoscono tutti, è il registro dei conti. Intinge la penna nel calamaio e comincia a trascrivere ordinatamente entrate e uscite da una serie di fogli sparsi. Sembra fare e rifare più volte le somme, poi si prende la testa fra le mani. Hella si sente in colpa a sbirciare la madre. Capisce all'improvviso che forse le ore notturne sono le uniche in cui può sfogare le preoccupazioni del giorno.

Poi Rosa alza la testa. Non si guarda alle spalle.

«Hella» dice, interrompendo il silenzio della notte.

La bambina si ritrae, cerca di non respirare, di farsi inghiottire dal pavimento. Non vuole essere scoperta.

«Hella» ripete ancora Rosa. «Lo so che sei lì.» Il tono è rassicurante e affettuoso.

Hella esce dal suo nascondiglio e si fa avanti, una figuretta esile e con la schiena dritta nella sua camicia da notte bianca con i pizzi ricamati.

«Da quanto sei lì?»

«Perché piangi, mamma?»

«Non piango» ma Rosa si è asciugata rapidamente gli occhi con un fazzoletto.

«Invece sì. Ti ho vista.»

«Non dirlo a papà. E neanche agli altri, d'accordo? Sono già abbastanza preoccupati.» Si chiede cosa deve dire, sua figlia ha solo sette anni. Poi decide che la verità è il partito migliore. «Sono preoccupata perché le cose non stanno andando bene. Le tasse sono diventate altissime. Bisogna pagare gli operai, la servitù, un sacco di spese di casa. Alcuni sono qui con noi dai tempi di tuo nonno, ma sono tante bocche da sfamare. Non è un momento facile per nessuno e bisogna aiutare chi è più povero.»

«Il cugino Hans dice che è tutta colpa dei Welschen.»

«Non proprio. Ma prima che ci fossero loro molte cose andavano meglio» aggiunge, amara.

«Ma io cosa posso fare per aiutarti?»

«Niente, tu devi pensare a studiare. Cosa stai leggendo?» Rosa conosce l'avidità di informazioni della figlia.

«Un libro che mi ha dato lo zio sull'Austria, con tante figure.»

«È sicuramente un bel libro. Ma torna a letto, andiamo, ti accompagno.»

Rosa sorride con un po' di fatica e uscendo

dalla Stube con la sua piccola getta uno sguardo ai conti. Aspetteranno il suo ritorno. Sembrano non finire mai.

Gli squadristi, gli uomini che hanno terrorizzato Rosa in quella domenica del 1921 a Bolzano, hanno preso il potere. Il 31 ottobre 1922, a seguito della marcia su Roma, il re ha nominato Benito Mussolini presidente del Consiglio, e da quel giorno il nuovo despota d'Italia fa il buono e il cattivo tempo. Non perde occasione per menzionare con ostilità la minoranza germanofona del Sudtirolo, che ostinatamente si rifiuta di rinunciare alla sua lingua, alla sua fede e alla sua storia.

Il 4 novembre 1922 con l'arrivo del nuovo prefetto della Venezia Tridentina, Giuseppe Guadagnini, è stata avviata ufficialmente la politica di assimilazione della popolazione di lingua tedesca. I Provvedimenti per l'Alto Adige, redatti da Ettore Tolomei, sono diventati il programma dello Stato fascista per il Sudtirolo. Nel 1923 il fanatico irredentista italiano, ora in camicia nera, espone le linee guida del programma al Teatro di Bolzano: italianizzazione delle istituzioni e dell'immagine dell'Alto Adige, come lo chiamano adesso; spinta al trasferimento e insediamento di nuovi italiani nella zona; progressiva eliminazione della cultura tedesca. Per i sudtirolesi è una dichiarazione di guerra.

Le violenze aumentano. Rosa si sente inquieta quando Jakob deve andare in città, a incontrarsi con gli altri possidenti e i membri dell'associazione delle cantine vinicole. L'ex borgomastro di Neumarkt, il barone Anton von Longo, se n'è dovuto andare con tutta la sua famiglia, auto-esiliati nelle loro terre in Carinzia. Troppi scontri con i fascisti: prima se la sono presa con lui perché la targa «municipio» in italiano sulla facciata del palazzo del Comune, secondo le camicie nere, non era abbastanza visibile. Poi sono cominciate le minacce e le intimidazioni. E quando il barone è andato alla polizia a denunciare la cosa, quelli gli hanno riso in faccia.

Il mondo di sempre con i suoi punti di riferimento è sconvolto.

Hella va a scuola, ma sembra che non potrà nemmeno imparare a scrivere nella sua lingua. Dall'oggi al domani infatti la maestra è stata cacciata e ne è arrivata una nuova, italiana. Da adesso bisogna studiare solo nella lingua dei conquistatori.

Hella non capisce e fa un sacco di domande: la vecchia maestra è sempre lì nel paese, la incontra tutti i giorni. E allora perché non lavora? Forse non ha più voglia di svegliarsi la mattina? Rosa va a trovarla, le portano un po' di frutta, qualche bottiglia del loro vino. Della situazione politica nemmeno parlano, è evidente a tutti che il nuovo regime ha cominciato dalle scuole la sua opera di italianizzazione, e che i bambini saranno i primi ad andarci di mezzo.

Hella infatti si lamenta un po' perché la sua vita è decisamente peggiorata: adesso la scuola non finisce a scuola, ma ricomincia a casa. Appena tornati bisogna tirare fuori di nuovo il quaderno, per fare gli esercizi di tedesco. Rosa, con tutto quel che c'è da fare, si è dovuta trasformare in una seconda maestra perché la sua piccola possa imparare a leggere e scrivere nella lingua che ha sempre parlato. Ora comincia a diventare pericoloso anche usarla in pubblico. E quanti ragazzini hanno una madre o un padre che possano insegnare loro il tedesco? Sicuramente pochi, troppo pochi. Il tasso di analfabetismo è basso rispetto ad altre regioni, ma senza la scuola la battaglia è persa in partenza.

Come Hella, migliaia di bambini sudtirolesi vivono in questi mesi una grande confusione.

«Mamma, la nuova maestra non la capisco.»

«Devi avere pazienza» li esortano le madri.

Ma qualcuno comincia a formulare un altro genere di risposta.

Nelle case si svolgono sempre più spesso riunioni clandestine, organizzate spontaneamente da volontari. Occorre mettere in piedi un sistema alternativo di istruzione nella lingua e cultura tedesca. Si comincia a parlare di *Katakombenschulen*, scuole delle catacombe, una definizione usata dal canonico Gamper, uno dei primi promotori di questa forma di resistenza. In un suo articolo sul «Volksbote», che conquisterà molti nuovi adepti alla causa, scrive che il modello deve essere quello dei primi cristiani: «Quando essi non furono più al sicuro, officiando le loro messe nei templi pubblici, di fronte alle persecuzioni, allora si ritirarono all'interno del loro focolare domestico. Lì pregavano e sacrificavano insieme. Quando i persecutori arrivarono anche lì, essi si rifugiarono presso i morti nelle tombe sotterranee, nelle catacombe».

Si divide il territorio in tre aree: Bolzano, Merano e Bressanone, per coordinarsi al meglio. Nel 1923 i corsi privati di tedesco non sono ancora stati vietati ufficialmente, ma lo saranno presto e bisogna giocare d'anticipo.

Sono le donne le prime a muoversi a viso aperto. Escono allo scoperto chiedendo che non si cancelli una cultura. Organizzano manifestazioni a Bolzano e in altri centri, e nell'aprile 1924 scrivono direttamente alla regina Elena di Savoia. In quanto madre, pensano, di certo le capirà.

> *Altezza!*
> *[...] L'eliminazione della lingua tedesca nelle scuole dell'Alto Adige ha portato tanto affanno, fra noi donne di questa terra, che anche oggi non possiamo che trasmettere nelle Vostre mani la nostra umile ma calda implorazione che ci venga lasciato inviolato ciò che un popolo possiede di più sacro, la sua madre-lingua, la quale venga riammessa come lingua d'istruzione nelle nostre scuole.*
> *[...] Perciò noi rappresentanti delle madri dell'Alto Adige preghiamo l'Altezza Vostra di voler farsi fautrice ed interprete di questi nostri naturali diritti, e di patrocinare presso le istanze competenti la richiesta nostra per la conservazione della lingua di insegnamento tedesca nelle nostre scuole.*
> *La gratitudine inestinguibile di tutti i cittadini di nazionalità tedesca ricompenserà la Vostra augusta benemerenza.*

Ma la regina non si degna nemmeno di rispondere.

Da Bolzano fino al più piccolo dei paesi, le strade,

gli uffici e le amministrazioni pubbliche del Sudtirolo si sono riempiti di fascisti. Vengono sostituiti sindaci, amministratori, funzionari. Si impone rapidamente l'obbligo di esporre cartelli o informazioni nella sola lingua italiana, e qualsiasi tentativo di preservare la cultura tedesca viene sanzionato. Oppressione e repressione sono una cifra comune al regime in tutte le regioni d'Italia, ma altrove si perseguitano gli avversari politici e ideologici. Qui invece la battaglia è più violenta, è una vera e propria colonizzazione quella che le camicie nere hanno in mente. E l'avversione per l'ingresso delle armate italiane nel 1919 si trasforma rapidamente in odio per il fascismo.

La vita di Rosa e dei suoi familiari e amici è diventata una foresta di nuovi divieti, tasse, imposizioni e pericoli. Jakob viene insultato quando si attarda a parlare in tedesco con un amico nella piazza di Neumarkt. Il barone Anton von Longo nel 1925 muore in Austria senza aver potuto rivedere la sua terra. Un conoscente viene picchiato in osteria perché si è rifiutato di ordinare la birra in italiano, un altro, impiegato statale, perde il lavoro perché «è tedesco». Gli affari cominciano ad andare male: non solo c'è una crisi mondiale, ma la nuova classe politica discrimina i proprietari terrieri tedeschi. Tra le nuove imposte e la nuova moneta, che ha comportato una perdita di valore del 40 per cento dei patrimoni in corone, molti masi passano di mano. Spesso vengono acquistati all'asta dai contadini italiani che il governo sta incoraggiando a trasferirsi qui. Cambiano i nomi dei luoghi – Kurtatsch diventa Cortaccia, Neumarkt diventa Egna, Pinzon diventa Pinzano. La vita sociale della comunità tedesca è annullata, ci si ritrova giusto a casa, le feste e i riti popolari sono stati cancellati dal regime che ci vede, non sbagliando, la nostalgia per la vecchia Austria. Viene vietata una tradizione molto amata, i fuochi del Sacro Cuore, considerati una manifestazione antiitaliana. In effetti tante usanze locali non sono italiane, ma di per sé non sarebbero neanche ostili.

Però stanno per diventarlo.

Hella comincia a frequentare le scuole clandestine. Le sedi cambiano continuamente e ogni volta bisogna preparare una copertura, in caso di controlli. Non è facile per i bambini riuscire a concentrarsi. La paura di essere scoperti è più forte della voglia di imparare o della bravura delle insegnanti. Molte di loro sono maestre che hanno perso il lavoro con l'italianizzazione.

Rosa guarda Hella uscire di casa senza cartella o quaderni, non si può portare dietro niente altrimenti qualcuno potrebbe insospettirsi. Non si dà neppure appuntamento con le compagne: va da sola, al massimo portando una fetta di torta per dire che quella è la ragione della sua visita. Una volta arrivata si sistema nella Stube della casa in cui si svolge la lezione, altri bambini arrivano alla spicciolata. A volte Rosa li accoglie a Pinzon, prepara per tutti un succo di lamponi con una buona torta, anche per fingere che si tratti solo di una merenda. La regola è che, se arrivano i carabinieri, i fogli su cui stanno scrivendo devono essere nascosti in fretta in uno dei vani chiusi ricavati nel rivestimento di legno della parete, o sotto il cuscino della poltrona, dove non guarderanno.

Quando arriva la proibizione ufficiale di tenere i corsi, i controlli diventano più severi. Fioccano gli arresti, le multe e vengono comminati i primi «confini» alle maestre. Scrive a Roma il prefetto Guadagnini nel 1925:

> Il numero considerevole di scuole clandestine scoperte specialmente nella zona fra Bolzano e Salurn dimostra che esiste in Alto Adige un'organizzazione regolare di resistenza la quale provvede al reclutamento di maestri, all'impianto delle scuole e al finanziamento necessario. Essa deve avere dei fiduciari nei comuni. [...] Occorre prendere accordi con l'autorità giudiziaria direttamente e a mezzo mio per procedere a sequestri e a perquisizioni domiciliari. Si terranno anche a contatto con le autorità scolastiche e daranno precise disposizioni perché sia intensificata al massimo la vigilanza e chiuse immediatamente le scuole scoperte col sequestro del materiale didattico con la denuncia dei responsabili.

La delazione è all'ordine del giorno e ogni volta si deve ripartire da capo, cercando di trovare una nuova casa sicura. D'estate è tutto più semplice, ci si può ritrovare all'aria aperta e fare lezione sul prato, ma il rischio c'è comunque. Bisogna avere coraggio a insegnare ma anche a mandarci i figli. Il sospetto avvelena i rapporti persino tra persone che si conoscono molto bene. I paurosi, gli opportunisti, i collaborazionisti non mancano, come nel resto d'Italia, sotto la dittatura fascista.

I bambini vivono sdoppiati: devono fare attenzione a dissimulare le lezioni ricevute.

«Hella, perché hai scritto casa con la k?» chiede un giorno la maestra mentre la piccola sta facendo un esercizio di ortografia alla lavagna. A Hella batte il cuore più forte: da mesi le spiegano che non deve tradirsi, la k o la j in italiano non esistono. È come una dichiarazione di colpevolezza. Alcuni tendono delle trappole agli scolaretti, per permettere alla polizia di risalire alle scuole clandestine. Per questa volta, la maestra lascia correre.

«Non ti preoccupare, ma non scriverla più» si limita a dire.

Rosa da sempre si diverte a raccontare favole e storie del passato ai suoi figli e ai loro amici, ma adesso ha smesso di farlo. Ne soffre, ma è troppo pericoloso: le leggende tradizionali sono considerate propaganda anti-italiana.

Un pomeriggio trova Hans, il figlio di Luise, che parla a Hella di Andreas Hofer, l'umile oste che aveva combattuto e vinto l'esercito napoleonico per difendere il Tirolo. Hans è partito per la guerra sano ed è tornato epilettico, colpito alla testa da una scheggia di granata. Ha passato molti mesi all'ospedale militare, e quando finalmente è rientrato a casa le sue condizioni hanno allarmato tutta la famiglia. Luise lo ha portato a Lourdes e ha fatto voto di non mangiare mai più carne e di dire il rosario tutte le sere, se il figlio tornerà in salute. Per ora sembra che gli attacchi siano cessati, ma chi può dire se ricominceranno. Quello che è certo è che l'esperienza della guerra e il dolore sopportato hanno trasformato Hans nel più strenuo nemico degli italiani. E figurarsi poi i fascisti.

Rosa guarda i cugini seduti sulla panca davanti a casa, il viso animato di Hans che racconta, lo sguardo intenso della piccola che ascolta. Hella batte le mani all'episodio, probabilmente apocrifo, della fucilazione. Al plotone di esecuzione che alla prima salva non lo colpisce, stringendo in mano il crocifisso Hofer lancia un provocatorio: «Ma come sparate male!». Rosa rimane zitta, ma sa che dovrebbe intervenire. Se Hella ripete queste cose a scuola la famiglia ne subirà le conseguenze. Ha ragione sua sorella, Hans è davvero imprudente.

Hella avvicina la testa a quella del cugino, i due cominciano a cantare sussurrando, come chi ha ben imparato la lezione della segretezza:

Zu Mantua in Banden
der treue Hofer war,
in Mantua zum Tode
führt ihn der Feinde Schar.
Es blutete der Brüder Herz,
ganz Deutschland, ach, in Schmach und Schmerz.
Mit ihm das Land Tirol,
Mit ihm das Land Tirol.

A Mantova era in catene
il coraggioso Hofer,
a Mantova alla morte
lo porta la schiera nemica.

Sanguina il cuore dei fratelli,
la terra tedesca intera ahimè nella vergogna e nel dolore,
con lui il Tirolo, con lui il Tirolo!

Finito di cantare Hella si guarda intorno come se avesse commesso una marachella, sussulta vedendo la mamma che la osserva, poi le fa un largo sorriso. Rosa non può evitare di sorriderle di rimando ma ha il cuore oppresso da un presagio: questa sua figlia si metterà nei guai.

Pinzon, 23 marzo 1924,
domenica pomeriggio

I miei ragazzi oggi sono andati a Entiklar, io sono seduta un momento per conto mio e posso seguire liberamente i miei pensieri. L'inverno ci ha lasciato da alcune settimane e i mandorli sono al punto più bello della fioritura. Oh primavera, che bella stagione! Tutto è pieno dell'eccitazione che segna l'uscita dal lungo sonno invernale. C'è desiderio di nuova vita fuori, nella natura donataci da Dio, perché dentro le mura di casa si fa sentire il peso opprimente delle preoccupazioni quotidiane.
Da quando qui si sono stabiliti i Welschen sembra tutto morto, solo quando siamo barrati dentro casa osiamo cantare una canzone tedesca. I Welschen vogliono sopprimere tutto ciò che è tedesco, perfino gli impiegati pubblici tedeschi sono stati lasciati senza il pane. Le scuo-

le sono solo italiane e perfino l'ora di religione deve essere tenuta in italiano. Mirano a distruggere tutti i proprietari terrieri così che la nostra patria sia ben presto italianizzata. Ci piovono tasse tra capo e collo e siamo costretti a prendere in prestito denaro, quando le banche sono abbastanza disposte a stare al nostro fianco e aiutarci. Oh bei vecchi tempi, quanto siete distanti, quanto siete lontani!
La nostra piccola Helene potrà fare la prima comunione a Pasqua. Che Gesù Bambino faccia sì che i Welschen non ci portino via la nostra fede, quella che a noi tirolesi viene inculcata fin dalla culla. Purtroppo abbiamo dovuto rinunciare alla nostra terra e ognuno qui ha nostalgia del bel Tirolo. Ma non può sempre restare così, la vita vuole cambiamenti. Io spero che ai miei figli siano risparmiati tempi di paura e di ansia come questi. La nostra fattoria l'abbiamo affittata quasi tutta, a parte qualche proprietà, perché i vecchi contadini non erano più in condizione di lavorare tutti i terreni. Berta frequenta il secondo anno della scuola commerciale e gli altri cinque figli per il momento sono a casa. Anche se le preoccupazioni per gli affari qualche volta mi fanno versare calde lacrime, ringrazio Dio perché abbiamo la salute, che è un tesoro prezioso.

Rosa entra nella stanza di Elsa, sfuggendo per un attimo ai mille doveri di quella giornata di festa. Vorrebbe stringere sua figlia tra le braccia, ma ha paura di stropicciare il magnifico abito di seta color crema. Sui capelli neri tagliati a caschetto secondo la moda, la ragazza sta fissando con le forcine la cuffietta di tulle bassa sulla fronte, da cui ricade sulle spalle il velo da sposa. I suoi occhi azzurri scintillano di gioia.

«Che cosa c'è, mamma, sono in ritardo?» chiede con voce ridente.

«Altroché, se sei in ritardo! Le donne sono sempre in ritardo quando la felicità le aspetta.»

«Sono pronta.» Elsa getta un'ultima occhiata allo specchio. «Ho promesso a Franz di non fumare prima di andare in chiesa, ma ho una voglia matta di accendermi una sigaretta!»

«Non ti azzardare» la ammonisce Rosa. Si sente in colpa per non essersi opposta fin dall'inizio alla cattiva abitudine che Elsa ha preso da ragazzina. La sua primogenita e la sorella Gusti hanno cominciato ad apprezzare il tabacco molto giovani, in quella casa ospitale sempre piena di studenti e di ufficiali austriaci. Loro volevano essere gentili, certo, offrendo sigarette alle sue figlie. Ma adesso Elsa fuma come una ciminiera.

Rosa precede Elsa lungo la scalinata di casa e la aiuta a salire sull'auto che le condurrà a Neumarkt. Sono tanti anni che sogna questo giorno e adesso è arrivato, il 25 maggio 1925. Vuole che quelle nozze siano indimenticabili. Di fronte alla chiesa del paese le attende un giovane slanciato con il naso dritto e lineamenti fini. Stranamente, anche se ha solo trentatré anni, i suoi capelli sono tutti bianchi, e quel particolare gli conferisce un'aria di maturità e serietà che a Elsa è subito piaciuta. Si chiama

Franz Deutsch ed è figlio di una rispettabile famiglia di Neumarkt, suo fratello maggiore è ispettore generale delle Poste a Innsbruck e lui è ingegnere forestale.

Le famiglie degli sposi e gli invitati hanno preso posto sulle panche. A officiare è il parroco di Pinzon, il reverendo Dosser. Rosa è seduta in prima fila e segue con emozione la cerimonia. «Sembra così giovane» si dice guardando Elsa ventiduenne che s'inginocchia ai piedi dell'altare, accanto all'uomo che sta per diventare suo marito nella buona e nella cattiva sorte. «Eppure ero poco più grande di lei quando ho sposato Jakob.» Spera di essere stata una buona madre e di essere riuscita a insegnarle la pazienza e il coraggio.

Jakob la aiuta a rialzarsi e Rosa gli avvicina le labbra all'orecchio: «La sposa abbandonerà la casa del padre e della madre per seguire il suo sposo» mormora.

«Amen. Che Dio benedica i nostri figli!» risponde lui guardando Mariedl, Josef e Berta in piedi accanto alla madre. Gusti è subito dietro e tiene d'occhio Hella, cercando di evitare che si stropicci troppo il vestitino. Silenziosamente, Jakob ringrazia il Signore per la bella famiglia che gli ha regalato, e stringe forte la mano di Rosa.

Al termine della cerimonia gli invitati si dirigono in piccoli gruppi all'hotel Post, dove sta per avere inizio una sontuosa festa di nozze nella migliore tradizione sudtirolese. Si danzerà fino a notte inoltrata, cantando a squarciagola in tedesco, in barba al nuovo ordine sociale e politico.

Vado a trovare mio zio Norbert nella sua casa di Signat, sull'altopiano del Renon, bella zona di villeggiatura di mezza montagna a una quindicina di chilometri da Bolzano. Dalla terrazza di legno, ornata con magnifici gerani, si gode l'intero panorama della val d'Isarco e una splendida vista sulle Dolomiti. È una giornata di luglio, ma fin dal mattino il tempo è stato variabile: siamo passati dal temporale al sole più caldo. Il cielo è azzurro, striato di nubi bianche. Guardo i pendii coperti di boschi e penso che per molti sudtirolesi sono stati amici e salvatori. È facile perdersi nel fitto degli alberi, nascondersi quando si è in fuga da un nemico.

Norbert, come suo padre Franz, ha percorso da sempre i boschi del Sudtirolo. Padre e figlio erano ingegneri forestali, il loro compito era inventariarli, albero per albero, e tenerli sotto controllo. La foresta era per loro una passione divorante, come l'oceano per i marinai.

Franz Deutsch, mio nonno, era nato nel 1892 a Neumarkt. Cittadino austriaco, aveva studiato a Vienna, ma la Grande Guerra lo aveva costretto ad abbandonare l'università e a partire per l'Ungheria, dove aveva combattuto contro i cosacchi. Non dimenticherò mai la storia che mi raccontava da bambina per spiegarmi come i suoi capelli erano diventati precocemente bianchi. «La battaglia era finita, e noi avevamo perso. Ci avevano presi prigionieri, me e i miei compagni. Alcuni erano feriti a morte. Io ero tra i fortunati che se l'erano cavata con qualche graffio. I cosacchi hanno ordinato di sdraiarci a terra a faccia in giù. Hanno sguainato le sciabole e hanno cominciato a menare terribili fendenti alla testa, sfondandoci il cranio uno dopo l'altro. Ecco, era venuto il mio turno. Ero alla mercé del cosacco che stava già per darmi il colpo di grazia. Non potevo fare nulla. Ho sentito il fischio dell'aria mentre la lama calava, il colpo violento sul mio elmetto.» Forse il boia aveva il braccio stanco? Forse l'elmetto aveva deviato il fendente? Fatto sta che mio nonno è sopravvissuto, con una ferita alla testa. «Ho aspettato che se ne andassero. Poi, lentamente, mi sono rimesso in piedi. "C'è qualcuno ancora vivo?" Solo uno dei miei uomini si è alzato. E mi ha informato che i miei capelli erano diventati tutti bianchi.»

Cessate le ostilità, Franz Deutsch rientra a Neumarkt, poi riparte per Vienna e finisce gli studi. Dopo la laurea, nel 1923, comincia a lavorare per il servizio forestale di Brunico. E due anni più tardi prende moglie.

Mi piace pensare a mio nonno come al giovane orgoglioso e felice di fianco alla sua sposa, in quel giorno di festa del 1925. La vita non gli risparmierà delusioni e sofferenze e io lo ricordo come un uomo serio e un po' burbero, anche se capace di gesti di generosità. La sua vera passione erano le carte e insieme a mia nonna costringeva mio fratello, ragazzino, a interi pomeriggi di canasta. Vinceva sempre Elsa, la sigaretta in mano e una battuta spiritosa sulle labbra. Sua madre magari le aveva insegnato la pazienza, ma lei rimase uno spirito libero fino alla fine.

Nelle pagine del diario del 1922 Rosa non scrive nulla degli avvenimenti politici che hanno sconvolto il suo mondo. Passa sotto silenzio la marcia su Bolzano, la marcia su Roma subito successiva e la conquista del potere da parte dei fascisti. Cerca di ignorare una realtà che non riesce ad accettare. Annota invece che la sua vita è giunta a una svolta importante, lei ha compiuto quarantacinque anni e prega il cielo di farla arrivare al mezzo secolo. Da quando dodici anni prima si è dovuta sottoporre a un'operazione che avrebbe potuto essere fatale, Rosa non dà più niente per scontato. Era il 1910 ed era stata ricoverata all'ospedale di Innsbruck per farsi rimuovere dei calcoli biliari. «*Ho visto in faccia l'angelo della morte*» annotava nel suo diario. E da Innsbruck non aveva alcuna certezza di tornare viva. La mattina dell'operazione, il 3 marzo, aveva ricevuto i sacramenti nella piccola cappella dell'ospedale. Insieme a lei c'erano Jakob e suo cognato, il dottor Sembianti, accompagnati dal chirurgo che l'avrebbe operata, il dottor Hlavacek. «Signore, mi rimetto nelle vostre mani» aveva pregato Rosa prima di scivolare in un sonno profondo indotto dall'etere. L'operazione era andata bene, ma la convalescenza era durata due lunghi mesi.

Per anni Rosa non ha più pensato a quell'incontro ravvicinato con la morte ma ora, ai primi di marzo del 1925, avverte il bisogno di sbrigare una formalità importante: fa testamento. La sua età matura coincide con una situazione politica sempre più pericolosa. La sua prima bambina se ne va di casa. E qualunque cosa capiti non vuole che si ripetano nella sua famiglia le brutte scene seguite alla scomparsa di suo padre Johann.

Oggi, libera e senza costrizioni, in pieno possesso delle mie facoltà mentali, esprimo le mie ultime volontà. Desidero e prego con tutto il cuore che dopo la mia morte non nasca alcuna discordia tra gli eredi, ma che essi accettino con gratitudine e soddisfazione quello che toccherà loro. Quella di accontentare tutti è un'arte che non conosce nessuno.

1. Il mio corpo dovrà essere sepolto nel cimitero di Pinzon accanto ai miei avi.

2. Dispongo che ogni anno, per sempre, nella cappella della Madonna di Loreto venga celebrata una messa di suffragio per la salvezza della mia anima. Le tombe devono essere sempre tenute pulite e in buono stato dai miei successori.

*3. A mio figlio Josef lascio in eredità la casa al nr. 15 incluso quello che contiene, così come il fienile, l'*Ansetz [la cantina dove si mette il mosto a fermentare, NdR], *il pascolo con il frutteto e la vigna di Sölderle che gli diedi in anticipo in dono. I restanti vigneti, prati, campi, terreni dovranno essere valutati dai periti giurati e ripartiti insieme tra i miei 6 (sei) figli. Josef dovrà rilevare il tutto e pagare le sorelle come gli è possibile, contribuendo loro però l'interesse annualmente. Anche i crediti e i debiti devono essere sostenuti insieme.*

4. La casa al nr. 14, con il fienile, la stalla, la cantina e il pascolo in alto, l'ho donata il 20 novembre 1911 al mio caro marito e spero che dopo la sua morte andrà di nuovo ai miei amati figli.

5. La vecchia usanza di offrire la colazione dopo la messa celebrata dal clero di Montan dovrà essere mantenuta.

6. Le mie figlie hanno il diritto di restare in casa fino a quando si sposeranno.

7. I miei successori non dovranno lesinare l'aiuto ai poveri affinché la benedizione di Dio sia sempre con loro.

8. I figli dovranno comportarsi bene con il loro caro padre, non dargli la minima preoccupazione e assisterlo con amore e attaccamento nella vecchiaia e nella malattia. «Onora tuo padre e tua madre affinché si prolunghino i tuoi giorni sulla terra che il Signore tuo Dio ti dà.»

9. Il mio ultimo desiderio è che i miei figli mantengano la loro religione e la trasmettano a loro volta, perché la fede è il nostro passaporto sicuro per l'eternità. Nell'affidare i miei cari figli alla protezione del Signore e augurare loro fortuna e felicità in futuro, li benedico in nome del Padre, del Figlio e dello Spirito Santo. Amen.

In fede e di mio pugno
Rosa Rizzolli nata Tiefenthaler
Pinzon, 1° marzo 1925

10

Italiani o tedeschi?

Dopo la messa del mattino Rosa si è seduta all'ombra del tiglio che svetta nella piazza di Pinzon. Indossa un lungo abito leggero di stoffa grigia con il colletto bianco, e si è annodata intorno alla vita un grembiule candido. Ha con sé i giornali e la posta degli ultimi giorni, che non ha ancora trovato il tempo di leggere. È luglio, tra poco gli operai cominceranno la raccolta del mais e ha intenzione di andare a vedere come procedono i lavori. Anche a settembre per la vendemmia farà qualche visita nelle vigne: sono tempi duri, il vino si vende male, bisogna essere più attenti del solito. Non è il momento di scherzare con il denaro.

Lei cerca di aiutare la sua gente quanto può, ma la coperta è sempre troppo corta. E poi gli incessanti appelli alla sua generosità non vengono tutti da persone pronte a fare altrettanto. Domenica, come d'abitudine, ha invitato il parroco di Montan alla prima colazione dopo la messa. C'era anche sua figlia Gusti e il discorso è caduto sulla terribile crisi. Il religioso sottolineava l'importanza della carità cristiana, un implicito invito per una donazione alla sua chiesa.

Rosa, la cui porta è sempre aperta ai bisognosi,

stavolta ha taciuto. A un certo punto si è scusata, si è alzata da tavola ed è uscita. Pochi minuti dopo qualcuno ha bussato alla porta d'ingresso e una cameriera è andata ad aprire. Sulla soglia c'era un'anziana mendicante che chiedeva l'elemosina, ha riferito a Gusti. «Mandala via» ha risposto la ragazza, e il curato le ha fatto eco. Ma la stracciona è entrata in casa, si è fatta strada verso la Stube. «Che cosa vuoi, vecchia?» ha chiesto irritato il sacerdote. «Non abbiamo niente per te.» Alla fine Gusti si è lasciata commuovere e le ha dato qualche soldo. Il prete no. E la vecchia se n'è andata borbottando. Nel giro di alcuni minuti è riapparsa Rosa, indossando ancora gli stracci con i quali si era travestita per recitare la parte della mendicante. «Ebbene, stimato padre?» ha chiesto. «Lei predica la carità cristiana ma non si sogna neppure di praticarla. Come la mettiamo?»

Rosa sorride tra sé e sé ricordando come il viso del prelato era avvampato di vergogna. Ben gli sta! Volta il capo sentendo dei passi, il suo fedele amministratore sta salendo veloce lungo la strada che porta al fienile: «Buongiorno, Gnädige Frau».

«Buongiorno a voi.» Rosa gli sorride ma poi nota la sua espressione. «C'è qualcosa che non va?»

In quel lunedì 28 luglio 1928 l'uomo sembra ancora più tetro del solito. Si rigira nelle mani il cappello di feltro, c'è una linea ben visibile sulla fronte dove il cranio calvo che cerca di tenere coperto incontra il viso riarso dal sole. Gli occhi chiari hanno un'espressione pensosa, e ha addirittura dimenticato di riaccendere la cicca di tabacco nero che fa capolino sotto i baffi.

«Succedono brutte cose in città.» Scuote il capo e Rosa capisce di che cosa sta parlando. La sua prima reazione è di sollievo: non è successo niente alle sue proprietà. Poi la invade la tristezza, stava cercando di non pensare alla notizia di cui tutti parlano da mesi. Nella sua Stube le consuete discussioni politiche si sono fatte addirittura incendiarie su quell'argomento. I fascisti hanno costruito a Bolzano un Monumento alla Vittoria, scegliendo come sito proprio le fondamenta del monumento che l'Impero austroungarico aveva cominciato a costruire dopo Caporetto, in onore dei Kaiserjäger caduti nella Grande Guerra. Oggi ci sarà l'inaugurazione. Rosa non vuole parlarne, cerca però di mostrarsi rassicurante: «Io mi ricordo ancora del giorno in cui hanno portato via le campane di Pinzon per fonderle e farne cannoni» dice. «Però mi ricordo anche del giorno in cui hanno montato quelle nuove, e abbiamo risentito la loro voce nella valle. Ci sono voluti cinque anni, ma le campane le abbiamo riavute. Dio ci aiuterà a superare anche questa nuova prova.»

«Che l'Onnipotente la ascolti. I Welschen ci portano via tutto. Presto verranno a mancarci perfino le forze per coltivare le nostre terre. Io divento vecchio, poco importa, ma che cosa ne sarà dei nostri figli? Non potranno che chinare la testa o andarsene.»

Rosa vorrebbe tranquillizzarlo, ma che cosa può rispondere? L'anno precedente lei stessa ha dovuto vedere suo figlio Josef partire per il servizio militare con l'uniforme italiana. Sotto la bandiera tricolore, la bandiera del nemico. Per fortuna non lo hanno mandato troppo lontano: ha servito per sei mesi a

Innichen, in Val Pusteria. L'amministratore ha ragione, che cosa riserva il futuro? La piccola Herlinde, che Elsa ha avuto l'anno prima, sarà costretta a vivere in esilio nella sua stessa patria?

«Lo sa che cosa ha detto questo Mussolini? Ha detto che Bolzano si è sempre chiamata Bolgiano, e che è sempre stata una città "italianissima". Ha detto che i tirolesi sono italiani che hanno dimenticato di essere tali e che devono ritrovarsi! Italiani... *noi*?»

Anche Rosa ha letto il discorso dell'uomo che chiamano «il Duce». L'anno prima ha ripetuto, dal suo seggio alla Camera dei deputati, che la frontiera tra l'Italia e l'Austria in corrispondenza del passo del Brennero è sempre esistita. «Ci fossero nell'Alto Adige centinaia di migliaia di tedeschi puri al 100 per cento, il confine del Brennero è sacro e inviolabile» ha sentenziato quell'uomo basso dall'aria tronfia che guida i destini degli italiani.

«Lo so, lo so» annuisce Rosa con un filo di impazienza. Che cosa può farci? Sono dieci anni che la sua patria è passata in mani straniere, dieci anni di crisi economica e di pessime notizie. Ormai sente il peso del tempo sulle spalle. Ha da poco compiuto cinquantun anni e Dio non l'ha risparmiata. Sa che dovrà ancora battersi, ma in certi giorni le capita di perdersi d'animo.

«Mamma, mamma!» chiama Hella uscendo di corsa dalla porta di casa. Corre sempre, quella sua ragazzina tutta gambe e occhi. Ha solo dodici anni ma a volte le sue domande la sorprendono, e ha uno sguardo penetrante e pensoso molto più adulto della sua età.

L'amministratore la guarda con tenerezza, Hella così espansiva e allegra è molto amata da tutti nella proprietà.

«È ora che io torni al lavoro» conclude. «E che Dio ci aiuti. Fräulein Helene, non dimentichi di venire a controllare se le mele sono mature» strizza l'occhio a Hella che sorride radiosa.

«Verrò presto!» esclama. Ama molto andare nei frutteti e «rubare» le mele dagli alberi. Non è un comportamento da signorina, ma Rosa chiude un occhio. Il suo dipendente gira sui tacchi, si calca il cappello sulla testa e si avvia verso le vigne.

«Che cosa è successo, mamma? Perché sono tutti così tristi stamattina?» vuole sapere Hella. Si siede accanto alla madre e fa scivolare una mano nelle sue. Rosa ripiega il giornale che teneva sulle ginocchia. Passa le dita tra i capelli castani della piccola. Da tempo ha stabilito che ai bambini bisogna rispondere sempre, anche quando fanno domande imbarazzanti o dolorose.

«Vedi, a Bolzano è successa una cosa che ha rattristato molte persone. Il re d'Italia è venuto a inaugurare un grande monumento. Lo hanno costruito sulla riva del Talvera e lo hanno finito in questi giorni» comincia a spiegare. Hella la ascolta con un'espressione seria. Adora le storie che racconta sua madre, soprattutto quelle in cui compaiono streghe, principesse e animali parlanti. Capisce già dall'inizio però che questa non sarà una fiaba.

«Che monumento? Come è fatto?»

«Per gli italiani è un monumento che celebra una vittoria. Ma per noi è il ricordo di una grave sconfitta.»

Riprende il giornale e mostra a sua figlia la fotografia in prima pagina. La figura prende quasi tutto lo spazio, un arco di trionfo di marmo bianco. La didascalia recita: «Il Monumento alla Vittoria». Il testo cita l'iscrizione latina che campeggia sull'architrave: HIC PATRIAE FINES. SISTE SIGNA. HINC CETEROS EXCOLVIMVS LINGVA LEGIBVS ARTIBVS.

«Che cosa vuol dire?» Il latino non è ancora alla portata di Hella. Rosa traduce per lei anche se le costa moltissimo. Quelle parole sono come uno schiaffo: «Qui sono i confini della Patria. Pianta le insegne. Da qui educammo tutti gli altri alla lingua, al diritto, alle arti».

«Ed è per questo che il signor amministratore era così arrabbiato?»

«Sì, cara. Vedi, sono stati gli italiani a costruire quel monumento e a scolpire quella frase. Noi, a differenza loro, non abbiamo proprio nulla di cui essere contenti.»

È stato Mussolini in persona a volerlo, rigirando il coltello in una piaga ancora aperta. La vittoria in questione è quella del 1918 contro l'Impero austroungarico. In un primo tempo il Duce aveva pensato di dedicare il monumento alla memoria di Cesare Battisti, l'eroe dell'irredentismo italiano, arrestato e giustiziato dagli austriaci. La vedova di Battisti, però, ha chiesto ai fascisti di lasciare in pace l'anima di suo marito, che era anche un fervente socialista. Per questo le autorità hanno optato per una dedica di riserva: «Alla Vittoria». E nell'iscrizione Roma ha aggiunto al danno la beffa, spacciandosi come una potenza civilizzatrice venuta a portare la luce a quei «*ceteros*» che in una versione precedente della scritta sarebbero dovuti essere addirittura «*barbaros*». I barbari del Sudtirolo.

«Che cosa possiamo fare, mamma?» chiede Hella.

Rosa pensa al quarto di secolo trascorso al fianco di Jakob, alle nozze d'argento che hanno celebrato, ancora innamorati, l'anno precedente. Come assicurare a Hella, che non le stacca gli occhi di dosso, una felicità paragonabile a quella? Si alza. Prende per mano la ragazzina e si avvia per il sentiero sterrato che porta a Glen. Il cielo è azzurro, il sole è caldo e l'aria profuma. Tutto intorno la natura è un tripudio di bellezza.

«Hella, quello che puoi fare è svolgere al meglio il tuo lavoro, essere generosa con il tuo prossimo e avere fede.»

«Ma se la fede non basta? Se bisogna fare la guerra? Josef si è vestito da soldato.»

«Josef è andato a imparare a fare il soldato ma è tornato. Non c'è nessuna guerra.»

Rosa prova un senso di disagio. Ha detto la verità? Quella dei fascisti contro di lei e contro i suoi non è una guerra, in fondo?

«Tesoro, cantiamo la canzone dell'allegria, vuoi?»

Hella è ancora pensosa ma capisce che sua madre vuole smettere di discutere. E la canzone dell'allegria le piace molto. Allunga il passo e unisce la sua voce a quella di Rosa:

Hab ein Lied auf den Lippen,
hab stets frohen Mut,
hab Sonne im Herzen,
und alles wird gut.

Abbi una canzone sulle labbra,
sii sempre di buon umore,
nel tuo cuore splenda il sole
e tutto andrà bene.[1]

«Ma tu ti senti più italiana o più tedesca?» È tutta la vita che me lo chiedono e non sarò mai abbastanza grata ai padri fondatori dell'Unione Europea perché oggi posso affermare: «Sono e mi sento cittadina d'Europa», una soluzione che trovo perfetta. C'è però anche un'altra risposta, altrettanto vera: sono sudtirolese. E in quanto tale ho vissuto confrontandomi ogni momento, su qualunque questione, con un problema: c'era sempre un punto di vista tedesco e uno italiano su tutto. E ovviamente ognuna delle due comunità perpetuava i più vieti stereotipi sull'altra. Gli italiani descrivevano i sudtirolesi come montanari nazisti e ritenevano che non avessero diritto all'autonomia stabilita dalla legge. Viceversa i tedeschi consideravano gli italiani dei bifolchi fascisti, sempre in agguato per minare le basi dell'identità e della cultura locale. Anche i rispettivi organi di informazione erano intrisi di questi pregiudizi, tanto sul passato quanto su come veniva gestito il presente. I mostri generati dal ventennio fascista erano duri a morire.

Per questo nel 1981 il primo censimento etnico organizzato in Sudtirolo scatenò tante polemiche. L'articolo 89 dello Statuto speciale per il Trentino-Alto Adige, tuttora in vigore, statuiva che i posti

1. Popolare canzone composta adattando i versi della poesia di Cäsar Flaischlen.

pubblici nella provincia di Bolzano fossero distribuiti tenendo conto della cosiddetta «proporzionale etnica», rappresentando cioè il peso dei rispettivi gruppi di appartenenza tedesco, italiano o ladino. Per dirla facilmente: se la popolazione germanofona è il 70 per cento della popolazione, deve ricevere il 70 per cento dei posti, il 26 per cento agli italiani e il 4 per cento ai ladini. Lo stesso principio si applica alle case popolari e altri tipi di sussidi e benefici. Ovviamente non è così semplice, la burocrazia non lo è mai, ma il concetto è quello.

Il problema diventava quindi come stabilire quanti tedeschi, quanti italiani e quanti ladini ci fossero in Sudtirolo. La risposta fu: chiedendoglielo. Ciascuno dovette dichiarare a quale gruppo etnico-linguistico apparteneva. Considerando che cominciavano anche a esserci nuove minoranze grazie alle migrazioni, si trattava di una vera e propria scelta di campo. Poteva avere ragioni ideologiche o anche di comodo, perché aveva effetti molto concreti. Da essa poteva dipendere il lavoro che avresti trovato, il tuo intero futuro. La dichiarazione valeva dieci anni. Oggi è sufficiente una dichiarazione di appartenenza che viene fatta una volta per tutte, ma è modificabile in qualsiasi momento. Per accedere ai posti pubblici, però, occorre anche un patentino di bilinguismo, che si ottiene superando un esame.

Nel 1981 fui fra quanti, assieme al carismatico e influente leader dei Verdi, il pacifista Alexander Langer, si espressero contro il censimento. Non gridai all'orrore della «schedatura etnica» come Langer, che scrisse parole di fuoco: «Mettiamo in guardia contro le "nuove opzioni", contro l'imposizione delle "gabbie etniche". Mi pare di capire con assoluta lucidità che si tratta del più grave attentato alla democrazia, del più grave avvelenamento dei rapporti inter-etnici nel Sudtirolo dall'accordo Hitler-Mussolini e le "opzioni" dal 1939 in poi. [...] Sono angosciato per questa grande operazione di razzismo legale». Io trovavo il paragone storico un po' estremo. Ma concordavo che costringere i cittadini a fare una simile scelta approfondisse la frattura tra le etnie, anziché cercare di ricomporla.

Nel tempo ho dovuto rivedere la mia posizione, proprio come mi è capitato con la questione delle quote rosa per le donne. Quando uno squilibrio nato da un'ingiustizia si perpetua per così tanto tempo, e si radica così in profondità, una forzatura temporanea è necessaria per mettere in moto il cambiamento. Nel caso delle donne, lo squilibrio è dato da secoli di dominazione maschile che le hanno escluse dalla gestione del potere. Nel caso dei sudtirolesi, era stato creato da vent'anni di dittatura fascista che aveva fatto esattamente la stessa cosa: rimuovere i cittadini di etnia tedesca da tutti i posti di responsabilità e di comando. Per riportare l'equilibrio, la proporzionale etnica e il relativo censimento erano una soluzione certo non perfetta, ma forse necessaria. Non mancarono ovviamente obbrobri e soprusi. Ma con una storia del genere alle spalle sarebbe stato ingenuo pretendere che le cose si sistemassero da sole, senza alcun intervento legislativo.

E così, quello è stato il giorno in cui mi sono ufficialmente dichiarata tedesca. Quando mi venne chiesto di scegliere la mia «appartenenza» la mia prima reazione fu di rifiuto, per una domanda che ritenevo lontana dalla mia educazione. La mia famiglia non era certo ossessionata dal problema identitario, anzi per i parenti il nostro nucleo familiare era troppo «contaminato» dai rapporti con gli italiani. Eravamo *quelli un po' Welschen*, soprattutto dopo che per otto anni, a metà dei Sessanta, avevamo abitato a Verona dove mio padre aveva trasferito la sua attività. Ovviamente però non potevo che decidere per il gruppo tedesco.

Certo, la croce su quel foglio nel 1981 non fu priva di conseguenze. Non lo avevo previsto, anche perché non pensavo di lavorare nella pubblica amministrazione e nemmeno di restare in Sudtirolo. E invece, qualche problema sul lavoro ci fu.

All'inizio degli anni Ottanta lavoravo per la televisione. Si cominciava ad avvertire il bisogno di una nuova generazione di giornalisti, nati in un tempo in cui i traumi dell'occupazione fascista fossero storia, e non cronaca. Anche per questo, nel 1984, la redazione del Tg3 dell'Alto Adige richiese, con una mozione al caporedattore votata all'unanimità, che fossi assunta io, che lavoravo per il canale di lingua tedesca della Rai. Il loro timore era di vedere arrivare l'ennesimo raccomandato, spedito a caso a occupare il posto vacante. In genere queste perle giunte da Roma non parlavano la lingua e piombavano nella contrastata realtà locale preparati e pertinenti come abitanti della luna. Io ero giovane, donna, perfettamente bilingue, e fui assunta anche con una sorta di funzione-ponte tra i gruppi etnici.

La mia era stata una scelta strana, succedeva di

rado allora che si passasse da una pubblicazione o televisione tedesca a una italiana, o viceversa. Tanto è vero che alla notizia della mia assunzione alcuni italiani insorsero perché avevo occupato un posto «loro». Che tornassi dai «miei» tedeschi, dicevano. Invece rappresentare entrambi, e rendere giustizia a tutti, mi stava molto a cuore. Sia che percorressi le vette a caccia di epigoni di Andreas Hofer, sia che mi aggirassi per Bolzano a intervistare le donne in occasione dell'8 marzo. Per fortuna ebbi in tutte le redazioni grandi maestri, come Silvano Faggioni, Piero Agostini e Hansjörg Kucera che mi insegnarono non solo il mestiere ma anche il rigore professionale. L'amore per le frontiere sarebbe diventato una costante del mio lavoro giornalistico. Viene da lì, dalla frontiera che avevo dentro.

Due anni dopo la triste giornata in cui i sudtirolesi hanno visto scoprire il Monumento alla Vittoria, che provocherà tante polemiche anche negli anni a venire, Hella parte per un anno di studi in un collegio di Salisburgo. L'Italia che nell'agosto del 1930 si lascia alle spalle salendo sul treno è un Paese ormai soggiogato dal regime fascista. E anche la morsa sul Sudtirolo si è stretta. Già dalla metà degli anni Venti, l'unico ambito in cui la lingua tedesca viene tollerata sono le funzioni religiose. La Chiesa cattolica ha fatto e continua a fare moltissimo per permettere la sopravvivenza della cultura perseguitata. La casa editrice Tyrolia ha ottenuto il permesso di continuare le pubblicazioni in tedesco, ma per adeguarsi alla censura che proibiva l'uso della parola «Tirolo» si era dovuta rinominare Athesia. Con l'appoggio del Vaticano i parroci sono stati ritirati dalle scuole, dove l'insegnamento della religione si deve svolgere in italiano, e sono invece state istituite le *Pfarrschulen*, scuole parrocchiali, dove si prega e si fa lezione in tedesco. I fascisti sono costretti a tollerarle: nel 1929 c'è stato il Concordato e non possono certo rifiutare che ai bambini venga impartito il catechismo. Anche se sanno benissimo che sotto lo schermo dell'insegnamento religioso si trasmettono la lingua e la cultura tedesche. Quindi si accaniscono con più foga in tutti gli altri ambiti della vita civile. Nel 1926, i sindaci sono stati sostituiti dai podestà, di nomina governativa. Ovviamente, italiani. Non mancano alcune eccezioni, ci sono sindaci di etnia tedesca che hanno deciso di collaborare e hanno mantenuto il loro posto.

I bambini sono stati inquadrati nella Gioventù fascista, i maschi si vestono da balilla e le femmine da piccole italiane. Per loro è un gioco, fanno ginnastica e cercano di divertirsi, ma a casa queste divise non piacciono affatto. Molti genitori si ribellano, e per i piccoli non è una vita facile. Quando passa da Neumarkt il cinema ambulante, durante l'estate 1926, i ragazzini aspettano entusiasti che venga montato il palco, con le sedie e lo schermo, nella piazza del paese. Si proietta *La montagna sacra*, un film con Leni Riefenstahl, un'attrice e regista che si sta facendo un nome in quegli anni e che più tardi diventerà la creatrice dell'immagine potente e suggestiva del regime nazista. È una storia d'amore, non di politica. Ma i genitori tedeschi scelgono di boicottare lo spettacolo, perché si rifiutano di cantare l'inno fascista prima della proiezione.

Molti non rinunciano a protestare. Bruciano bandiere italiane, cantano inni tedeschi e manifestano pubblicamente la propria ostilità al regime. Pagano con il carcere o l'esilio, sempre più spesso. Hans, il figlio di Luise, ha rischiato grosso quando ha accompagnato i suoi figli dal podestà restituendogli le divise da balilla con cui sono tornati a casa da scuola. «I miei figli mai le indosseranno» ha detto chiaro e tondo nel suo italiano dal forte accento. Il podestà, temendo una reazione dell'intero paese, ha lasciato correre. La famiglia Tiefenbrunner-Tiefenthaler è molto influente. Ma è ormai finita sotto la lente del regime e pagherà lo scotto di questa resistenza.

Sempre nel 1926, un regio decreto ha approvato la cosiddetta re-italianizzazione dei cognomi tedeschi che a detta di Ettore Tolomei sono di presumibile origine italiana. Questo «lavacro dei nomi» mira a coinvolgere l'80 per cento dei cognomi della popolazione che, secondo i deliranti progetti, devono ritornare alla loro presunta *originaria forma latina*. Nel giro di qualche anno, ben quattromila saranno cambiati forzatamente, in qualche caso con risultati grotteschi. Ci sono casi di fratelli che, italianizzati presso uffici diversi, riceveranno cognomi differenti a seconda della traduzione scelta dall'impiegato. I criteri sono a volte una traduzione letterale, ma spesso puramente fonetici: Fuchs diventa Volpi ma Gogl viene trasformato in Golfi, Bernlochner in Baldi, Bischof in Bisofi.

Tra il 1926 e il 1928 tutto il Parlamento italiano è stato fascistizzato e le minoranze tedesche e slave sono state le prime vittime: da quel momento, non avranno più alcuna rappresentanza nell'assemblea nazionale.

Alla fine del 1926, la censura ha messo a tacere tutti gli organi di stampa sudtirolesi, esclusi quelli cattolici. Ma il quotidiano «Der Tiroler» è stato costretto a ribattezzarsi «Der Landsmann» ed esce sempre più spesso con ampi spazi vuoti in prima pagina a causa della censura. Infine, adducendo motivazioni legate alla sicurezza dello Stato, si è disposto lo scioglimento dei partiti tedeschi e di ogni associazione, anche quelle religiose o sportive.

Anche l'Austria che Hella, quattordicenne, ha modo di conoscere nel corso del suo anno di studi salisburghese, nel 1930, è molto diversa da quella descritta nei libri che le presta il cugino Hans. Salisburgo è la città di Mozart, e per lei che viene da una famiglia così amante della musica i concerti sono la prima attrattiva. Ed è bella, con il fiume che l'attraversa scintillando, le montagne che la circondano, le cupole barocche delle chiese e i palazzi moderni. Ci sono parecchie automobili per strada, più di quante ne abbia mai viste. Ma sui marciapiedi si incontrano molti mendicanti, la gente non è sempre disponibile a dare indicazioni, si respira una forte tensione. Il sabato e la domenica non di rado ci sono grandi manifestazioni operaie, migliaia di persone in piazza che urlano e protestano. Spesso la polizia è costretta a intervenire, a picchiare i più facinorosi.

Hella si accorge come il fascismo sia presente

anche nell'Austria che considerava un'isola felice. Per strada, si incontrano squadracce di miliziani. Da anni il fascismo italiano le finanzia per tenere a bada tutti coloro che spingono verso l'*Anschluss*, l'annessione alla Germania. Dai fascisti è vista come il primo passo per annettere anche il Sudtirolo.

Hella scrive spesso a casa, ma la corrispondenza ci mette tanto ad arrivare e le buste sono sempre aperte dalla censura, che legge tutto. Si parla quindi solo delle vicende familiari, delle novità nel paese, senza alcun riferimento alla situazione politica o alle difficoltà economiche. La disciplina nell'internato è molto rigida, non sono tante le occasioni di svago. Hella cerca di studiare, di capire, di confrontarsi con le altre sue compagne. Quelle tedesche le raccontano di una Germania in difficoltà, dell'inflazione, della povertà in aumento. Berlino è piena di straccioni e ubriaconi. Hella a sua volta parla delle sue montagne, di Pinzon e di Entiklar, ma anche del fatto che lei e i suoi sono costretti a parlare la loro lingua di nascosto. Persino le iscrizioni sulle tombe devono essere scritte in italiano. Le sue amiche non riescono a credere che al Comune le abbiano cambiato il nome in Elena.

«Le cose però si stanno muovendo. Vedrai, tutto si sistemerà» le dice una sera un'amica che fa già l'ultimo anno.

«E come? Il fascismo è fortissimo e noi non possiamo difenderci.»

«Ci penseremo noi, la Germania, a salvarvi. Il Sudtirolo tornerà tedesco come è sempre stato.»

«E come?»

«C'è un uomo in Germania. L'ho sentito parlare

una volta, a Monaco, un giorno che ero uscita con mia madre. Stava su un palco, con dietro delle bandiere rosse, nere e bianche. Dovevi vedere quanta gente c'era! Diceva che la Germania deve tornare grande, potente. Quanto sudava! Mia madre poi si è informata, ha chiesto chi era.»

«E chi era?» chiede Hella che ha ascoltato col fiato sospeso.

«Si chiama Adolf Hitler. E ci tirerà tutti fuori dai guai.»

Un anno passa in fretta. Nonostante la nostalgia della sua terra, a Hella sembra che il tempo trascorso a Salisburgo le abbia aperto gli occhi. Le pare di capire molto meglio, ora, cosa sta succedendo a casa. E cosa dovrà fare appena tornata.

11

Die illegale Zeit

È il 24 agosto 1934, il giorno di san Bartolomeo. Il sole splende sui prati e sulle vigne, le donne hanno preparato favolosi dolci e fatto il pane, i mariti stappano bottiglie di vino. In casa il camino è acceso, non perché faccia freddo ma perché così vuole la tradizione. E con un moto di sfida Hella e sua sorella Gusti hanno issato fuori casa drappi bianchi e rossi e una bandiera austriaca. A Rosa vengono le lacrime agli occhi vedendo sventolare nel cielo estivo il vessillo del suo imperatore.

San Bartolomeo è una festa popolare tra le più antiche, legata alla transumanza. Sull'altopiano di Renon si festeggia con canti e danze e si tiene un mercato del bestiame. Naturalmente come tutte le sagre e i raduni è considerata sospetta dal regime. Ma questo non ha impedito ai Tiefenthaler, Tiefenbrunner e Rizzolli di radunarsi a Fennberg, una delle proprietà di famiglia, a mille metri di altitudine, dove spesso vanno in villeggiatura. Si parla solo tedesco e si approfitta per fare qualche lezione di lingua ai bambini. Soprattutto, si canta: è venuto apposta un artista che intona a cappella, in *Hochdeutsch*, in tedesco colto, i canti tradizionali.

«Come sono belle queste giornate. Guarda quanti

siamo» sospira Rosa rivolta a sua sorella Luise, seduta accanto a lei sull'erba. Osserva la figlia Elsa che gioca poco distante con i suoi bambini, Herlinde, Hubert e Norbert, e tiene in braccio il piccolo Heini. Suo marito Franz prima di pranzo ha pronunciato un discorso sulla loro Heimat, al termine del quale tutti i presenti avevano le lacrime agli occhi. Per il fumo del camino, non certo per la commozione, hanno sottolineato goliardici i parenti maschi. Ma i magoni politici sono tutt'altro che rari, di questi tempi.

«Facciamo una preghiera, cari amici» dice il parroco di Kurtatsch, alzandosi in piedi. Rosa comincia a recitare in tedesco il *Padre nostro*, assieme agli altri.

«Ringraziamo il Signore per questa giornata, questo sole, così tanti amici tutti assieme e preghiamo sempre perché conservi noi e la nostra patria» conclude il sacerdote.

«Amen» rispondono tutti in coro.

All'improvviso la quiete è turbata da un allarme generale: è arrivato il podestà fascista. Per riguardo, non è accompagnato dai carabinieri e non oserà interrompere quella festa di famiglia. Ma la sua presenza è un chiaro avvertimento. E qualcuno viene mandato in fretta e furia a far sparire le decorazioni rosse e bianche e la bandiera austriaca.

Nella concitazione Hella e Josef, che per tutta la giornata se ne sono stati un po' in disparte, ne approfittano per dileguarsi.

«Dobbiamo andare» sussurra lei. «È ora.»

Si allontanano con disinvoltura, senza farsi notare, e si incamminano nel bosco.

«Quel Much Tutzer dice che vuole parlarci.»

Hella e Josef procedono in silenzio fianco a fianco. Gli uccellini cinguettano, in lontananza si avvertono ancora le risate dei bambini, ma l'aria si è fatta pesante.

«Eccoli.»

«Cosa devo fare?» chiede Josef.

«Lascia parlare loro.» Hella si dirige decisa verso quello che sembra il capo. Ha diciotto anni, è una ragazza alta, e i suoi acuti occhi castani fissano il giovane da pari a pari. L'ovale del viso dagli zigomi pronunciati, sotto i capelli scuri raccolti dietro la nuca, è dolce e regolare, e le labbra sottili si aprono spesso in un sorriso, ma in questo momento Hella è seria e risoluta.

«Much» le dice il ragazzo dai capelli a spazzola.

«Hella» risponde lei.

«Hai sentito parlare del VKS, vero?»

«Sì. Posso dare una mano?»

Entrambi istintivamente si guardano attorno furtivi. Sono in un bosco, nessuno in vista, tranne lei, suo fratello, quest'uomo dall'aspetto carismatico e un paio dei suoi.

«Stai già dando lezioni nelle scuole clandestine?»

«No, ma mi piacerebbe farlo.»

«Queste cose non bastano più. Dobbiamo organizzarci e attaccare, se vogliamo riconquistare la nostra terra. Gamper non lo capisce.»

«Il canonico Gamper è l'unica persona che ha alzato la testa quando nessuno ci provava» ribatte Hella.

«Ma sarà Hitler a salvarci.»

Hella non può dargli torto. Anche lei, come molti suoi coetanei, pensa che l'unica possibilità sia ormai la Germania, e il nazismo che crede così fortemente nel *Deutschtum*, nel germanesimo, nell'identità tedesca. Solo riunendosi al Reich i sudtirolesi potranno liberarsi dal fascismo. Sua madre è molto dubbiosa, le idee antireligiose di Hitler non le piacciono per niente. Ma Rosa appartiene a una generazione che non ha risolto nulla, pensa con amarezza Hella. E del suo grande Impero austroungarico è rimasto solo un piccolo Paese chiamato Austria, che non può certo aiutare il Sudtirolo. Negli ultimi anni le cose non hanno fatto che peggiorare, ed è tempo di rivolgersi a chi davvero potrebbe difenderli.

«Cosa vi serve che faccia?» chiede guardando negli occhi il giovane capo del VKS, il neonato movimento a cui appartengono alcuni loro amici e conoscenti.

«Che ci aiuti a creare la nostra cellula di Montan. Tuo fratello invece può essere il riferimento per Pinzon. C'è qualcun altro nella tua famiglia che può aiutarci?» Il suo interlocutore sa che i Rizzolli-Tiefenthaler sono un clan potente e possono essere molto utili alla causa. Hella esita ed è Josef a rispondere: «Forse mio padre. Non ne può più di questa situazione, ed è preoccupato per gli affari».

«D'accordo. Ci facciamo sentire noi» dice Much. Dal suo tono Hella e Josef capiscono che il colloquio è finito. Anche chiacchierare a lungo in un bosco può essere pericoloso, di questi tempi. «Ciao, Josef, ciao Hella» e con un cenno secco del capo si allontana, seguito dai suoi.

«Torniamo dagli altri.» Josef la prende sottobraccio. Si incamminano di nuovo senza fare commenti. È stato un incontro così breve, ma Hella ha l'impressione che la sua vita stia per cambiare.

Il giovane che Hella ha incontrato, Much Tutzer, è uno dei leader a Bolzano della formazione filonazista più importante del Sudtirolo, in cui presto confluiranno tutte le altre: il Völkischer Kampfring Südtirols (VKS), Fronte patriottico sudtirolese. Viene fondato nel 1934 dall'unione di piccoli gruppi giovanili clandestini nati per proteggere e diffondere la cultura tedesca. Il suo obiettivo dichiarato è la riunificazione di tutte le enclave tedesche in un unico impero, e il suo credo è l'obbedienza al Führer. In questa prima fase però, nonostante l'influenza ideologica, non ci sono rapporti ufficiali fra il VKS e le gerarchie della NSDAP, il Partito nazionalsocialista tedesco.

Il VKS decide presto di dividersi in sezioni: Bressanone, Merano, Val Venosta, Vipiteno, Val Pusteria, Bassa Atesina e Oltradige. L'organizzazione si diffonde rapidamente, i tempi sono maturi, la gente è stanca di subire e nel giro di qualche mese i gruppi superano già il centinaio: fra gli altri, a Montan il referente diventerà Hella Rizzolli e a Pinzon suo fratello Josef.

In quella metà degli anni Trenta i giovani sudtirolesi sentono più che mai di aver bisogno di alleati. Da anni Mussolini considera la loro terra come un pericoloso ginepraio e non perde occasione per ricordare che indietro non si torna. Quel territorio è italiano e «i tedeschi dell'Alto Adige non rappresentano una minoranza nazionale, rappresentano una reliquia etnica». Dopo le molte richieste a Germania e Austria di offrire garanzie sul rispetto del confine del Brennero, ha appoggiato in chiave antigermanica le milizie austro-fasciste, le Heimwehren del futuro cancelliere austriaco Engelbert Dollfuss. Il governo della Prima repubblica austriaca si è riavvicinato così all'Italia. Gli serve l'appoggio del governo fascista per ottenere l'esonero dal pagamento delle riparazioni di guerra. In cambio, si è impegnato anche ufficialmente a non interferire nella questione sudtirolese. L'accordo è stato sottoscritto nel febbraio del 1930.

La notizia, chiaramente, è arrivata in fretta in Sudtirolo. La delusione e lo sconforto per l'abbandono dell'ex patria imperiale sono stati terribili. Così, pian piano, i nazisti hanno cominciato a rappresentare una via d'uscita, e stanno guadagnando consensi. Soprattutto i ragazzi osservano con entusiasmo l'ascesa al potere di Hitler: il risultato elettorale del suo partito in Germania, nel settembre del 1930, sembra indicare che tutto è possibile. Che un gruppo povero di mezzi ma ideologicamente forte può arrivare a conquistare un Paese.

La crisi economica intanto inasprisce i conflitti, i gruppi estremisti raccolgono la rabbia e la frustrazione di tutti. E la repressione fascista non si ferma: dal 1932, le persecuzioni contro l'insegnamento clandestino vengono intensificate. Inoltre, alle minacce, interrogatori e arresti si aggiungono incentivi statali per gli insegnanti italiani che intendono trasferirsi in Sudtirolo.

Ma il regime ormai ha capito che la colonizzazione non sarà né facile né rapida. La storia sta prendendo un nuovo corso. Nel diario di Rosa, che pure non approva il nazionalsocialismo, si insinua una nota di speranza: «*Il desiderio che esprimo per il futuro è che i bei tempi possano tornare*».

I giovani sudtirolesi cominciano a organizzarsi. Si incontrano sempre più spesso per studiare una nuova e più forte forma di opposizione alle camicie nere. Per loro è chiaro che il Deutscher Verband del canonico Gamper è stato troppo timido. E non è più il momento di porgere l'altra guancia.

La propaganda che arriva dalla Germania si fa più intensa, sebbene sia clandestina. Gli anni tra il 1933 e il 1939 diverranno tristemente noti come «*die illegale Zeit*», l'epoca illegale. L'atteggiamento del fascismo all'inizio è ambiguo: è vero che c'è una notevole affinità ideologica con Hitler, ma il pangermanismo è una caratteristica troppo forte nella NSDAP e potrebbe avere implicazioni politiche esplosive. Per tutto il 1932, il regime mantiene come linea ufficiale una tolleranza controllata: i sostenitori del Führer non vengono puniti, ma tenuti d'occhio. Su «La Provincia di Bolzano», giornale che ben interpreta la linea ufficiale, un fondo di prima pagina dal titolo *Noi ed Hitler* recita: «Abbiamo avuto recentemente occasione di precisare che il nostro atteggiamento nei confronti di Hitler è quello di una benevola neutralità. Abbiamo anche spiegato che non abbiamo niente in contrario a che i sudditi germanici dimoranti in Italia formino i loro gruppi hitleriani, purché rispettino le leggi italiane e non disturbino l'ordine pubblico: è, del resto, quanto si chiede ai Fasci italiani in terra straniera».

I sudtirolesi filonazisti mantengono comunque la prudenza. Si incontrano in segreto e di nascosto fanno proseliti fra la popolazione. Spiegano che l'Austria è ormai uno Stato fantoccio nelle mani

Il ritratto di Rosa Tiefenthaler che oggi accoglie i visitatori nell'atrio della casa di Pinzon.

Johann Tiefenthaler, il padre di Rosa, possidente terriero, produttore e commerciante di vini.

Rosa da giovane,
sul sentiero che porta
alla chiesa, davanti
alla sua casa di Pinzon.

La famiglia Rizzolli-Tiefenthaler:
Rosa e Jakob e, da sinistra, Elsa, Gusti, Josef, Berta e Mariedl.
La più piccola, Hella, non è ancora nata.

Una veduta del paesino di Pinzon, dalla strada che sale da Neumarkt.

Hella Rizzolli in dirndl, l'abito tradizionale, vicino alla chiesetta di Pinzon.

Hella insieme ad alcune delle bambine
a cui insegnava clandestinamente il tedesco, negli anni Trenta.

Gusti Rizzolli suona la chitarra davanti alle vigne di famiglia.
È la più dotata per il canto e la musica, tra le figlie di Rosa.

Elsa Rizzolli con i figli Herlinde e Hubert.

Franz Deutsch, marito di Elsa
(a destra), con un commilitone
durante la Prima guerra mondiale.

Berta Rizzolli e suo marito
Oskar Hammerle
il giorno del matrimonio.

Josef Rizzolli e sua moglie Maria Gamper il giorno del matrimonio.

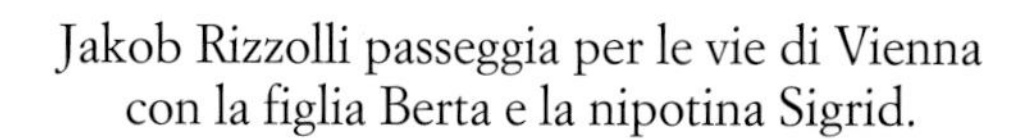

Jakob Rizzolli passeggia per le vie di Vienna
con la figlia Berta e la nipotina Sigrid.

Rosa a Vienna, in Stephansplatz,
assieme al genero Oskar.

Le due sorelle
Tiefenthaler Luise
(a sinistra) e Rosa
(a destra).

Rosa e Jakob
negli anni Trenta,
ancora molto innamorati.

La casa di Pinzon com'è
oggi, con gli affreschi fatti
da Johann Tiefenthaler ben
visibili sugli edifici vicini.

del fascismo italiano, e che l'unica speranza è che venga annessa alla Germania. Forse così poi potrebbe toccare anche al Sudtirolo. Potrebbero tornare tutti tedeschi.

I più anziani sono meno entusiasti, soprattutto perché la dottrina nazista è così violentemente nemica della religione cattolica. Ma ci sono anche tentativi di abboccamento ufficiali: l'avvocato Eduard Reut-Nicolussi, storico patriota locale da anni rifugiatosi oltreconfine, incontra Hitler chiedendogli di considerare la questione sudtirolese. Il Führer dichiara ancora una volta che è un problema di politica interna italiana e che non vuole interferire.

I giovani non gli credono. «È solo una strategia» sostengono, testardamente attaccati al loro nuovo eroe. E all'inizio del 1933 esultano, quando arriva la notizia che ha vinto le elezioni. La stampa locale completamente controllata dal regime mantiene un basso profilo: *Adolfo Hitler assume in Germania il cancellierato*, titola «La Provincia di Bolzano» il 31 gennaio 1933. Ma la foto del suo arrivo alla Cancelleria, in piedi nell'automobile scoperta, passa di mano in mano. Comunica ai sudtirolesi una sensazione di forza, di un destino che sta per compiersi dando inizio a un'epoca nuova.

«È solo questione di tempo.»

Nel settembre dello stesso anno la situazione però precipita. Viene nominato prefetto di Bolzano il giovane e fascistissimo Giuseppe Mastromattei. Mette fine alle ambiguità ordinando perquisizioni, fermi di polizia, condanne al confino per chi porta croci uncinate, espone bandiere tedesche o inneggia al Führer. Nel luglio del 1934 il cancelliere austriaco Dollfuss viene assassinato dai nazisti. Il fatto segna il punto più basso nei rapporti tra Hitler e Mussolini, da anni in ottimi rapporti con Vienna.

Nello stesso anno il dittatore italiano incontra il nuovo cancelliere austriaco Kurt von Schuschnigg per siglare un altro accordo di collaborazione tra i due Paesi. Fra le condizioni c'è la non ingerenza nella questione sudtirolese. I giornali italiani ne parlano come dell'ennesimo successo diplomatico del Duce: la rabbia e la delusione convincono molti dubbiosi che la Germania di Hitler è l'unica salvezza.

La morsa del fascismo sulle attività filonaziste si stringe. I carabinieri fanno continue irruzioni alla ricerca di riunioni e assemblee sovversive. Compaiono le prime scritte sui muri che inneggiano al Führer, nel giro di poche ore vengono cancellate con una mano di intonaco e qualche giorno dopo vengono ridipinte nello stesso posto. I «successi politici» di Hitler non fanno che diffondere ottimismo.

Nel luglio del 1933 in Germania sono stati sciolti tutti i partiti, tranne ovviamente la NSDAP. Il Parlamento non esiste più, neanche fisicamente dopo l'incendio del Reichstag. Ancora una volta, i sudtirolesi interpretano le notizie a modo a loro: Hitler non dovrà mediare con altre forze politiche quando deciderà di liberarli.

La svolta però è il plebiscito nella Saar, il territorio istituito nel 1920 dal Trattato di Versailles e assegnato alla Francia sotto il controllo della Società delle Nazioni. Il 13 gennaio 1935, con un referendum, la popolazione può decidere se tornare o meno alla Germania. Il 91 per cento vota sì. «Oggi la Saar, domani noi» diventa il motto degli attivisti sudtirolesi. Hitler è riuscito a riconquistare un pezzo di patria al grande progetto del mondo germanico unito, al Deutschtum, fa notare la propaganda filonazista.

La notte del 13 gennaio 1935, drappelli di giovani locali si organizzano in segreto. È il momento di un gesto forte. Un messaggio per i fascisti: avete i giorni contati. E uno per Hitler: Führer, vienici a prendere.

Un razzo esplode nella notte, dalla riva dell'Adige, e si alza brillante nel cielo. È il segnale.

La valle intera si sveglia. In ogni paese gli abitanti escono dalle case, guardano le montagne, qualcuno turbato, qualcuno entusiasta. C'è chi intona un canto. I pendii sono disseminati di fuochi brillanti. A forma di enormi croci uncinate.

La mattina dopo i muri sono fioriti di scritte: «Oggi la Saar, noi tra un anno» si legge dappertutto; decine di pareti sono state dipinte coi colori del Reich, come pure gli argini dell'Adige. Sui manifesti con la faccia del Duce sono comparse grandi svastiche.

12

La scoperta del Reich

Hella si getta un'occhiata alle spalle prima di salire su un tram alla fermata della Königsplatz. Studia le persone che la circondano, la gente che sale spintonando sulla sua stessa vettura. In quel dicembre del 1934 la temperatura è particolarmente mite a Monaco, il capoluogo bavarese dove Hella da qualche mese frequenta un corso di formazione per insegnanti clandestini sudtirolesi. Prima di lasciare l'appartamento che condivide con due amiche nei pressi del Giardino inglese, ha indossato un soprabito di lana marrone e si è messa in testa un cappello a cloche più scuro.

Hella prende posto in fondo alla carrozza e guarda scorrere i bei palazzi dalle facciate gotiche che fiancheggiano le spaziose vie del centro di Monaco. La città dove nel 1920 è stato piantato il seme del nazionalsocialismo è ora tappezzata di enormi stendardi con la croce uncinata. Si muovono lenti nel venticello fresco e azzurrato dell'inverno, e Hella non si stanca di ammirarli. Per lei, ormai diciottenne, significano la possibilità di un nuovo futuro per il suo popolo.

Poco tempo prima ha assistito a un comizio di Hitler, di passaggio a Monaco per commemorare il suo primo, mancato tentativo di salire al potere, il putsch del 1923 che gli era costato un anno di carcere. «Dovete essere dei combattenti!» aveva declamato il Führer arringando la folla raccolta di fronte alla Feldherrnhalle. «I nostri nemici sono legioni, e non sono disposti a tollerare una Germania forte! Non vogliono che il nostro popolo sia unito! Non vogliono che il nostro popolo si difenda! Non vogliono che il nostro popolo sia libero!» A quelle parole Hella non era riuscita a trattenere le lacrime. E quando il Führer aveva invitato tutti i giovani a mobilitarsi e a combattere per la salvezza della Germania, aveva sentito di essere pronta a seguirlo ovunque. Da allora non ha mai smesso di dedicarsi alla causa. La militanza le ha anche donato una nuova indipendenza. Per lei, come per molti giovani cresciuti in famiglie ben più conservatrici e cattoliche della sua, il VKS significa nuovi incontri, ore e giorni passati lontano dal controllo di genitori, parroci e compaesani. A bere, fumare, flirtare con i camerati. Libertà personale, l'eccitazione del pericolo, una figura carismatica da seguire: Hella è innamorata della sua nuova vita.

Scende dal tram alla fermata di Marienplatz, si dirige a passo tranquillo verso la Burgstrasse, e passando accanto all'imponente municipio cittadino alza lo sguardo sulla torre dell'orologio: le lancette segnano mezzogiorno. Hella passeggia tra le bancarelle del Christkindlmarkt, il mercato di Natale che ogni anno, già a novembre, invade il centro storico della città. La folla si accalca guardando i dolci, le candele, i piccoli oggetti di artigianato, valutando se comprare un nuovo paio di pantofole o una statuina fatta a mano per il presepe di famiglia. La ragazza pensa a Pinzon, dove sua madre sicuramente sta decorando la casa in vista del Natale, il suo periodo preferito. Quest'anno non le sarà facile creare un'atmosfera di festa. La situazione in Sudtirolo è critica: il lavoro scarseggia e così pure il denaro, l'entusiasmo e la fiducia nel futuro. La crisi dilaga ovunque, il vino non si vende. Con l'ascesa al potere del nazionalsocialismo gli scambi con la Germania si sono intensificati, grazie a facilitazioni commerciali soprattutto per i produttori di vino e frutta, ma non basta.

Hella si arrabbia quando vede sua madre sempre più stanca, con il viso più segnato, che si rimette alla volontà di Dio e con pazienza cerca di andare avanti. Non è più il tempo della coraggiosa rassegnazione. È il tempo della lotta.

Passando davanti a un gruppo di uomini che si godono il tempo clemente con un boccale di birra e una *Bratwurst*, Hella sente un richiamo, allegro e sfacciato. Allunga il passo, non ha tempo da perdere. Due gruppi di SS e SA in uniforme si incrociano lanciandosi sguardi cupi. Da quando nel giugno dell'anno precedente i loro ranghi sono stati decimati in una sola sanguinosa notte, le SA sono state costrette ad abbassare la testa. Le «camicie brune» che hanno consentito a Hitler di conquistare il potere hanno imparato una dura lezione: discutere con il Führer non è più permesso. Hitler si è circondato di un'altra milizia, le SS, e d'ora in poi sarà quel corpo tutto vestito di nero a vegliare sul futuro della sua dittatura.

Hella svolta nella Sparkassenstrasse, diretta alla

Münzstrasse. Le strade di Monaco non hanno più segreti per lei, da quando ha cominciato a seguire i corsi organizzati qui per eludere la sorveglianza dei fascisti. Entra nella Hofbräuhaus e si guarda intorno nella sala rumorosa e piena di fumo, poi si fa largo rapida tra i tavoli.

«Buonasera Othmar!»

Il giovane ufficiale della Wehrmacht scatta in piedi e batte i tacchi mentre le stringe la mano. Gli occhi azzurri sono pieni di calore.

«Hella, pensavo ti fosse successo qualcosa.»

Lei ride, mentre si siedono uno di fronte all'altra all'estremità del lungo tavolo. «E che cosa mai dovrebbe succedermi? Ordiniamo un po' di vino, dai.»

Hella è decisa a sdrammatizzare e a non lasciarsi fare delle prediche. Othmar, figlio di sudtirolesi emigrati che ha conosciuto in questa birreria, le fa la corte, ma per lei è solo un amico. E ultimamente lo trova un po' noioso, con le sue ansie.

«Hella, la situazione non è buona. Il Führer e Mussolini sono alleati e lo diventeranno sempre di più. E nessuno dei due vuole problemi per via del Sudtirolo. Hitler ha ben altri obiettivi in mente, credimi.»

«È solo una tattica del Führer, per tener buona l'Italia mentre consolida il proprio potere, te l'ho già detto» gli spiega Hella con una nota di impazienza nella voce. «Non può non volere che tutti i tedeschi si riuniscano al Reich.»

«Ma intanto tu e gli altri rischiate troppo. La propaganda, le scuole clandestine... I fascisti sapranno già chi sei e cosa stai facendo, sanno di sicuro di questi corsi. Non sarà Hitler a salvarti, se ti ficchi nei guai.» Le prende la mano al di sopra del tavolo. «È diventato un gioco troppo rischioso per una ragazza. Devi uscirne ora, finché sei in tempo.»

«Non dirmi quello che devo fare, Othmar.»

«Voglio che tu sia al sicuro.»

«E io voglio fare la mia parte» ribatte lei, testarda. «Ne uscirò, alle mie condizioni, quando avremo trionfato sui nostri nemici.»

Negli occhi del giovane soldato compare una riluttante ammirazione, ma lui scuote la testa.

«Hella, ti tengono d'occhio di sicuro. Metterai in pericolo te stessa, e anche i tuoi.»

A queste parole, Hella esita. Ama molto la sua famiglia, non vorrebbe mai che succedesse loro qualcosa. Ma ripete: «Tutti dobbiamo fare la nostra parte».

In famiglia Hella è sempre stata descritta come una donna straordinaria. Non quanto Rosa, a cui non ho mai sentito attribuire un difetto, ma nell'immaginario di tutti la sua figura è indubbiamente positiva. Anche quando viene citata dagli storici locali, si traccia il profilo di una ragazza di grande coraggio, dedita alla causa del Deutschtum. Senza macchia e senza paura. Mi hanno raccontato di come organizzava il coro dei bambini, una copertura per le lezioni clandestine di tedesco, e di come li faceva cantare per gli ospiti della casa di Pinzon, nella piazza, sotto il tiglio. Mi hanno portato a vedere la sua tomba nel piccolo cimitero, con la foto sorridente e le date che testimoniano una vita breve, seppure molto intensa. Mi hanno detto di quanto era amata da tutti per la sua socievolezza, e della determinazione che aveva dimostrato nell'opporsi al fascismo.

Non ricordo, però, che nessuno abbia mai approfondito la sua collaborazione con il VKS. Dalle sue lettere e cartoline che ho potuto leggere di recente ho poi capito quanto fosse profonda la sua adesione al nazionalsocialismo. Quando ho fatto domande specifiche nessuno ha negato questo aspetto, ma la questione è stata liquidata con una frase che ho imparato a conoscere: «Credeva nel Deutschtum e lottava contro l'oppressione fascista». Questi ideali, sembrano giustificare l'abbaglio ideologico in cui precipitarono sia lei sia Gusti, l'altra sorella filo-hitleriana.

Non posso affrontare qui il problema, drammatico e trattato da ben altri studiosi, del rapporto tra il Sudtirolo e la sua memoria sulle compromissioni col nazismo. Però devo dire che con questa interpretazione della vicenda della mia prozia non sono d'accordo. Hella non seguì una via obbligata, resa inevitabile dalle persecuzioni, dall'epoca, dall'età che aveva. Fece una vera e propria scelta di campo. L'eroica insegnante delle catacombe dei racconti familiari era parte di un gruppo che esponeva svastiche, si richiamava al Führer tedesco e aveva l'obiettivo programmatico di entrare a far parte del Reich. Lo stesso Reich che già si sbarazzava degli avversari politici. Un errore del genere è comprensibile, ma non giustificabile.

Quanto si sapeva nelle campagne della Bassa Atesina di quello che si stava preparando in Germania? Difficile dirlo. Ma non dimentichiamo che le prime critiche mosse al nazismo verranno dai sacerdoti:

molti avevano informazioni più dettagliate e avevano raccontato ai propri parrocchiani quello che succedeva al di là del confine. Come vedremo, ci furono sudtirolesi come Friedl Volgger che toccarono con mano quale incubo fosse il sogno nazista. Inoltre, già in quella prima metà degli anni Trenta l'antisemitismo di Hitler era ben noto.

Infine, molti capirono fin da subito che Hitler era un avversario e non un alleato. Tra loro c'era per esempio il canonico Michael Gamper, fino al 1935 suo sostenitore ma che ne diventerà presto uno strenuo oppositore. Tanto da finire braccato dai soldati nazisti sulle montagne e poi in esilio, meno di un decennio dopo. Il Deutscher Verband all'inizio collaborava con il VKS, ma ben presto si accorse che cattolicesimo e nazismo non potevano coesistere. Quando Berlino insisterà perché i due movimenti si fondano, nel 1937, la formazione risultante, il Deutsche Volksgruppe Südtirol (DVS), durerà solo pochi mesi prima che le differenze inconciliabili ne decretino la fine. E nell'anno terribile 1939, VKS e DV finiranno per trovarsi su fronti opposti nella battaglia per l'anima del Sudtirolo.

Dunque era possibile, anche in questa terra oppressa e tormentata, informarsi su cosa accadeva in Germania e fare una scelta diversa. Ma Hella scelse Hitler.

Hella, seduta tra la folla, è come ipnotizzata. Non riesce a distogliere lo sguardo dall'uomo in piedi sulla tribuna, a pochi metri da lei. Le volge le spalle, ben dritte nell'uniforme militare, e parla in due microfoni. Anche se non lo vede in viso, Hella ne conosce a memoria i più piccoli dettagli. La ciocca nera che ricade sulla fronte, pettinata verso destra, i baffetti a spazzola, gli intensi occhi castani. È il suo eroe, Adolf Hitler.

Hella si trova nella tribuna d'onore di un immenso campo da parata, lo Zeppelinfeld. A destra e a sinistra si stendono gradinate sulle quali hanno preso posto decine di migliaia di militanti nazisti. Sugli altri tre lati del grande rettangolo sono ammassati altri spettatori curiosi e ammiratori del regime. Sono 150.000, venuti da tutto il Reich a Norimberga per presenziare al Congresso annuale del partito, che durerà per tutta la settimana a partire dall'8 settembre 1936. L'onore di sedere sulla tribuna insieme al capo è riservato a sole 500 persone, accuratamente selezionate, e tra i privilegiati c'è anche Hella.

Alle sue spalle si erge una lunga costruzione che occupa un intero lato dello Zeppelinfeld. Ultimata da pochi giorni, è stata costruita appositamente per quel raduno. Le due ali laterali, ritmate da trenta colonne, affiancano un corpo centrale dalle linee pure e geometriche. L'insieme ricorda vagamente un tempio greco, esattamente l'effetto ricercato dall'architetto del regime, Albert Speer. La struttura centrale è dominata da una colossale svastica di calcestruzzo inscritta in un cerchio di rami di alloro. Ogni volta che Hella solleva la testa, quel simbolo di potere che la sovrasta le comunica un senso di sicurezza. Non è più sola di fronte al suo destino: la guida un grande leader, e la accompagna un popolo intero. Come è scritto sui volantini di propaganda che distribuisce clandestinamente a casa:

«Di fronte a noi si stende la Germania, in noi marcia la Germania, e dietro di noi viene la Germania».

Davanti a lei e tutto intorno all'immenso campo da parata, file e file di bandiere con la croce uncinata garriscono nella brezza, riempiendo l'aria del loro schiocco marziale. Da centinaia di altoparlanti risuonano inni militari, che coprono il brontolio impaziente che sale dalla folla in attesa che comincino le sfilate e le manovre militari. Altre manifestazioni avranno luogo lì vicino, nelle strutture dedicate agli incontri di coordinamento per le sezioni e i dirigenti del partito.

«E tu da dove vieni?» domanda a Hella il suo vicino, che parla con un forte accento bavarese. La sua voce si sente a stento sopra il rombo della folla giubilante che saluta l'arrivo delle prime delegazioni del movimento operaio, l'Arbeitsdienst, il Servizio del lavoro. Hella risponde senza voltarsi, gli occhi fissi sul campo.

«Sono sudtirolese» dice. «Vengo dal Sudtirolo occupato».

«È la prima volta a Norimberga?»

Questa volta Hella si volta a guardarlo e annuisce. Il suo entusiasmo le brilla negli occhi e il giovane seduto accanto a lei le sorride.

I grandi raduni del Partito nazionalsocialista si tengono a Norimberga fin dal 1927. Dopo la presa di potere del 1933 si sono trasformati in uno straordinario strumento di propaganda e in una dimostrazione di forza del Reich, sempre più imponente con il passare degli anni. I ministri e gli ambasciatori seduti nella tribuna riservata ai dignitari stranieri spalancano gli occhi, ma non vedono abbastanza. Il Partito nazista fa sfilare una dopo l'altra le truppe d'assalto, le SS, le SA, seguite dall'esercito regolare. Sono mobilitati anche mezzi corazzati, cannoni e aerei. Le esercitazioni militari permettono di toccare con mano la preparazione impeccabile dei soldati. La Germania uscita sconfitta dalla Prima guerra mondiale, la Germania amputata, umiliata e costretta a dissanguarsi per pagare sanzioni gigantesche, ha rialzato la testa e si prepara a consumare la sua vendetta.

«Hai già incontrato il nostro Führer?» le chiede di nuovo il giovane. Questa ragazza dal viso innocente e dagli occhi coraggiosi lo ha affascinato, non è neanche tedesca eppure è la più entusiasta.

«Certo.» Hella è lieta di poter annuire con fierezza. «Ho assistito a un suo comizio a Monaco nel 1934.»

«È un grande uomo» asserisce il giovane, e si presenta: si chiama Günther, lavora come ingegnere in una fabbrica di aerei. «La Junker, sai» soggiunge a mezza voce. Dal 1935 la Germania ha gettato la maschera, e iniziative che prima si portavano avanti in segreto ora si svolgono alla luce del sole. Una di queste è la produzione massiccia di materiale bellico, vietata da una clausola del Trattato di Versailles. Le capitali europee hanno protestato per salvare la faccia, ma hanno dovuto accettare il fatto compiuto. La Junker, come le imprese sorelle Messerschmitt e Henschel, sforna ogni anno centinaia di aerei da combattimento.

«Hitler ha capito tutto» aggiunge Günther. Hella annuisce senza distogliere lo sguardo dai gruppi di giovani che sfilano a torso nudo con la vanga in spalla. Sono state le schiere dei lavoratori a consentire di ricostruire la nazione tedesca, a farla uscire dalla crisi, a sconfiggere la disoccupazione e l'inflazione che avevano ridotto il Paese in ginocchio. L'esercito degli operai, però, è stato mobilitato soprattutto per uno sforzo clandestino di portata colossale: la costruzione di gigantesche infrastrutture al servizio delle ambizioni del Führer. Autostrade, ferrovie, fabbriche, un'industria militare che funziona a pieno regime.

«Il Führer sa bene che la minaccia bolscevica è alle porte. L'Europa e i nostri valori sono in pericolo. Lui è il solo ad averlo capito» continua il vicino di Hella.

«In Germania il bolscevismo ha i giorni contati» ribatte lei, a cui questo camerata comincia a sembrare un po' pedante. «È incredibile come la stampa straniera faccia passare Hitler per un tiranno» si indigna poi.

«E intanto lasciano crescere i loro partiti comunisti, che li porteranno dritti tra le braccia di Stalin! Ma non è troppo tardi perché capiscano il disegno del Führer. Possiamo essere tutti alleati contro il contagio bolscevico.» Günther le sorride di nuovo, non capita spesso di trovare una ragazza così carina e così preparata. Forse un po' troppo. In fondo di politica internazionale non può saperne quanto lui. «Per fortuna almeno Mussolini si è messo dalla parte giusta» aggiunge, e abbassando la voce in un tono da cospiratore: «Non si può ancora dire, ma è ormai certo che presto ci sarà un patto con l'Italia».

Hella volta la testa di scatto e la fiammata di collera che vede nei suoi occhi lo fa ritrarre, come un colpo fisico.

«Mussolini? Mussolini è un assassino!» ruggisce la ragazza. «Vuole distruggere noi sudtirolesi! Vuole scacciarci dalla nostra Heimat!»

Günther la fissa senza capire, e Hella si rende conto che sa poco di una lotta che per lei e molti altri è una questione di vita o di morte. Neppure un anno prima sua sorella Mariedl e il marito Toni, sull'orlo della rovina, sono stati costretti a vendere le proprietà per un tozzo di pane. Sono dovuti fuggire a Graz, dove hanno rilevato un ristorante. Possibile che debba essere questo il destino di gente che per secoli è nata, vissuta e morta nel suo Sudtirolo?

«Il Führer non ci dimenticherà» aggiunge Hella riportando lo sguardo sulla figura in piedi sul palco. «Il Führer pensa a tutti noi. Aspetta solo il momento migliore per restituirci la nostra terra!»

Migliaia di giovani uomini sono allineati in ranghi perfetti sulla spianata dello Zeppelinfeld. Ciascun gruppo rappresenta un settore dell'industria tedesca. All'improvviso è calato il silenzio, e la voce del capo dell'Arbeitsdienst, Konstantin Hierl, esplode al di sopra della folla: «*Mein Führer!* Quarantacinquemila uomini del Servizio del lavoro sono oggi riuniti davanti a te!».

Hella guarda Hitler che si china appena verso i microfoni. Il Führer tace, attende che il silenzio sia totale. E grida con voce stentorea: «*Heil!* Salute a te, popolo del lavoro!». Le sue parole risuonano nell'aria calda. Le migliaia di giovani rispondono in coro con fervore: «Heil! Salute a te, nostro Führer!».

Una voce si leva nello stadio, amplificata dagli

altoparlanti: «Forse qualcuno tra noi è troppo importante...».

Le falangi di lavoratori allineati sotto il sole completano la domanda: «... per lavorare per la Germania?».

«Forse qualcuno tra noi è troppo insignificante...»

«... per lavorare per la Germania?»

«Abbiamo tutti il diritto e il dovere...»

«... di lavorare per la Germania!»

Hella si sente trasportare dal potere quasi ipnotico di quelle parole, che si susseguono come formule magiche senza lasciare alcun dubbio. Solo certezze. L'aria stessa sembra vibrare della passione di migliaia di persone convinte che c'è una battaglia da intraprendere insieme. E pronte a versare il sangue per il loro Paese. Anche Hella urla con gli altri, a pieni polmoni: «Viva la Germania! Viva la mia patria!», «Viva la Germania! Viva la mia patria!».

Per l'ultima volta echeggia la voce: «Il Führer vuole portare la pace nel mondo!».

E come un sol uomo, lo stadio intona la risposta: «E noi lo seguiremo ovunque vorrà guidarci!».

Hella ha la pelle d'oca, il senso di comunione è così forte che gli occhi le si riempiono di lacrime. Così dovrebbe essere, pensa, tutti i tedeschi fratelli in un unico sforzo collettivo per il lavoro, per la vittoria sui nemici, per poter essere di nuovo grandi. Forse più tardi, in una delle cene ufficiali, riuscirà persino a incrociare lo sguardo del suo Führer.

Ma ecco calare il silenzio, lui sta di nuovo per parlare. Si rivolge alla massa dei presenti, fusa ormai in una sola unità.

«Lavoratori!» esordisce Hitler.

Hella si lascia attraversare dalle parole di quell'uomo.

«Un nuovo popolo è nato» scandisce lui. «Quando vi guardo, stento a trovare le parole. Voi riempite i nostri cuori di gioia!»

Hella lo fissa e si sente come se stesse parlando a lei personalmente, come se invece di cssere parte di una folla oceanica lei si trovasse a tu per tu con il Führer.

«Siamo qui perché crediamo tutti in un'umanità migliore, in un futuro migliore!»

L'uomo in uniforme che catalizza l'attenzione di quelle decine di migliaia di persone conclude il suo discorso con uno stentoreo: «Noi abbiamo fiducia in voi!».

Nel boato degli applausi e degli «Heil!» che risuonano da un capo all'altro dell'enorme campo da parata, Hella mormora: «E io ho fiducia in te!».

Il Congresso di Norimberga del 1936 è una pagina di storia molto inquietante. Scoprire che Hella vi aveva partecipato mi ha turbato, devo ammetterlo. Ho potuto immaginare quali devono essere state le sue emozioni e le sue conversazioni perché lei stessa ha raccontato quell'esperienza in una lettera alla sorella Gusti che, per eludere la censura, affida alla madre Rosa in partenza per una visita a Graz. Questa lettera è un interessante documento storico, anche perché di pugno di una giovane donna. Ed è uno sguardo prezioso sul terribile abbaglio di cui tanti furono vittima, all'epoca. Per questo mi sembra importante riprodurla integralmente.

Cara Gusti,
ti devo sempre la lettera che ti ho promesso e ora che siamo finalmente riusciti a convincere la mamma a viaggiare posso affidare a lei queste righe, perché è meglio che per posta. Non credo di sbagliarmi se suppongo che tu abbia già saputo qualcosa direttamente da me sui miei «vagabondaggi». Hai ricevuto le cartoline? Posso dirti solo che ho avuto una fortuna incredibile. Non riesco ancora a capire bene come sia potuto accadere. In un primo momento dovevano essere solo quattro o cinque giorni e l'obiettivo era: due giorni a Norimberga. Non mi avevano detto niente di più. A Monaco ad attendermi c'erano già tre camerati che mi hanno trascinato immediatamente con loro. Così già la prima sera abbiamo fatto baldoria fino alle due di mattina. Il giorno dopo in quattro – io unica ragazza con quei tre – abbiamo fatto ancora un pezzo di strada, fino a sopra Daggendorf. Avete ricevuto cartoline anche da là. Ci siamo fermati lì tre giorni ed è stato davvero piacevole, c'era un'atmosfera cameratesca. Di là siamo poi andati in autobus a Erlangen (Norimberga) passando per Regensburg. La città del congresso del partito era molto bella con tutte quelle belle bandiere e la gente andava di fretta. Fuori città, nei diversi Z. Lager [*Zelt Lager*, i campeggi per i partecipanti, NdR], *i giovani si preparavano per gli splendidi giorni successivi. I treni arrivavano in stazione e continuavano a portare gente. Proveniva da ogni nazione del mondo e contemplava con*

meraviglia lo spettacolo che aveva davanti. Puoi capire cosa succedeva dentro di me: pensavo di scoppiare dalla gioia.
Il primo pranzo ha avuto luogo presso il Reichsjugendführer [il comandante della Gioventù tedesca, NdR] *nello Hajotlager* [il campo della Hitler Jugend, NdR]. *Lui era seduto di fronte a me a un tavolo stretto, mi ha passato la sua zuppa; accanto a me c'era il dr. Pedoth e dall'altra parte avevo Gschwent Heini. Eravamo gli unici di qui, per il resto il nostro gruppo era composto da 65 uomini. Il mattino successivo è cominciato il Congresso del partito. Fuori sulla Zeppelinwiese, una colonna dopo l'altra sfilava marciando a suon di musica davanti al Führer, i primi sono stati quelli dell'Arbeitsdienst con le loro vanghe lucide. Io sedevo nella tribuna principale, vicinissima al Führer, tanto che non sapevo se guardare sul campo o fissare il mio amato Führer, a cui il cuore balzava in petto dalla gioia di fronte alla grande opera che ha creato di sua mano. Il mio vicino, dopo, mi ha detto che da tedesco del Reich per lui era stato un piacere osservarmi.*
Questo è stato l'inizio ed è andata avanti così tutti i giorni, perché quest'anno ho potuto vedere tutto il Congresso: le manifestazioni della Hitlerjugend, delle Forze armate, dei Vigili del fuoco, della BDM [Bund Deutscher Mädel, la Lega delle ragazze tedesche, NdR]. *L'ultima domenica ho ricevuto anche un biglietto per la sfilata alla A. Hitlerplatz.*
Dalle 12 fino alle 4 e mezzo di pomeriggio hanno sfilato davanti al Führer – che è rimasto per tutto

il tempo sull'auto a salutare con il braccio levato tutti i camerati che passavano davanti a lui – le SA, alcune SS e alcuni aviatori. Non si finisce mai di ammirarlo, dove trova la forza di fare tutto questo, di lavorare giorno e notte senza un attimo di riposo? Non gli lasciano riprendere fiato nemmeno a tavola, deve continuamente alzarsi e mostrarsi alla finestra perché lo chiamano e lo vogliono vedere da tutti gli angoli della strada fino davanti al suo hotel. I bambini salgono perfino sui tetti degli edifici vicini e si sporgono per chiamare e acclamare il loro Führer, e infine arrivano uno dopo l'altro tutti i diplomatici stranieri a batter cassa. È proprio un predestinato, ha ricevuto una vocazione da un'istanza più alta!
Durante il viaggio di ritorno mi sono fermata altri due giorni a Monaco e vivo ancora di ciò che ho visto e ne faccio partecipi, per quanto posso, anche i miei poveri cari che sono rimasti a casa, e potrei mettermi a piangere in questo momento perché anche a loro, che lottano tanto, non è stato concesso di vedere tutto questo e di goderne. Il tempo è troppo poco per poterti raccontare di più.
La mamma è già pronta per partire. Vi saluto tutti, Mariedl, Toni, i bambini e particolarmente, mille e mille volte, te.

La tua Hella

13

Addio a Vienna

Rosa ha portato con sé a Graz la lettera di Hella per Gusti. Le due sorelle si scrivono spesso, condividono la stessa fede politica. Gusti ha letto qualche passo ad alta voce e Rosa si è sforzata di non commentare: di questi tempi le discussioni politiche con le figlie la stancano. Ha preferito godersi la compagnia di Mariedl e Toni, che lavorano senza risparmiarsi alla nuova attività, dove le cose vanno meglio del previsto. La figlia e il genero hanno rilevato la Traminer Weinstube, un locale molto noto in città, dove si viene per mangiare, bere e parlare di politica come nella tradizione di Pinzon. Mariedl è soddisfatta di come vanno gli affari, nonostante la crisi costringa a fare attenzione alle spese, e l'addio alla Heimat sia una ferita non ancora rimarginata nel cuore di tutti.

Il 16 novembre 1936 Rosa prosegue il viaggio alla volta di Vienna. Sua figlia Berta, che il 29 febbraio ha sposato un avvocato di nome Oskar Hammerle, si è stabilita con lui nella capitale austriaca. Rosa non può ancora saperlo, ma sono le ultime nozze che vedrà: nei cieli dell'Europa si addensano nuvole nere e i giorni di festa finiranno presto. È stato un bel matrimonio, però, nella chiesetta di Pinzon con il ricevimento a Bolzano, all'hotel Greif. Rosa ripensa alla poesia che lei stessa ha composto in onore degli sposi: «*Il matrimonio è un grosso rischio, buio è il futuro. Non c'è giardino senza ortiche; non c'è rosa senza spine; non c'è casa senza la sua croce!*». Non è esattamente un inno alla gioia, e le è dispiaciuto vedere Berta rabbuiarsi leggendola. Ma Rosa è inquieta per la più spensierata delle sue figlie, Berta, con i suoi vestiti eleganti e le mani sempre pronte a correre al borsellino per spendere. Vuole che questo giorno solenne non sia solo una bella festa, vuole che rifletta. Sta andando lontana, in quella che un tempo era la luminosa capitale dell'Impero. E che ora si va popolando di forze oscure.

Rosa non è più giovane ed è sopravvissuta al suo mondo. Quello in cui Vienna era ancora il cuore pulsante di una grande realtà politica, in cui l'Ancien Régime con i suoi riti e le sue corti dominava l'Europa, e il nome degli Asburgo incuteva rispetto. Tutto questo è finito da decenni, in un giorno di novembre del 1918, ma lei non è mai davvero riuscita ad accettarlo. Forse in questo viaggio sarà capace di venire a patti col presente.

Chissà che cosa resta della gaia città di allora? Rosa attraversa in treno l'Austria, vede passare le montagne, i chiari specchi d'acqua, le valli punteggiate di campanili. È tutto così familiare. Lo sarà anche Vienna? Per Rosa quel nome è simbolo di fascino e cultura. I giornali che si fa mandare a Pinzon parlano di opere liriche, balli e salotti letterari. Legge i programmi dei concerti, i nomi dei grandi maestri invitati a dirigere la celebre orchestra filarmonica, articoli di cronaca sulle personalità mondane, sui principi, gli artisti e gli scrittori che danno lustro alla vita culturale.

Berta e Oskar sono venuti ad attenderla al binario del Südbahnhof, e Rosa si getta tra le braccia di sua figlia.

«Che bello rivederti, mamma!» dice Berta con un gran sorriso. È in forma ed elegante, gli occhi luminosi e sui capelli un cappellino all'ultima moda che deve essere costato parecchio. E ha delle novità da raccontarle.

«A quanto pare diventerò di nuovo nonna» dice Rosa, sollevando un sopracciglio, e Berta scoppia nella sua contagiosa risata.

«Proprio così, cara mamma! Volevo farti una sorpresa!» Si passa orgogliosa una mano sul ventre tondeggiante di futura giovane madre.

«Non c'è niente di più bello dei figli» le assicura Rosa prendendola sottobraccio. Nel frattempo Oskar ha chiamato con un cenno un facchino che li segue verso il taxi in attesa, le spalle cariche di valigie.

«E quando...?»

«Ai primi di gennaio, se tutto andrà bene.»

«E perché non dovrebbe andare tutto bene?» protesta Rosa. «Speriamo che sia un bel maschietto.»

Finalmente la figlia ha trovato la sua strada nella vita, pensa, sollevata. Era ancora una ragazza quando era partita per Trieste come istitutrice tedesca in casa di una famiglia della borghesia cittadina. Poi si era trasferita a Milano, una città più dinamica, più adatta al suo temperamento estroverso. Queste brevi esperienze di lavoro sono preziose per una giovane di buona famiglia, pensa Rosa. Hanno appagato la sua curiosità e la sua sete di avventura e sono state istruttive. Ma ora penserà il bell'avvocato viennese a renderla felice e a non farle mancare mai più nulla. Se solo tutte le sue figlie fossero così fortunate.

«Bisognerà che parliamo di Hella, cara. Sono preoccupata per tua sorella» sussurra Rosa all'orecchio di Berta mentre prendono posto sul taxi.

Vienna è terribilmente cambiata, anche se non tutti i mutamenti sono visibili, sotto il quieto fascino dei palazzi imperiali, dei suoi ampi viali alberati e giardini fioriti e del lento scorrere del Danubio. All'indomani della sconfitta nella Prima guerra mondiale, le poche pagine del Trattato di pace hanno trasformato un Impero in una piccola repubblica di soli sei milioni di abitanti. Nel 1927 le tensioni tra i partiti di sinistra e i movimenti nazionalisti di destra sono sfociate in episodi di violenza sanguinosa, che hanno imperversato fino a che il cancelliere Dollfuss, giunto al potere nel 1932, non è riuscito a imporre un regime sempre più autoritario. Prendendo le distanze dal nazismo, nel quale scorgeva una minaccia al proprio ambizioso progetto nazionalista, Dollfuss si è avvicinato al fascismo italiano. Quando è stato assassinato dai nazisti, il suo posto è stato preso da Kurt von Schuschnigg, che in questo 1936, quando Rosa scende dal treno, è ancora capo del governo. Ma è ormai intrappolato tra Hitler e Mussolini.

Vienna è ancora relativamente immune, per il momento, dal male terribile che ha contagiato altre città: l'antisemitismo, che in Germania sta divampando con virulenza. La scena culturale così brillante che Rosa ammira è arricchita da molti artisti ebrei in fuga che da Berlino vengono a stabilirsi a Vienna. Pittori, cineasti, direttori di teatro che scappano dalle persecuzioni di cui sono vittima da quando Hitler si è impadronito del potere. Il regime nazista impedisce loro di lavorare, e sequestra tutti i loro beni prima di concedere un visto di espatrio.

Già nell'ultimo scorcio del XIX secolo alcuni movimenti politici tedeschi premevano per l'abolizione del principio di cittadinanza, che riconosceva a tutti pari diritti. Ha preso forma la nozione di una razza ariana la cui purezza, minacciata dagli elementi «semiti», va difesa a tutti i costi. E con l'ascesa al potere del nazismo, le ideologie di matrice antisemita hanno ispirato misure sempre più discriminatorie. Gli attacchi contro gli ebrei tedeschi sono aumentati dopo l'elezione di Hitler, nel gennaio del 1933. Nel 1935, il Congresso del partito ha imposto al Parlamento addirittura un pacchetto di leggi razziali. Ora in Germania sono vietati i matrimoni tra ariani ed ebrei come pure i rapporti sessuali tra ebrei e non ebrei; sono stati introdotti diversi livelli di cittadinanza che privilegiano gli ariani; gli ebrei hanno perso il diritto di voto e l'accesso a determinate professioni tra cui il pubblico impiego. Ed è solo l'inizio.

Nel 1936 Rosa è una signora dell'alta borghesia rurale, ormai prossima ai sessant'anni. Non può non avere sentito parlare di un fenomeno che pochi anni più tardi precipiterà l'Europa nella catastrofe. I giornali hanno scritto per mesi delle polemiche sui giochi olimpici di Berlino, prima e durante l'agosto del 1936. I nazisti erano decisi a vietare la partecipazione agli atleti ebrei e a quelli di colore. Federazioni sportive e governi di tutto il mondo, frementi di indignazione, avevano minacciato di boicottare l'evento, convincendoli ad ammorbidire le loro posizioni. Era addirittura circolato l'ordine di dissimulare i segni più tangibili della discriminazione: per l'occasione erano spariti i manifesti di propaganda antisemita, le stelle di Davide dipinte sulle facciate dei negozi ebraici e i cartelli che vietavano loro l'accesso a determinati luoghi pubblici. I giochi olimpici si erano svolti regolarmente, e il regime hitleriano aveva perfino concesso a un'atleta tedesca di origini ebraiche di partecipare alle competizioni. Si trattava della fiorettista Helene Mayer, che aveva vinto la medaglia d'argento. Le olimpiadi del 1936 passeranno anche alla storia per le quattro medaglie d'oro conquistate dal campione di colore Jesse Owens: uno schiaffo al razzismo nazista, ma anche a quello degli Stati Uniti, dove la segregazione razziale era ancora la norma.

L'auto attraversa il centro di Vienna e si ferma sul Kärntner Ring. Gli alberi che fiancheggiano il doppio viale sono ormai quasi del tutto spogli, se non per qualche ultima foglia ingiallita dall'autunno. Uomini e donne eleganti nei loro cappotti e cappelli invernali passano di fronte alla maestosa facciata dell'hotel Imperial, ex palazzo ducale. Oskar apre la portiera alla suocera e le dà il braccio per gli ultimi pochi metri, fino a una casa all'angolo della Dumbastrasse. È un sontuoso edificio di quattro piani, e Rosa può immaginare quanto piacere provi sua figlia, che ha il gusto delle cose belle, a viverci. L'ascensore dalla tappezzeria in velluto rosso si ferma al secondo piano, e con orgoglio Oskar apre la grande porta d'ingresso sulla sinistra spiegando: «Qui abitiamo noi, e dall'altra parte del corridoio c'è il mio ufficio».

Rosa fa il suo ingresso in un fastoso appartamento dai soffitti alti. Il pavimento è coperto di tappeti persiani, e un enorme salone si affaccia sul Ring. Rosa si avvicina a una delle finestre e scosta la pesante tenda color porpora. I rumori della strada le arrivano attutiti e lontani. Guarda i tram che si incrociano alle fermate e le automobili che sostano all'angolo del Schwarzenbergplatz davanti a un semaforo rosso. Dall'altra parte della strada alcune limousine attendono di fronte all'ingresso dell'Imperial, dove concierge in livrea marrone aprono la portiera a giovani donne eleganti vestite all'ultima moda. Da quassù la vita sembra così semplice, pensa. Ma perché, allora, l'inquietudine che si è annidata nel fondo del suo cuore non vuole darle pace? Perché la danza tranquilla dell'esistenza quotidiana, che guarda da quella finestra viennese, dovrebbe fermarsi all'improvviso?

Rosa ha già visto una guerra e ha provato sulla propria pelle quanto in fretta possano cambiare le cose. Ha letto molto sulle voci sempre più insistenti che si rincorrono da un capo all'altro dell'Europa, minacciando un nuovo conflitto. Vorrebbe credere di poter invecchiare in tempo di pace, ma sente che intorno a lei il mondo intero grida pieno di odio. Sono passati vent'anni dalla nascita di Hella, forse l'ultimo suo momento di vera felicità. Rosa si strappa a quelle meditazioni e raggiunge la figlia che la chiama dal corridoio.

Berta l'accompagna da un ambiente all'altro senza nascondere la sua contentezza. Ha ottenuto la vita che ha sempre desiderato, da gran signora nel cuore di una metropoli. Ama moltissimo il Sudtirolo e Pinzon, ma è partita alla conquista di una vita più cosmopolita e brillante senza troppi rimpianti. «Vieni mamma» aggiunge. «Ti faccio vedere la tua camera.»

Apre la porta della stanza degli ospiti, le mostra il bagno e la lascia a rinfrescarsi. «Quando avrai ripreso fiato andremo a fare una passeggiata, magari qualche acquisto? Dai, ci divertiremo! Il medico mi ha raccomandato di camminare tutti i giorni» dice come per giustificare l'ennesimo giro di compere. Ora andrà subito a fare gli occhi dolci a Oskar, le ha dato stamattina come sempre i soldi per le spese di casa ma certo la visita di sua madre merita una piccola elargizione in più.

Rosa si cambia rapidamente e le due donne escono a braccetto. Si avviano a passo tranquillo in direzione dell'Opera, la cui sagoma spicca in lontananza sull'Opernring. Risalgono la Kärntner Strasse guardando le guglie della cattedrale gotica di Santo Stefano, in fondo.

«Non riesco più a capire tua sorella Hella» sospira Rosa.

«Che cosa ha fatto?» Berta aggrotta le sopracciglia, vorrebbe che la sorella la smettesse di dare tante preoccupazioni. La mamma non è più giovane.

«Da quando è andata in Germania non è più la stessa.»

«Puoi dirlo forte, trabocca di entusiasmo per il Führer. Lei e Gusti sono convinte che ci salverà tutti. Oskar è di tutt'altra opinione.»

Rosa tace, guarda la via affollata attorno a sé, i passanti che si affrettano, quelli che come loro si attardano davanti alle vetrine. L'atmosfera viennese è quella di sempre: leggera e viva.

«Anch'io, una volta, ero convinta che l'imperatore ci avrebbe salvati tutti. L'ho creduto fino all'ultimo. E invece è morto, e poi l'Impero è crollato. Non si può non amare il Kaiser, ma ci ha scatenato addosso forze da cui poi non ha saputo proteggerci.»

Berta, esterrefatta, si ferma di colpo, rischiando di far cadere anche la madre che tiene sottobraccio. Non l'ha mai sentita parlare così del suo idolo, del Kaiser. Non ha mai sentito un tono così amaro nella sua voce. Fissa incerta Rosa, che a sua volta guarda la cattedrale in lontananza. E decide che è meglio distoglierla dai suoi pensieri. Riprendono a camminare.

«Sembra che Hitler non voglia la guerra. Lo dice continuamente, lo ha ripetuto anche a Norimberga, che il suo scopo è la pace. Che saranno i bolscevichi a scatenare la rivoluzione se li lasciamo fare, e lui è l'ultimo baluardo!»

«Lo so. Hella ripete le stesse cose da quando è tornata da quel congresso. Hitler l'ha stregata, quando l'ha visto parlare da quella tribuna ha perso la testa. Addirittura un predestinato, lo ha chiamato.» Nella voce di Rosa c'è una nota di diffidenza che non sfugge a sua figlia.

«A Vienna si discute molto, nessuno sa più cosa pensare» spiega Berta. «Alcuni temono che i nazisti siano ancora più violenti dei fascisti. Non si fermano davanti a nulla. Gli altri hanno più paura dei comunisti, che vogliono portarci via tutto.» Si appoggia una mano sul ventre, protettiva: «Vorrei solo che il mio bambino non venisse al mondo in tempo di guerra, e che Oskar non avesse problemi».

«Quali problemi?» chiede Rosa, preoccupata.

Ma Berta non risponde. Sono giunte sulla piazza accanto a Santo Stefano, e preferisce dire: «Guarda quanto è bella, mamma. Sono davvero fortunata a poterci venire tutti i giorni».

Attraversano l'alto portale. Gruppi di fedeli percorrono nei due sensi l'immensa navata, e a Rosa si apre il cuore in quello spazio maestoso e sacro. Pensa alla sua piccola cappella di Pinzon, alla bellezza semplice del suo campanile. Ricorda la gioia che ha provato quando, tanti anni fa, sono state montate le nuove campane. Era il 1923, quando assieme agli abitanti del paese hanno fatto la colletta per restituire la voce alla loro chiesa. Poi ogni anno ha portato nuove disgrazie. È possibile che ora questo Hitler restituisca loro i bei tempi andati, una nuova età dell'oro? Rosa ne dubita da sempre. Ora, di fronte a questo grande altare nella casa del Dio che il nazismo nega e offende, si sente certa del contrario.

«Berta, non si può servire Dio e il demonio» scuote la testa. «La nostra causa è giusta, ma se per raggiungere lo scopo vendiamo l'anima a Satana non ne verrà nulla di buono.»

Sua figlia ha un moto di impazienza. Non vuole che la visita sia turbata dalla nostalgia né dalle angosce politiche. Vuole portarla all'opera, al cinema, al caffè Sacher, ha già organizzato tutto. Vuole che si svaghi, dimentichi i problemi di casa, i conti, i fascisti.

«Dai, mamma, non preoccuparti! Hella dice che Hitler rimetterà in riga Mussolini appena avrà chiuso il conto coi bolscevichi.»

Ma Rosa non si lascia distrarre, ha lo sguardo perso come se stesse prendendo una decisione. Poi abbraccia la figlia e dice: «Scusa cara, ma devo fare due passi da sola. Ci rivediamo da te tra un'ora».

Berta rimane attonita nel bel mezzo della navata centrale e guarda sua madre uscire dalla cattedrale. Quando le viene in mente di seguirla è troppo tardi. Avrà anche sessant'anni ma il passo alpino è ancora vispo e veloce.

Rosa scompare nelle viuzze intorno alla piazza e in breve raggiunge la sua meta. Si avventura lungo una scalinata i cui gradini ripidi scendono sottoterra. La luce è fioca e indistinta, le lampade proiettano aloni chiari sui muri grigiastri. I suoi passi risuonano sul pavimento di granito della Cripta dei cappuccini. Tra quelle pareti sono sepolti da secoli i membri della dinastia degli Asburgo.

Rosa passa in rassegna i sarcofaghi allineati nella penombra, si sofferma davanti all'imponente sepoltura dell'imperatrice Maria Teresa. Poi una tomba più discreta, in legno pregiato, posata su un piedistallo di marmo, sul quale sono incisi solo un nome e due date: Francesco Giuseppe, 1830-1916. Qui giace l'imperatore, il Kaiser, l'uomo per il quale suo marito Jakob sarebbe stato disposto a dare la vita. La bara è coperta di fiori, e il pavimento è cosparso di biglietti. Si china a raccogliere un cartoncino e legge: «Sempre fedeli nel ricordo del nostro Kaiser».

Prima di andarsene, Rosa si fa un'ultima volta il segno della croce. Il passato è morto e sepolto, bisogna avere il coraggio di andare avanti. Ma cosa riserva il futuro?

Scriverà nel suo diario:

Mi ha fatto così bene vedere la vecchia capitale dell'Impero, ma la Cripta dei cappuccini mi ha detto «c'era una volta»! È tutto passato, è passato, la Hofburg è vuota, vuoto e solitario Schönbrunn, la morte non risparmia nemmeno la casa imperiale. Uomo, pensa che tu sei polvere! Vienna, Vienna, sei unica, ma non vorrei essere qui.

A distanza di settantasei anni dalla visita di Rosa mi siedo in un locale in cui certamente è passata anche lei. Il caffè Landtmann ne ha viste delle belle, da allora, ma in fin dei conti non è così cambiato. Quando l'Armata rossa nell'aprile del 1945 ha conquistato Vienna, i soldati venuti dalle steppe asiatiche hanno saccheggiato questo locale elegante. Hanno frantumato gli specchi con il calcio del fucile e lacerato i rivestimenti delle sedie con le baionette. Per giorni hanno imperversato in tutta la città uccidendo gli uomini, violentando le donne, e hanno stabilito il loro quartier generale proprio all'hotel Imperial. Berta è sfuggita alla loro furia, ma il suo bell'appartamento è stato confiscato dagli invasori e per un po' lei e Oskar hanno dovuto cercare un alloggio altrove. Poi gli specchi del Landtmann sono stati sostituiti, i viennesi si sono sforzati di dimenticare.

Oggi Vienna è una città ricca. Ci sono stata molte volte ma non ci venivo da anni, e in questo luglio 2012 così difficile per tutta l'Europa mi sembra un po' fuori dal tempo. Con il suo tasso di disoccupazione sotto il 5 per cento, sembra immune dalla crisi economica generale. Le piazze storiche, i vicoli, le vie pedonali piene di negozi: tutto è lindo e ben curato. Le automobili, i tram e i ciclisti convivono in perfetta armonia. Certo non è solo questa la realtà della metropoli multietnica che è diventata. La capitale dell'Impero mitizzato da Rosa non è rimasta così uguale a se stessa, anche se è ancora attaccata al retaggio della sua antica *grandeur*.

Tra allora e oggi c'è stato il trauma della Seconda guerra mondiale, con il nazismo prima e l'occupazione sovietica poi. Vienna, come Berlino, per anni è stata divisa, spartita tra i vincitori. Durante la Guerra fredda ha scelto una complicata neutralità, con la minaccia comunista così a ridosso dei suoi confini. Il collasso dell'Urss e la costituzione dell'eurozona hanno dato all'Austria un ruolo nuovo e nuove possibilità. Il Paese è tornato a essere un partner economico importante per le nazioni dell'ex blocco orientale, le stesse che un tempo facevano capo all'Impero austroungarico, come gli Stati dell'area balcanica. E Vienna ha saputo trovare interlocutori anche in Medioriente, soprattutto tra i maggiori esportatori di petrolio che negli anni Settanta hanno aperto qui i loro uffici.

È una città che conosco bene. Non solo con la

mia famiglia siamo sempre venuti a trovare la zia Berta, fin da quando ero bambina, ma mio fratello Winfried ha pensato bene di trasferirsi qui da ragazzo, per frequentare l'università e perseguire la sua carriera di architetto e musicista jazz.

La mia prima visita da zia Berta risale a quando avevo quattro anni. Ricordo molti dei suoi consigli, decisamente fuori dal mio tempo, che quasi sempre avevano a che fare con il tema del matrimonio. Fu questo l'argomento con cui cercò di guarirmi dalla pessima abitudine che avevo allora di mangiarmi le unghie. «Se continui così non troverai mai un marito» mi ammoniva. La terribile minaccia non fece l'effetto sperato. «Vorrà dire che porterò i guanti» risposi. Ma lei non rinunciò mai a elargire le sue raccomandazioni: «Bisogna maritarsi» ripeteva. «È sempre meglio essere divorziate che mai sposate.» Alla fine mi sono sposata, cara zia, e non mi mangio più le unghie da tempo. Hai vinto tu.

Ricordi di famiglia, frammenti di un'epoca in cui non mi sarei mai immaginata di partire un giorno alla ricerca del passato.

A Vienna capitai anche in veste professionale, nel 1988. Un anno particolarmente significativo: il cinquantesimo anniversario dell'Anschluss, l'annessione dell'Austria da parte della Germania nazista. Trascorsi allora una settimana nella capitale, il mio primo incarico da inviata all'estero per il Tg2. Nello stesso periodo infuriava di nuovo sui media il caso Waldheim, scoppiato due anni prima. Nel marzo 1986 un servizio del settimanale «Profil» aveva denunciato Kurt Waldheim, per due mandati segretario generale dell'ONU e candidato alla presidenza della Repubblica austriaca, come un nazista convinto. Non solo c'erano le prove della sua appartenenza a organizzazioni di regime, ma aveva servito in Grecia agli ordini del criminale di guerra Alexander Löhr. Waldheim si era dichiarato innocente. Alla fine una commissione di storici aveva confermato che lui non aveva avuto parte nelle stragi. Ma non poteva non sapere cosa accadeva a pochi metri dal suo reggimento. Fu eletto ugualmente presidente, creando enormi problemi nelle relazioni ufficiali con i governi di mezzo mondo. Quando arrivai a Vienna nel marzo 1988 la ricorrenza dell'Anschluss aveva riacceso le polemiche, la stampa di tutto il pianeta era accorsa per riportare sotto i riflettori l'Austria e il suo impresentabile capo dello Stato. Waldheim resse alla prova, se ne sarebbe andato solo nel 1992, ma lo scandalo aveva ricordato al suo Paese che il passato non può essere così frettolosamente rimosso.

Ebbi modo di riflettere molto su questi temi, una volta di più, in quella settimana. Si dice spesso che gli austriaci sono noti per aver fatto diventare Beethoven austriaco, e Hitler tedesco. L'Anschluss è stato a lungo raccontato come un'occupazione straniera, ma l'annessione fu acclamata da molti tra il popolo, gli intellettuali e i politici. Proprio come in Italia, dove Mussolini ebbe milioni di entusiastici sostenitori, che si dissolsero dopo la sconfitta in guerra lasciando un Paese all'apparenza abitato solo da acerrimi nemici del regime. E come nel mio Sudtirolo, dove l'adesione al nazismo fu velocemente archiviata come difesa del Deutschtum, diretta conseguenza degli anni di oppressione fascista. Essere lì a Vienna in quell'occasione mi ricordò per l'ennesima volta una verità semplice: il passato resiste, ma la memoria è sempre troppo corta.

In quel 1988 intervistai un uomo che vedeva il passato con chiarezza cristallina. Per lui i fatti esistevano ed equivalevano a condanne. E le categorie di «giusto» e di «sbagliato» erano una guida sicura nell'implacabile lavoro del presente. Era il cacciatore di nazisti, Simon Wiesenthal. Il centro di ricerca da lui fondato, a Vienna, ha continuato a operare anche dopo la sua morte nel 2005. Come tutti i grandi uomini, è stato anche criticato, ma ricordo il nostro lungo incontro come una grande emozione professionale e umana. Quest'uomo la cui storia personale già da sola testimoniava la tragedia dell'Olocausto aveva ottant'anni ed era ancora lucidissimo. La sua impresa, fare giustizia dei criminali nazisti scampati ai processi di Norimberga, aveva una biblica grandezza. Nel 1988 Wiesenthal era accusato, da alcune organizzazioni ebraiche americane, di non aver fatto ricerche abbastanza accurate sul passato di Waldheim, per complicità o per incompetenza. In una lettera al «New York Times» dell'8 maggio dello stesso anno si sarebbe difeso sostenendo di non avere ricevuto informazioni sufficienti dall'Archivio di Berlino. La polemica infuriò a lungo. Ma Simon Wiesenthal rimarrà un simbolo incancellabile della tenacia del passato e del dovere della memoria.

Per contrasto mi impressionò pochissimo la casa di Hitler a Braunau am Inn. È un palazzo giallo di tre piani dall'aria assolutamente anonima in una stradina tranquilla. Il luogo è segnalato solo da una semplice lapide di granito grigio. Quella pietra, messa lì il giorno del centenario della nascita di Hitler, viene dal campo di sterminio di Mauthausen. L'iscrizione recita: «Per la pace, la libertà e la democrazia. Mai più fascismi, ammoniscono milioni di morti». In piedi davanti alla telecamera, pensavo che alle mie spalle aveva visto la luce uno dei più efferati assassini della storia e la «banalità del male», secondo la definizione di Hannah Arendt, mi colpiva come uno schiaffo.

14

Hella la ribelle

È calata la notte, e Hella sente il freddo pervaderla a poco a poco. L'orologio della chiesa di Margreid ha battuto da poco le sei, nel paesino immerso nel silenzio. Si sentono in lontananza gli ululati dei cani, di strada in strada, di giardino in giardino. L'inverno è arrivato prima del tempo in quest'ultimo scorcio di novembre del 1937, e nessuno si arrischia all'esterno per sfidare il gelo.

Hella non muove un muscolo, protetta dall'ombra di una viuzza cieca tra due edifici. Ha percorso un lungo tratto a piedi evitando la strada maestra e le sue guance sono arrossate. Lo sguardo ansioso, quasi febbrile, degli occhi castani fissa già da diversi minuti una casa bassa di fronte a sé, le due finestre al piano terra sono accese di una luce fioca. Un rumore quasi impercettibile le fa voltare la testa di scatto, scruta le tenebre. Il suo cuore accelera i battiti: un puntino rosso brilla nell'oscurità, effimero come una lucciola. È la brace di una sigaretta. Laggiù, nascosto in un portone, è appostato qualcuno – proprio come lei.

Sente lo scatto di un chiavistello. Un uomo ha aperto una delle finestre della casa e si affaccia per chiudere le persiane di legno. Poi la seconda finestra. È il segnale che Hella attendeva, deve decidere in fretta. Lancia di nuovo un'occhiata lungo la via, nella notte impenetrabile. Il puntolino rosso è scomparso, e anche il fumatore solitario, pare. Forse era solo un passante? Ma se invece fosse stato uno degli uomini che la stanno braccando?

Da quando è rientrata da Norimberga alla fine del 1936, Hella si è gettata anima e corpo nella resistenza antifascista. Insegna nelle Katakombenschulen ed è attiva anche nell'organizzazione: individuare case sicure per le lezioni, formare le insegnanti, contrabbandare materiale didattico dall'Austria e dalla Germania. È iscritta al VKS e spesso e volentieri prende la parola nelle riunioni. Fa propaganda, ovunque può, esortando i suoi concittadini a resistere alla colonizzazione, a restare aggrappati alla loro lingua, a boicottare le merci e le aziende italiane. E parla loro di Hitler, del giorno in cui il Führer verrà a liberarli dal giogo italiano. Illustra i successi del regime in Germania e invita tutti a non perdere la speranza.

La sua figura alta che cammina a passo rapido, pedala in bicicletta o sfreccia sul sellino posteriore della moto di un amico è diventata familiare a tutti, nella valle. Anche ai fascisti, purtroppo. Ma con la scusa di far visita ai numerosi membri della famiglia, a conoscenti o mezzadri, lei non smette di andare di paese in paese per la sua opera di proselitismo.

Hella è intirizzita, sente i piedi gelati nelle scarpe robuste. Il tempo stringe, bisogna prendere una decisione. Tornare sui suoi passi e recuperare la bicicletta che ha lasciato alla stazione di Neumarkt oppure, bussare a quella porta e sedersi accanto al fuoco nella cucina di Mathilde, la moglie di Emil. Ancora una volta il suo sguardo saetta nel buio. Inutile, non si vede nulla. La strada sembra deserta. Le tornano in mente le indicazioni di chi l'ha istruita sulle attività clandestine: pensare sempre al peggio e agire rapidamente. Per quanto la riguarda, il peggio è già arrivato. I fascisti sanno tutto delle sue attività. La considerano una pericolosa sovversiva, una militante antiitaliana da tenere d'occhio e forse da far tacere. Per ora si limitano a pedinarla. Hella ha fatto il possibile per arrivare a Margreid senza farsi seguire.

Si decide. In tre lunghi passi raggiunge la casa di Emil, bussa piano, l'uscio si socchiude per lei fendendo la notte con una lama di luce. Prima di entrare nel tepore dell'atrio si guarda un'ultima volta alle spalle. Davvero il puntolino rosso è sparito o i suoi occhi stanchi le stanno giocando un brutto tiro? La porta si richiude dietro di lei. La pendola appesa al muro segna le sei e venticinque.

«Buonasera Emil, tutto bene?» esordisce sfilandosi il cappotto e appendendolo a un gancio fissato al muro. Si sforza di assumere un tono calmo e cordiale.

«Direi di sì» risponde lui. «Mia moglie è salita a mettere a letto i bambini.»

«Posso andare in cucina?» Hella batte i piedi per riscaldarsi, muovendo un passo oltre l'ingresso: «Sono congelata».

«Posso offrirti un tè caldo.» Emil l'ha seguita in cucina. «Sembri preoccupata» aggiunge.

«Temo che la casa sia sorvegliata» risponde lei. «Hai notato qualcosa di strano, in questi giorni? Qualche faccia sospetta?»

Emil ci pensa. È un commerciante di vino di Margreid e *Kreisleiter*, ovvero caposezione, del VKS per la Bassa Atesina. Lui e Hella lavorano insieme da tempo per rafforzare ed espandere la rete di scuole clandestine e di propaganda.

Prima che possa rispondere, la conversazione viene interrotta da un colpo secco alla porta. Emil va ad aprire mentre lei prende posto al tavolo di legno. Al piano superiore sente i passi dei due bambini che la madre sta mettendo a letto. Quella famiglia serena rischia di finire nei guai per la causa, sarebbe un peccato ma non c'è alternativa.

L'uomo rientra in cucina seguito da tre giovani donne.

«Avevo detto loro di venire ciascuna per conto proprio» osserva con uno scatto di collera, «ma si sono incontrate per strada e hanno fatto l'ultimo pezzo insieme.»

Hella sospira ma ormai la frittata è fatta. Se la polizia sta davvero tenendo la casa sotto controllo, verranno sicuramente segnalate attività sospette. Figurarsi: tre persone, che si avvicinano caute a quell'ora della sera a una casa di «tedeschi». Scrolla le spalle, non è certo la prima volta che rischia di venire denunciata e finora ha avuto fortuna. Spera di continuare a cavarsela anche se ha l'impressione che qualcuno, nel gruppo, non sia più affidabile come una volta.

«Buonasera» esordisce tendendo la mano alle giovani. «Mi chiamo Hella, sono un'amica di Emil e di sua moglie.»

Le nuove arrivate si presentano e si accomodano accanto a lei. Sui loro volti si legge la curiosità, mista a diffidenza. Hella sa che Emil ha detto loro il minimo indispensabile per farle venire a questo appuntamento, contando sulla sua reputazione di uomo onesto, buon vicino e buon tedesco. Ma ha lasciato a lei il grosso del lavoro. Perché in questo è la migliore.

Il padrone di casa è rimasto in piedi. Fa un cenno con la testa e dice: «Esco un attimo, scusatemi». Un giro di ricognizione: Hella annuisce, e mentre la porta si richiude comincia a parlare. Ha già tenuto più volte quel discorso, da mesi organizza incontri con le donne dei paesi per informarle e mobilitarle. Una donna vale quattro uomini: è al cuore della famiglia e al centro di una rete di relazioni sociali, e spesso dà meno nell'occhio perché le sue attività sembrano più innocenti. Ogni donna conquistata alla causa è preziosa. Ora Hella ha esteso la sua opera anche a Margreid, il comune più a sud del territorio di cui è responsabile. Trento, dove si è insediata l'amministrazione fascista, è a soli venticinque chilometri. È da là che viene il pericolo.

«Grazie per essere venute» esordisce.

«Non posso restare molto a lungo» la interrompe la più giovane delle tre. Si chiama Paula ed è visibilmente nervosa. «Mia madre mi aspetta a casa.»

«Non preoccuparti, capisco, facciamo in fretta. Emil dice che a casa parlate tedesco, giusto?»

«Sì» rispondono loro. Quella che si è presentata come Maria aggiunge: «È la lingua dei nostri padri, la nostra lingua».

Hella sorride. Maria ha già capito tutto, potrà aiutarla lei a convincere le altre due.

«Gli italiani hanno fatto di tutto per portarcela via, ma noi ci siamo difesi» dice decisa. «Voi sapete cosa sta succedendo in Germania, vero?»

Questo è sempre un momento complicato, spesso le sue interlocutrici sono piuttosto digiune di politica. Ad alcune è difficile far capire il nesso tra la vita quotidiana e le grandi cose che stanno accadendo nel mondo. Ma proprio in questo Hella è diventata maestra. Al piano di sopra è tornata la calma. I bambini di Emil si sono addormentati e Mathilde attende che le misteriose ospiti se ne siano andate per scendere. Suo marito le ha raccomandato di non immischiarsi. «Meno cose vedi meglio è per tutti.» La pendola della cucina suona sette rintocchi lenti e tranquilli.

«Da quando Hitler ha preso il potere in Germania, l'economia ha ricominciato a crescere» spiega Hella. «Ora tutti hanno un lavoro, e il Paese è tornato prospero.»

Legge sui loro volti che l'argomento ha fatto breccia. Liberarsi dalle ristrettezze economiche è il sogno di tutte.

«Con l'aiuto del Führer possiamo salvarci» incalza. «Possiamo lavorare perché anche il Sudtirolo diventi parte del grande Reich tedesco. Allora torneremo padroni in casa nostra! Il primo passo è rendere la vita difficile agli italiani.»

«E come?»

«Boicottando i loro prodotti. Impedendo che lavorino nelle nostre aziende. Organizzandoci per tenere viva la nostra cultura, cominciando con l'insegnare il tedesco ai più piccoli.»

«E se i fascisti ci scoprono?» domanda la più defilata delle tre, che si chiama anche lei Maria. «Ho due bambini, non voglio che corrano dei rischi.»

«I tuoi figli sono già in pericolo» ribatte Hella,

che conosce bene quel tipo di argomenti. «Quello di crescere senza sapere chi sono. Schiavi di un potere straniero che li priverà di tutto: la loro lingua, la loro fede e la loro terra. È compito di noi tutte difendere quello che ci appartiene. Tocca alle madri, alle donne del Sudtirolo. Sono i nostri uomini a darci i figli, ma è compito nostro farli crescere liberi!»

Le tre sono visibilmente colpite. Sono orgogliose e quel discorso ha toccato le corde più profonde. Annuiscono, convinte. Ma all'improvviso una voce femminile, dalla strada, lacera il silenzio.

«Paula! Paula!» grida. «Vieni fuori!» Hella è la prima a scattare in piedi. Ha afferrato la situazione ancora prima che Paula abbia aperto bocca.

«È mia madre!» balbetta la ragazza. Si sono alzate tutte. L'incantesimo è rotto. Sui volti è dipinto il panico. Anche Hella ha paura ma sa che deve restare calma. Non è il momento di perdere la testa.

«Le avevi detto che saresti venuta *qui*?» Hella non può trattenere la collera.

«Paula! Vieni subito fuori!» urla ancora la voce.

«Quando sono uscita mi ha chiesto dove andavo. Non potevo mentirle!» Paula si getta lo scialle sulle spalle, guardando per terra con aria imbarazzata. Le istruzioni di Emil erano chiare: nessuno doveva essere informato di quella visita. Non vede l'ora di andarsene, vorrebbe non essere mai venuta. Prima di uscire si volta con gli occhi umidi. «Grazie» sussurra.

«Grazie di cosa?» chiede Hella, secca. La resistenza non è un passatempo, né un'opera di carità. I militanti non sanno che farsene, della riconoscenza: conta solo il risultato. Se la gente non trova da sola il coraggio per vincere la battaglia, nessuno può farlo al posto suo.

Anche le altre due donne si sono infilate il cappotto. Salutano con un cenno della testa e si defilano. Hella resta in piedi in mezzo alla cucina da sola. Il suo primo tentativo a Margreid è un fiasco totale. Cattivi contatti, falsa partenza. Forse ha peccato di leggerezza, avrebbe dovuto preparare l'incontro con maggiore cura.

La porta d'ingresso si apre di nuovo, Emil entra ansimando. «Ho visto arrivare la madre di Paula, ma non sono riuscito a fermarla. Mi dispiace! Ora che facciamo?» Hella vorrebbe sbottare anche con lui, le guerre non si vincono scusandosi a destra e a manca. Ma Emil è un buon camerata e val la pena cercare di essere diplomatica.

«Non ti preoccupare, non ci prenderanno neanche stavolta. La via è sgombra?»

«Un vicino mi ha avvertito che due sconosciuti vestiti da cantonieri sono appostati lungo la strada.»

«Qualcuno ha parlato. Una delle tre ragazze, di sicuro. Ma non con sua madre» deduce Hella. Deve andarsene in fretta, ma ripartire a piedi è un rischio troppo grande. Difficilmente la polizia si sarà mossa in forze per una riunione di donne, ma due agenti bastano per tagliarle la ritirata. Se proprio devono arrestarla è meglio che succeda davanti a tutti e sul suo territorio.

«Devi aiutarmi» dice a Emil.

«Dimmi solo come.»

«Porta la bicicletta in cortile. Vengo con te.» Hella accenna alla porticina a vetri che dà sul retro della casa.

Tornano a immergersi nella notte gelida. Si è alzato un vento freddo, e lei si calca bene il berretto in testa. Lui inforca la grande bicicletta nera e Hella monta in canna.

«Andiamo!» ordina a mezza voce. «Portami alla stazione di Neumarkt. Fai in fretta ma cerchiamo di non cadere, temo ci sia già del ghiaccio sulla strada.»

Emil parte senza esitazioni. Pedalando sente bruciargli addosso gli sguardi dei vicini che spiano da dietro le persiane.

«Mi interrogheranno» dice, quasi più a se stesso che a lei. Come tutti i militanti, è preparato a questa evenienza. Ma ha lo stomaco chiuso dall'ansia.

«Mentre andiamo pensiamo a cosa dire ai poliziotti» suggerisce pragmatica Hella. La voce è più fredda dell'aria che fischia intorno a loro, mentre la nebbia di novembre li inghiotte.

In un rapporto della prefettura di Trento dell'agosto 1938 leggo:

> Dalla revisione della corrispondenza diretta dall'estero alla di lei madre [...] si rilevò che la Rizzolli veniva considerata da elementi della zona, rifugiati nella Marca Austriaca, quale eroina, e che questi elementi si rammaricavano di non sapere come sostituirla specie nella propaganda presso le giovani madri ed i fanciulli! La Rizzolli, prima di dedicarsi alla propaganda antiitaliana, si era

```
recata all'estero compiendo un lungo giro
e visitando Innsbruck, Monaco, Vienna e
Graz, ove ebbe abboccamenti con elementi
antiitaliani particolarmente interessati
ad agitare il problema delle minoranze
tedesche nella Provincia di Bolzano e
nella zona mistilingue di questa Provin-
cia. Ad Innsbruck essa poi, in una riu-
nione tenuta, giurò fedeltà alla causa
irredentista.
```

Si può pensare che i fascisti esagerino, ma «eroina» è una parola forte. Evidentemente, alla fine degli anni Trenta Hella ricopre ormai un ruolo di primo piano sul fronte caldo del Sudtirolo. Dalle sue lettere, dai documenti ufficiali, da tutto ciò che le accadrà nei mesi successivi, risulta evidente che già nel 1937 questa giovane donna intelligente e decisa è sempre più coinvolta nel nazionalsocialismo.

Mentre mi chiedo se qualcosa non avrebbe potuto aprirle gli occhi, mi torna in mente il giorno di molti anni fa in cui ho intervistato Friedl Volgger. Uno dei più importanti intellettuali e politici sudtirolesi, seppe combattere e soffrire per quello in cui credeva. Faceva parte dell'entourage del canonico Michael Gamper e fu un grande avversario del fascismo che non mancò di perseguitarlo. Ma come Gamper, Volgger si allontanò anche dal nazismo, nel 1936, e si batté contro le opzioni nel 1939. Tanto da finire internato nel campo di Dachau dove rimase per ben due anni, dal 1943 fino all'arrivo degli americani nel 1945. Dopo i fascisti e i nazisti, lo avrebbero incarcerato anche gli italiani, per qualche mese, ai tempi del terrorismo sudtirolese degli anni Sessanta.

Era ancora attivissimo nella vita politica e culturale quando all'inizio degli anni Ottanta lo intervistai per la televisione, al Circolo della stampa di Bolzano. Era stato direttore del «Dolomiten» e curava le pagine politiche del «Volksbote», il quotidiano della SVP, la Südtiroler Volkspartei, partito di raccolta di tutte le categorie sociali dei sudtirolesi fondato subito dopo la guerra. Era stato anche parlamentare della Repubblica, presidente della SVP, che aveva rappresentato durante i dibattiti sull'Alto Adige all'Assemblea Generale dell'ONU nel 1960 e 1961. Già allora mi incuriosiva il suo profondo cambiamento d'opinione politica: nel 1936 Volgger era passato da attivo sostenitore del Reich ad antinazista convinto. Cos'era successo? Un viaggio in bici, fu la risposta, contenuta anche nel suo libro *Sudtirolo al bivio*. Nell'agosto del 1936 aveva attraversato in bicicletta il sud della Germania con due amici, studenti come lui al seminario di Bressanone. Erano andati fino a Lindau e ritorno, passando per Monaco e dormendo perlopiù in ostelli cattolici e conventi. Come scrive: «Anche se privi di esperienza, ci accorgevamo che in quei luoghi l'atmosfera era veramente opprimente. Alle nostre domande riguardo alle condizioni di vita del Terzo Reich, ci veniva risposto però in modo molto laconico. Solo dopo aver ottenuto una lettera di raccomandazione dal rettore del seminario maggiore di Freising nella diocesi di Monaco [...] i nostri interlocutori si fecero più franchi, e l'immagine che avevamo del nazionalsocialismo cambiò radicalmente. Per dirla in breve e con parole che mia madre in seguito continuava a dire: “Il Friedl prima era un grande hitleriano, ma dopo essere tornato dalla Germania di Hitler non ha più voluto saperne”».

Lui, come Gamper, era stato in grado di accorgersi di quel che avveniva nel Terzo Reich. Come mai tanti altri sudtirolesi invece erano rimasti ciechi e sordi di fronte alla realtà?, gli chiesi. Come potevano non sapere delle persecuzioni contro gli ebrei, del fatto che quella nazista era una feroce dittatura, e che del Sudtirolo non interessava niente a nessuno se non come merce di scambio? Lui scosse la testa, gli occhi dietro i grandi occhiali quadrati erano acuti e comprensivi, con lo sguardo di chi ha molto visto, sofferto, capito e perdonato. «Le dico che invece era possibile» mi rispose. Le informazioni non circolavano come adesso, mi spiegò, e se lui non avesse avuto la fortuna di fare quel viaggio in Germania, probabilmente non avrebbe mai capito davvero quel che lì accadeva. Sempre nel suo libro si legge: «Quante volte nel 1939 ho desiderato che altri sudtirolesi avessero modo di conoscere di persona il Terzo Reich dei nazisti! Di nuovo a casa, noi studenti di teologia abbiamo fatto di tutto per arginare la crescente influenza del nazionalsocialismo nel VKS». Tanto che per la sua attività politica fu cacciato dal seminario di Bressanone, dove il vescovo Johannes Geisler e il vicario generale Alois Pompanin erano vicini alla Germania, e propensi al compromesso col nazionalsocialismo. Nel 1937 Bressanone fu l’unica diocesi dove non venne letta pubblicamente ai fedeli l’enciclica popola *Mit brennender*

Sorge che metteva cautamente in guardia contro il regime hitleriano.

Oggi che ho scoperto che la mia prozia, tra le altre cose, era una seguace del nazionalsocialismo, il ricordo delle parole di Volgger mi conforta poco. Hella non fece solo una gita in Germania: abitò a Monaco, andò a Norimberga, vide Hitler da vicino. Se qualcuno poteva toccare con mano la realtà del nazismo era lei. Ma non volle capire. Al contrario, come tanti altri si lasciò trascinare dall'ideologia, dal culto del capo, dall'illusione che il potere illimitato potesse essere usato per una giusta causa.

Pagò molto cari i suoi errori.

È passata l'Epifania del 1938 ma la gaia atmosfera natalizia vibra ancora nella grande casa di Pinzon. Rosa ama quella festa di amore e speranza e ha insistito per celebrarla con l'impegno di sempre, anche se quest'anno la famiglia è un po' sparpagliata per l'Europa. Alla cena della vigilia ha invitato i suoi dipendenti più anziani, i fratelli Waresk. Tutti e tre hanno passato i settant'anni, ma seduti accanto all'albero illuminato erano allegri come bambini. Si è parlato dei bei tempi andati, non senza versare qualche lacrima. Rosa ha sofferto per la lontananza delle sue figlie e dei suoi nipotini. Berta è a Vienna, Mariedl e Gusti a Graz, Elsa il 24 è rimasta a Neumarkt con la famiglia di suo marito Franz ed è venuta con i bambini il giorno di Natale per una serata ricca di dolci e vin brûlé. Insieme a Hella e Josef hanno cantato e suonato, hanno pregato per tutti i loro cari assenti e per quelli saliti in cielo. Quel mattino di Natale, Rosa ha incontrato gli occhi di Jakob, che le ha mandato un rapido bacio, come nei primi anni del loro matrimonio. Quando la vita sembrava tanto più facile.

Dopo l'ultimo dell'anno sono andati tutti a Fennberg per qualche giorno. E ora è l'8 gennaio e Rosa si accinge a lasciarsi alle spalle le piccole pigrizie del periodo festivo, e a riprendere in mano i mille lavori della casa e della proprietà. Sono le otto del mattino ed è appena rientrata dalla messa.

Bussano forte all'ingresso.

Dalla Stube al piano di sopra, Rosa sente la porta che viene aperta e passi pesanti di stivali. Scende di corsa le scale. I suoi occhi azzurri velati dall'età incontrano quelli di un ufficiale dei carabinieri accompagnato dai suoi uomini.

«Signora, ho l'ordine di perquisire questa casa. Ho un mandato» annuncia l'uomo senza saluti né preamboli.

Rosa ammutolisce. È la prima volta che qualcuno le si rivolge in quel tono, e per di più in casa sua. Nessuno si era mai permesso di darle ordini sotto il suo tetto. Jakob sta accorrendo, allarmato da quelle voci imperiose.

«Che cosa succede?» chiede in italiano all'uomo in divisa, mettendosi accanto a Rosa con fare protettivo.

«Siete voi Giacomo Rizzolli?» abbaia per tutta risposta il tutore dell'ordine.

Jakob si sente invadere dalla collera nel sentire il suo nome storpiato. Vorrebbe prendere quei prepotenti per il bavero e scaraventarli fuori. Giacomo Rizzolli, proprio! Ma guarda la moglie e per la prima volta in vita sua le legge la paura negli occhi. Rosa che non ha pianto quando lui è partito per la guerra, che ha ospitato per mesi ufficiali armati, che affronta ogni giorno a testa alta le difficoltà della crisi. La sua coraggiosa Rosa ora se ne sta immobile, tra i cocci della sua gioia natalizia infranta, come se all'improvviso Dio l'avesse abbandonata.

«Sì, sono io» risponde calmo Jakob ingoiando la rabbia.

Il carabiniere agita un documento e taglia corto: «Abbiamo l'ordine di verificare che in questa casa non siano nascosti armi e materiale sovversivo».

Dalle scale arriva una voce chiara, forte, piena di sfida.

«È me che siete venuti a cercare?»

Hella si avvicina alla madre. E Rosa, col marito accanto e la sua bambina dall'altro lato, sembra ritrovare se stessa.

L'ufficiale domanda, con la voce inespressiva di chi deve riempire un modulo: «È lei Elena Rizzolli?».

«Perché perdete tempo a farmi domande? Sapete benissimo chi sono. Sono mesi che mi pedinate!»

Rosa guarda fiera sua figlia. La sua piccola sta tenendo testa agli sbirri del regime fascista. Li provoca addirittura. Vorrebbe raccomandarle di essere più conciliante, quella gente può distruggerla. Si limita a metterle una mano sul braccio, come per invitarla alla prudenza.

«Procedete!» ordina il capo a quattro dei suoi uomini, che cominciano ad aprire gli armadi e i grandi bauli di legno dell'atrio. Rovesciano con brutalità il contenuto sul pavimento, incuranti dei danni che provocano. Hella passa un braccio intorno alla vita della madre.

«Sono queste le vittorie del grande Mussolini» osserva sprezzante. «Sulle donne, sui vecchi e sugli indifesi.»

«È così che lo Stato fascista tratta i traditori!» le urla in faccia l'uomo. «I sovversivi anti-italiani che agiscono contro gli interessi della loro patria!»

«Io non ho proprio niente a che spartire con la patria di cui lei parla!» ora è Hella a gridare, il viso incendiato dall'ira. «Siete venuti a occupare la mia terra, avete cercato di portarmi via la mia cultura, e adesso invadete la mia casa. Siete voi i traditori, voi i mascalzoni!»

L'ufficiale la squadra dalla testa ai piedi. Ha letto i rapporti su questa giovane donna, e non lo sorprende trovarla così combattiva. Non gli sembra neppure tanto bella come gliel'hanno descritta, anche se quegli occhi, in effetti... Ma non può essere attraente una donna così poco sottomessa. Questa Rizzolli parla con la superbia dei ricchi e potenti. Ma se è convinta che il nome e la reputazione della sua famiglia basteranno a salvarla si sbaglia di grosso. Questa volta ha tirato troppo la corda! Il carabiniere sente il trame-stio dei suoi uomini che frugano al piano superiore. Eccoli riapparire con un vecchio revolver e alcuni fasci di carte scritte in tedesco. Gli basta un'occhiata per capire che non c'è niente di interessante.

Hella li guarda fare con aria incurante. Gli opuscoli propagandistici che ha redatto insieme a suo fratello Josef sono nascosti nella chiesetta dall'altra parte della strada, dove nessuno si sognerebbe mai di andare a cercarli. Sotto le assi del pavimento ci sono anche manuali di tedesco e volantini politici.

«Elena Rizzolli, ho con me un mandato di arresto firmato dal procuratore di Trento.» L'uomo, tronfio, gioca il suo asso, un altro documento bollato. «Ho l'ordine di condurvi al commissariato di Egna per un interrogatorio.»

A quelle parole cala un silenzio di tomba. Hella sente sua madre irrigidirsi, suo padre trattenere il respiro. Quanto a lei, si sente invadere da uno strano senso di sollievo. Si accorge di quanta tensione la pervadesse solo ora che, all'improvviso, la sente allentarsi. L'incertezza e la paura hanno lasciato il posto alla realtà. Dura ma tangibile, non un terrore senza volto ma una prova da superare.

Jakob però non può tacere: «E di che cosa sarebbe accusata mia figlia?» ruggisce.

L'uomo declama compiaciuto dal documento: «Il 28 novembre scorso Elena Rizzolli ha organizzato una riunione clandestina nel comune di Magrè allo scopo di creare una cellula sovversiva e agire contro gli interessi e la sicurezza dello Stato».

«Mia figlia non ha fatto niente del genere! Segue i bambini della regione, insegna loro a cantare, e questo è tutto.»

«Nossignore, vostra figlia complotta contro l'integrità dello Stato italiano nell'interesse di una potenza straniera!»

«State cercando di dire che sono un'agente tedesca?» interloquisce Hella in tono sarcastico.

L'ufficiale esita un istante, comprendendo di essersi inoltrato in un terreno pericoloso. Quello del Reich è un regime amico. Senza sbilanciarsi, farfuglia: «Ne parlerete con il procuratore. La Germania naturalmente è un Paese alleato e non nutre ambizioni sul territorio italiano».

Hella sorride con un'espressione di indifferenza sdegnosa.

«Il Führer è un grande stratega. Sa che cosa fare. E i suoi fedeli sanno qual è il loro dovere. La mia nazione è la Germania, e io servo il mio Paese!»

Rosa nel frattempo si è ripresa. Per un attimo si era sentita svenire ma a queste parole, che rappresentano per Hella una condanna sicura, sussulta e cerca di intervenire.

«Non potete arrestare mia figlia! Non ha fatto niente di male.»

«Questo lo deciderà la giustizia» replica l'ufficiale.

«Non bestemmiate la giustizia» lo zittisce Hella. «La giustizia, quella vera, è la forza che rende grandi i popoli. E voi italiani non sapete nemmeno cosa sia!»

Rosa capisce che tutto è perduto. Hella non si piegherà e i fascisti non molleranno. Abbraccia la figlia, ammettendo la sconfitta: quell'uomo in divisa sta per portargliela via. E un altro uomo in divisa, Hitler, l'ha già condotta su strade pericolose. La stringe forte al cuore, non la perderà. Fosse l'ultima cosa che fa, non lascerà la sua bambina nelle mani dei fascisti.

Hella senza parlare ricambia l'abbraccio della madre, poi va a stringere la mano a suo padre in un gesto stranamente formale.

«Non vi preoccupate. Vinceremo noi» gli dice, seria. Ed esce dalla casa con passo marziale, precedendo gli sgherri, verso l'automobile in attesa.

15

La trappola si chiude

Arrivo a Castelluccio Inferiore, in Basilicata, in una mattina di agosto del 2012. Sul paesino, aggrappato al fianco della montagna, piove una luce addirittura accecante. Più in alto, sotto un cielo senza nuvole, un secondo borgo sembra montare la guardia: Castelluccio Superiore. È mezzogiorno e le strade sono deserte, le saracinesche dei negozi abbassate, le persiane chiuse. Ho immediatamente la sensazione che quasi nulla sia cambiato da quando, settantaquattro anni fa, Hella si è ritrovata qui, al confino, mille chilometri a sud della sua casa di Pinzon.

Quando scendo dall'auto l'aria rovente mi sferza il viso. La temperatura era senz'altro molto più clemente il 19 maggio 1938, all'arrivo di Hella. Anche così, però, lo shock deve essere stato violento per una ragazza tanto giovane condannata a cinque anni, il massimo della pena. Quattro giorni prima, il 15 maggio, ha festeggiato il suo ventiduesimo compleanno in carcere a Trento. Scendendo dal treno alla stazione di Castelluccio Inferiore, che si trova leggermente più in basso della strada principale, le sembra di sbarcare su un altro pianeta. Gli agenti che l'hanno scortata da Trento la affidano ai loro colleghi del posto, incaricandoli di tenere d'occhio la prigioniera politica, e ripartono verso nord. Hella rimane sola in quello che per lei è a tutti gli effetti un Paese straniero.

Dopo il suo arresto, l'8 gennaio, Hella è stata interrogata a fondo, una prima volta al posto di polizia di Margreid. Il 9 gennaio, secondo i verbali, confessa al brigadiere Filippo Caleca di aver visitato «tre o quattro volte» la casa dei Kobler a Margreid, ma senza precisare quando o perché. Si guarda bene dal citare date e dal fare nomi. Sa che il suo dovere è cercare di impedire agli inquirenti, a tutti i costi, di stabilire fatti certi. Vogliono indurla ad ammettere di essere coinvolta in attività anti-italiane, dimostrare che il 28 novembre ha cercato di reclutare donne del posto per avviare una cellula sovversiva. Per tutta risposta Hella rivendica il suo impegno politico, con una foga che mi sembra tradisca la sua ingenuità, o la profondità delle sue convinzioni. Nella deposizione si legge: «Non posso dire chi mi ha mandato. Ho fatto tutto di mia iniziativa. Di tutto ne assumo la completa responsabilità. Io sono capace di fare la propaganda che svolgo senza che nessuno me ne dia le direttive in quanto conosco bene queste terre, sono tedesche, io sono nata tedesca ed il mio cuore rimane sempre tedesco». I poliziotti di Margreid, però, non si accontentano di quelle professioni di fede. Hanno bisogno di elementi molto più concreti per presentare un'accusa sostanziosa. Sanno di avere a che fare con la rampolla di una delle famiglie più importanti della zona: imputazioni generiche questa volta non basteranno.

A solo mezz'ora dal primo interrogatorio, il brigadiere Caleca torna alla carica ed estorce a Hella una confessione più circostanziata. Per cominciare, la ragazza precisa che le sue tre o quattro visite in casa Kobler hanno avuto luogo tra l'agosto e il novembre del 1937, però mette le mani avanti: c'era solo la moglie di Kobler e i due figli. A quel punto è chiamata a rispondere a una domanda inattesa, prova lampante del fatto che il luogo era davvero sorvegliato. Quella brace di sigaretta nella notte, i due cantonieri di cui Emil aveva sentito parlare: la polizia era alle sue calcagna. Le chiedono proprio dell'incontro del 28 novembre. «Quella sera che il Kobler Emilio mi ha accompagnato in bicicletta sino al passaggio a livello dello scalo ferroviario di Magrè-Cortaccia, io ero rimasta in casa di lui circa un'ora assieme alla moglie ed ai due bambini, non vi era nessun'altra persona, né uomini né donne.» Quando si era seduta in canna sulla bici di Kobler sapeva in cuor suo che una simile scena non sarebbe passata inosservata, neppure di notte, ma non aveva avuto alternative. Tenta ancora una volta di proteggere le persone che aveva cercato di mobilitare: «Insisto col dire che in casa del Kobler quella sera di domenica degli ultimi di novembre non vi era nessun estraneo alla famiglia, non abbiamo parlato di politica come forse lei può pensare, ma solo di cose senza importanza. Non ho altro da dire».

Hella non può sapere che una giovane donna sotto torchio nell'ufficio vicino ha già cominciato a confessare. Paula, la ragazza diciannovenne che la madre era venuta a cercare vociando dalla strada, ha ricordi molto precisi dell'incontro, e non esita a raccontare quello che le forze dell'ordine vogliono sentirsi dire. Ricorda di essere giunta dai Kobler alle 18:45, precisando di essere stata invitata dal padrone di casa. Riferisce che la porta le era stata aperta dalla moglie, e che in cucina aveva trovato altre tre donne: due compaesane di nome Maria e una giovane sconosciuta, «la signorina che adesso mi è stata fatta vedere qui in caserma». La «forestiera» – è sempre questo l'appellativo con cui Hella viene indicata nei verbali dei carabinieri di Margreid – aveva spiegato loro che bisognava parlare in tedesco, boicottare i prodotti italiani e organizzare altri incontri in casa Kobler. A quel punto spiega che sua madre era venuta a cercarla e che al suo arrivo se n'era andata senza perdere altro tempo. Aggiunge però: «La forestiera è rimasta ancora in casa del Kobler». Come poteva saperlo la ragazza, se era andata via in fretta e furia? Il dubbio che le parole le vengano messe in bocca è inevitabile. Altro dettaglio incongruo, secondo quel verbale Paula è stata sentita dal brigadiere Filippo Caleca, che però negli stessi minuti stava conducendo il primo interrogatorio di Hella.

Paula non è la sola testimone interpellata quel giorno: tutti gli adulti che il 28 novembre si erano trovati a passare per casa Kobler sono stati fermati e interrogati. La versione dei fatti data dalle tre donne concorda almeno su un punto: la «forestiera» le ha sobillate per cercare di mobilitarle in favore della loro lingua madre. Una delle tre assicura addirittura: «Ci ha detto di imparare bene il tedesco per poi poter istituire in Magrè delle scuole clandestine tedesche». Anche Emil Kobler è stato interrogato, ma le sue risposte appaiono problematiche. Sono sia compromettenti per Hella, sia stranamente lacunose. Per esempio l'uomo assicura che soltanto una delle tre donne fermate, una delle due Marie, era venuta da lui quella sera. «Non vi erano altre persone.» Né Paula, né la seconda Maria. «Io non sapevo che la Rizzolli quella sera doveva venire in casa mia» aggiunge, pur ammettendo: «È vero che io ho accompagnato in bicicletta la Rizzolli allo scalo ferroviario». Ma tiene a specificare: «Mia moglie non ha amicizia con la Rizzolli. La ha conosciuta nel mese di novembre 1937 in casa mia a Magrè. Non è vero che sono amiche». È chiaro che Emil non vuole sbilanciarsi troppo: ha una moglie, due bimbi e un lavoro a cui pensare, è ricattabile. Hella si è fidata di lui, ma ora pagherà il prezzo dell'imprudenza e del probabile tradimento di qualcuno. Perché i fascisti sono andati a colpo sicuro, quella sera: qualcuno deve aver parlato.

Il 10 gennaio Hella viene trasferita dalla cella della caserma di Margreid alla prigione di Neumarkt, dove sarà nuovamente interrogata. Viene affidata alle cure del capitano Giovanni Battista Gandino che ha sicuramente avuto ordini precisi dal procuratore di Trento: bisogna farla cantare. Da questo momento la giovane comincia ad apparire meno sicura di sé. Ha capito che la polizia e la magistratura fasciste fanno sul serio, non vogliono solo spaventarla. Difficilmente i suoi potranno evitarle la prigione o il confino. Non ci riuscirà sua madre, che si sta dando da fare in ogni modo; non ci riusciranno gli altri suoi famigliari, che stanno bussando a tutte le porte. Sono intervenuti persino alti prelati, ma sarà tutto inutile. Hella si ritrova sola in fondo a una cella, e la sua fiducia nella grandezza del Reich e del suo condottiero si appanna. Dovrà ingoiare un po' del suo orgoglio per ottenere un castigo meno severo. Il 20 gennaio, nel faccia a faccia con il capitano Gandino, il suo tono è già molto diverso: «Non ho mai voluto fare propaganda anti-italiana» dichiara, dando finalmente soddisfazione agli inquirenti. «Ho soltanto esternato quale è il mio pensiero nei riguardi dell'Italia.» Adesso è pronta ad ammettere che in casa Kobler c'erano tre donne il 28 novembre 1937. «È vero che ho detto alle due giovani ed alla donna sposata [...] di insegnare il tedesco (leggere e scrivere) ai bambini e di riunirli, sempre che fosse stato possibile, per fare con loro dei giuochi da ragazzi.» Gandino non attendeva altro. La polizia fascista si sta impegnando a fondo per sradicare le Katakombenschulen. Il regime di Roma scorge in quelle pratiche un'ingerenza nefasta dell'alleato tedesco nella politica interna italiana. Le rassicurazioni di Hitler sulla questione sudtirolese non convincono fino in fondo Mussolini. La rete di propaganda pangermanista va sgominata, e l'arresto e la confessione di Hella sono una vittoria significativa in questa battaglia. La ragazza, dopo aver ammesso di aver preso parte ad attività illegali, dichiara ai carabinieri di Neumarkt: «Preciso che il mio pensiero nei riguardi dell'Italia è che io mi sento di sentimenti tedeschi e non posso perciò sentirmi italiana né avere sentimenti italiani».

Il rapporto conclusivo stilato dalle forze dell'ordine di Neumarkt viene inoltrato al procuratore di Trento il 21 gennaio. Corroborato dalle testimonianze delle tre giovani presenti ai fatti la sera del 28 novembre 1937 e dalla deposizione di Emil Kobler, il testo denuncia la «propaganda velenosa e subdola» di cui Hella si è resa colpevole. Il rapporto se la prende anche con il clan Rizzolli-Tiefenthaler, presentato come la famiglia più ostinatamente filo-tedesca e anti-italiana della zona di Pinzon e Montan.

> La Elena è di buona condotta morale e penalmente incensurata. Non è iscritta al Fascio femminile, né alle sue Organizzazioni. Gode buona salute. Premesso quanto sopra e poiché sarebbe opportuno dare una severa lezione non soltanto ai membri della famiglia Rizzolli, ma ha [sic! NdR] quanti altri hanno velleità propagandistiche ai danni nostri, propongo che a carico della Rizzolli Elena venga adotatto il provvedimenti [sic! NdR] del confino di polizia, per la durata massima.

Serve una punizione memorabile capace di far riflettere le giovani teste calde tentate di seguire l'esempio di questa ribelle. E così Hella viene spedita a Trento, e rinchiusa in cella insieme a detenute comuni. Qui la ragazza di buona famiglia cresciuta negli agi di una casa benestante scopre la dura realtà dell'universo carcerario. Nelle lettere a casa confida alla madre la sua paura e il suo dolore. Ogni dettaglio la ferisce. Innanzitutto le compagne di prigionia, che sono quasi tutte agli arresti per prostituzione e vengono da un mondo che non potrebbe esserle più lontano. Poi c'è la nuda bruttezza della cella, con i suoi muri spogli e la luce livida. Quando resta sola Hella sente il peso del silenzio, ma lo rimpiange la notte, circondata dalle compagne che russano e tossiscono in continuazione. Si sente intrappolata negli ingranaggi di una macchina che stritola anche gli spiriti più temprati. I cattivi odori, la promiscuità, la volgarità la riempiono di disgusto. Per non lasciarsi andare alla disperazione si aggrappa al ricordo della grande casa di Pinzon. Ripensa alla calma e alla dolcezza che si respira tra le pareti domestiche. Si ripete che la sua famiglia di certo si sta adoperando per strapparla a quell'incubo. Alla fine le visite sono state autorizzate, e ogni lunedì Hella si prepara per ricevere i suoi. Rosa, inutile dirlo, non manca mai all'appello. Si presenta al parlatorio con le mani cariche di pacchetti. L'indomabile figlia sente il suo cuore spezzarsi quando vede sua madre andarsene, sempre più preoccupata.

Fra le molte lettere di Hella conservate con cura da vari membri della mia famiglia, due in particolare, scritte da Trento, raccontano bene il suo stato d'animo.

1 febbraio 1938

Mia carissima mamma,
quando la chiave girò per la prima volta scricchiolando nella serratura e io mi trovai rinchiu-

sa in questo tetro buco, dal profondo del mio cuore proruppe solo questa breve preghiera: «Signore, fa' che non diventi codarda». A te, cara mamma, queste poche parole non sembreranno abbastanza, ma posso assicurarti che sono state la mia forza e la mia arma nella lotta che infuriava dentro di me, e questa luce la porterò con me ovunque mi possano mettere e mi rischiarerà anche nella cella più buia. Perciò, mamma non aver paura! Che gioia ho provato nel poter vedere per la prima volta dopo così tanto tempo qualcuno del paese, e con le calze che mi hai fatto tu a maglia. Una cosa che qui è sprecata è il tempo: mi sembra come se a voi, là fuori, debba sfuggire di mano mentre qui, dietro le mura del carcere, si accumula fino a diventare un peso, una cosa che molte persone felici là fuori vorrebbero fermare e noi invece lasceremmo correre volentieri.
Ma il tempo non conosce né pietà né riguardo! Mamma, tu crederai che dia spesso libero sfogo alle lacrime, invece accade proprio il contrario: non riesco a piangere anche se lo vorrei. Sarebbe un sollievo, ma sono come un involucro vuoto e le lacrime che a casa mi rigano di frequente le guance sono prosciugate e non scendono. Ho lasciato tutto da voi, il mio cuore, i miei pensieri e i miei sentimenti. Dovreste scrivermi più spesso anche se poche righe. Mi dà una tale gioia! Di salute sto bene, la fame infine si è fatta sentire di nuovo e nella mia cella, che ci dividiamo in otto, le linguacce hanno smesso un po' di parlare di quello che già si

legge loro in fronte, dello sporco delle strade e della polvere. Di me ammirano e osservano tutto con meraviglia e non mi posso lamentare, si controllano molto e se solo riescono mi fanno un favore. Io cerco di indirizzare alla meglio i loro pensieri su altre cose e poi non sono sempre qui, inoltre lavoro e pianto qualche fiore nel mio giardinetto. Presto tornerà la primavera e spero che per allora potrò essere anch'io di nuovo a casa e tutto sarà com'era «un tempo a maggio».
Vi mando tutti i saluti che il postino riuscirà a portare. Mamma e papà, vi abbraccio mille volte con affetto e gratitudine,

la vostra Hella

5 febbraio 1938

Mia carissima mamma,
quattro settimane fa, più o meno a quest'ora, mi hanno prelevata da casa. Mi sembrano passati mesi! Mamma, i mendicanti che sostano ogni giorno davanti alla porta della tua cucina non sono di gran lunga le persone più misere. Bussare alle altrui porte è duro, sì, ma quelle porte si aprono e loro ricevono ciò che desiderano tanto. Il carcere invece è una bestia tremenda, che esige sempre nuove vittime e tiene la bocca costantemente aperta per ingoiarne quante più può. Al suo interno devono essere digeriti buoni e malvagi, ma poi quella grande bocca, prima spalancata, si serra e resta a lungo chiusa.

Spesso, mamma, ho creduto che la nostalgia fosse così forte da far saltare muri e portoni!
Quante cose ci saranno da raccontare, dovrò sempre chiedere di questo e quello, ma quando arriverà quest'ora felice? Mi accontento però di sperare che stiate tutti bene. Ringrazia moltissimo la cara Elsa per tutte le sue attenzioni, che di certo non dimenticherò mai, lo stesso vale per Mariedl per il buon Gugelhupf.
Mi daresti una grande gioia, mamma, se mi scrivessi, non ho ancora ricevuto una riga da nessuno. Perché aspettate così a lungo?
Mamma, papà, Elsa, Josef, grandi e piccini, vi saluto tutti, vi stringo forte tra le braccia e vi bacio con tutto il cuore,

la vostra Hella

La penna gratta e qui intorno c'è un tale rumore che non si riesce a scrivere.

Spero di essere a casa a maggio, scrive Hella, ma il tempo passa e l'agognata libertà non arriva. Le ore diventano giorni, poi settimane, e lei rimane sotto chiave. A volte viene accompagnata nell'ufficio del procuratore che cura l'istruzione del processo. A poco a poco si rassegna: la macchina del regime fascista è più potente della sua famiglia. I Tiefenthaler non possono avere la meglio nel braccio di ferro che hanno ingaggiato con le autorità per causa sua. Il primo round, in ogni caso, è perduto.

Il 28 marzo 1938 il procuratore di Trento Feliciangeli indirizza al prefetto il suo rapporto definitivo, aggiungendo una lettera di una pagina e mezza con le sue raccomandazioni. Per prima cosa assicura che l'inchiesta ha definitivamente appurato l'esistenza a Margreid di un «centro di propaganda anti-italiana e anti-fascista», avente per sede l'abitazione di Emil Kobler. E che uno dei membri più assidui della cellula era proprio Hella. A quel punto riassume i dettagli incriminanti di quella sera del 28 novembre. Feliciangeli aggiunge una considerazione personale che aggrava la situazione: «Al momento dell'arresto» si legge nel rapporto, «la Rizzolli si è mostrata arrogante e irrispettosa. Non ha esitato a proclamarsi apertamente anti-italiana e a dimostrare ancora una volta quanto le sue convinzioni personali siano pericolose per il sentimento nazionale in questa regione». Il caso è chiuso, e il procuratore chiede alla commissione presieduta dal prefetto di votare una sanzione severa. Il verdetto giungerà nel giro di qualche giorno: Hella è condannata a cinque anni di confino.

Il 13 aprile la prigioniera presenta regolare ricorso al Ministero dell'Interno. È un documento protocollato, dall'italiano così perfetto che di sicuro la sua famiglia lo ha fatto scrivere da qualche avvocato. La voce di Hella è totalmente assente, nell'umiltà che permea questo appello. Sostiene di aver solo parlato con delle donne del luogo della bellezza della lingua tedesca e della necessità di aiutare i negozianti locali, e che le sue chiacchiere sono state fraintese. Addirittura si legge: «Essa si dichiara pentita del danno involontario che ha arrecato con le sue parole sconsiderate al suo Paese e maggiormente si addolora di avere, contro la sua volontà, menomato di fronte ai suoi compaesani la lingua italiana e il bel nome d'Italia». No, non è l'indomabile Hella questa. È un estremo tentativo, probabilmente voluto da Rosa, per evitare che lei parta. Ma Hella viene portata via lo stesso.

La sua nuova casa sarà in un paesino che fino allora nessuno di loro ha mai sentito nominare, Castelluccio Inferiore, in Basilicata, in provincia di Potenza.

Al contrario di Hella, io conoscevo l'esistenza di Castelluccio Inferiore. Ma solo perché il paese è noto da sempre nelle cronache familiari come il luogo remoto in cui i fascisti la confinarono. Non avevo mai pensato di andarci. E invece, la mia ricerca mi porta anche qui. Nella primavera del 1938 Hella impiegò tre giorni per giungere a destinazione, facendo tappa a Roma e a Salerno. Il mio viaggio è stato più rapido, ma fatte le debite proporzioni probabilmente più scomodo del suo. Il divario che già ai suoi tempi esisteva tra Nord e Sud Italia non è stato colmato, al contrario.

Parto in treno con mio marito Jacques dalla stazione Termini di Roma poco dopo le nove del mattino, sperando di raggiungere Maratea nel primo pomeriggio e di fermarci lì per la notte. Il nostro vagone sembra una caricatura dei treni italiani come li descrivono i turisti prevenuti: sedili scomodi, corridoi sporchi, bagni nauseabondi. Un uomo che arranca con due grandi borse di plastica in mano si ferma accanto a noi. Due bottigliette d'acqua e un tramezzino al prosciutto ci vengono a costare dodici euro. L'uomo non porta una divisa né esibisce un contrassegno, e palesemente non è impiegato da alcuna compagnia di ristorazione al mondo. Ma quel convoglio non prevede affatto una carrozza bar o almeno un carrello dei rinfreschi. L'alternativa all'abusivismo, quindi, è il digiuno. E sarebbe anche il meno: è la sete. È l'estate più calda del decennio e qua dentro ci sono circa cento gradi percepiti.

Partiamo in orario verso il «Sud». Fino a Napoli nessun problema. Poi, in prossimità di Salerno, ci fermiamo. Dopo venti minuti di inspiegabile attesa, una voce metallica annuncia che il convoglio effettuerà una sosta di dieci minuti per lasciar passare un altro treno. Di lì a poco un forte rumore rompe il silenzio campestre del nostro scompartimento: è il rantolo sferragliante del condizionatore che ha terminato la sua lunga agonia.

Con l'aumentare della temperatura persino i più flemmatici compagni di viaggio cominciano a innervosirsi. Il sole a picco arroventa il vagone. Di quando in quando Jacques alza gli occhi dal libro e fissa il mare lontano con gli occhi nostalgici dell'emigrante, asciugandosi il sudore. All'improvviso l'oracolo parla di nuovo: il treno è fermo a causa di un furto di materiali lungo i binari. Qualcuno ha trafugato i cavi di rame.

Il termometro è salito ancora e nel vagone serpeggia il panico. Jacques mi raccomanda di stare tranquilla perché agitandomi il caldo peggiora. Ma la sua camicia è fradicia, come la mia. E se uno dei passeggeri avesse un malore? Siamo capitati però in uno scompartimento di veri pionieri, nessuno vuole svenire per primo. La coppia di canadesi addirittura è allegra, forse anche perché dispone di un piccolo ventilatore a batteria. Per loro è tutta un'avventura: è questa l'Italia che si aspettavano di trovare! Inefficiente, disorganizzata, scomoda e per giunta insolente. Ecco un'esperienza memorabile da condividere con i vicini lassù a Toronto. Vuoi mettere se invece il treno fosse stato in orario, che noia?

La voce metallica, di cui abbiamo imparato a diffidare, ci aggiorna sulla situazione. La locomotiva è in panne e ne stiamo aspettando una di ricambio. Manca l'assalto dei pellerossa e poi le avremo dette tutte. Jacques che guarda il mare in lontananza è ormai come Mosè con la Terra Promessa: comincia a dirsi che non lo raggiungerà mai.

Ma infine ci si muove, scricchiolando: «Il treno ha accumulato 140 minuti di ritardo, ma ripartirà con mezzi propri». Strano che non ci abbiano chiesto di scendere a spingere. «Alla stazione di Salerno verranno distribuiti beni di conforto» aggiunge la voce. Jacques e io decidiamo di non lasciarci tentare da questa lussuosa promessa, e a Salerno abbandoniamo al loro destino quel disperante convoglio e i suoi passeggeri. Jacques mi prende per mano e marcia fuori.

«Noleggiamo una macchina» decreta. «Guido io.»

Mentre usciamo inseguiti dalle voci degli altoparlanti penso che anche Hella ha percorso quei binari. E che, poche settimane prima di lei, un altro convoglio aveva attraversato l'Italia diretto verso sud. Firenze, Roma, Napoli, tappe di un viaggio ufficiale. I tre treni speciali portavano Hitler e il suo stato maggiore.

«Che cosa devo fare secondo voi, barone Longo?»

Elsa è arrabbiata ma non è una sprovveduta, sa che la situazione è seria. Tra una settimana, il 3 maggio 1938, Hitler passerà il Brennero in treno, diretto a Roma per una visita ufficiale. Le maestre dei suoi figli hanno deciso di portare i loro alunni alla stazione a salutare il convoglio che passa, tutti schierati a dimostrare il loro entusiasmo all'importante ospite straniero. Ovviamente in divisa: balilla per i maschietti, piccole italiane per le bimbe. Solo che Elsa e Franz Deutsch, come il loro cugino Hans Tiefenbrunner, hanno restituito con sdegno le divise fasciste dei figli, dichiarando che non avrebbero mai permesso loro di indossarle.

Ora come fare per evitare che Herlinde, Hubert e Norbert passino dei guai a scuola per non essersi presentati in divisa, e che magari la famiglia passi dei guai ben peggiori con le autorità? Tre anni prima, nel 1935, Franz ha perso il lavoro al servizio forestale di Brunico. Come tutti i funzionari pubblici gli era stato chiesto di italianizzare il suo cognome. All'inviato del ministero venuto a sollecitarlo ha detto chiaro: «La richiesta è inammissibile. Si può cambiare il proprio nome, ma non si può cambiare il proprio sangue». Nel giro di poche settimane è arrivata la lettera di licenziamento «per diminuite esigenze di lavoro».

E ora ci mancava anche la divisa dei bambini. È un grave problema ed Elsa ha poco tempo per risolverlo. È già stata dal commissario fascista ma non capiva quello che le diceva nel suo linguaggio burocratico. Lei si è sempre rifiutata di imparare l'italiano e lui certo non parla tedesco. Dopo un breve dialogo tra sordi, Elsa ha sentito la collera nella sua voce, ha girato i tacchi e se n'è andata. Ha deciso di chiedere consiglio a Felix von Longo, figlio di quel barone von Longo che anni prima il regime ha costretto a scappare in Carinzia, dove è morto. Assieme alla moglie Helene e alla famiglia, Felix è tornato a casa nel 1932. È un politico acuto e un uomo saggio e molti si rivolgono a lui nelle infinite difficoltà della convivenza con il regime. Nel 1943 verrà nominato sindaco di Neumarkt e lo sarà fino alla fine della guerra.

Lui non risponde subito. Capisce e apprezza l'orgoglio di questa donna e dei suoi, che rifiutano di chinare il capo di fronte ai fascisti e sono disposti a pagarne il prezzo. Ma stavolta bisogna cambiare atteggiamento.

«È la visita del Führer, Frau Deutsch» dice infine. «È un evento troppo importante, non possono permettersi di perdere la faccia.»

Elsa ha uno scatto di rabbia.

«Non hanno una faccia da perdere. Sono dei buffoni. Pericolosi buffoni.»

«Ci sono di mezzo i bambini, Frau Deutsch.»

Elsa annuisce.

«E suo marito ha già perso il lavoro. Potrebbe anche doversene andarc dal Paese.»

In questo periodo è molto comune che ai sudtirolesi invisi al regime venga imposto di lasciare l'Italia entro ventiquattro ore. È una soluzione più facile e rapida del carcere o del confino, e molto più economica. Tanti hanno parenti e amici in Austria e in Germania, e come ha fatto Gusti trovano rifugio da loro, aspettando che passi la tempesta. Ma la tempesta si fa sempre più cupa.

«Vada a richiedere la divisa, Frau Deutsch.» La voce del barone von Longo è comprensiva, ma ferma. Ed Elsa sa che è la voce della ragione.

«Non sarà facile ma farò così.»

«Coraggio. Verranno tempi migliori.»

La mattina dopo, Elsa è in piedi assieme a Herlinde di fronte all'insegnante, la schiena dritta, lo sguardo duro.

«Dietro ordine della maestra Lodi, io sono venuta a ritirare la divisa delle piccole italiane per mia figlia» scandisce chiara con il suo forte accento. La Lodi è il capo della scuola, la più fascista di tutte. Lo sguardo della maestra di Herlinde si illumina.

«Ma certo, signora Deutsch» pronuncia il suo nome sbagliato apposta, leggendo il dittongo all'italiana, «deuc». «Vieni, Herlinde. Puoi scegliere l'uniforme più bella.»

E così, la mattina del 3 maggio, i tre fratelli Deutsch indossano i costumi da balilla e da piccola italiana. Fa ancora abbastanza fresco per poterci aggiungere un cappotto. Che li copre dalla testa ai piedi.

«Io lo tengo bello abbottonato» dice Hubert sulla porta di casa. Ha solo dodici anni ma capisce benissimo che la famiglia è stata umiliata.

«Anch'io. Però in stazione ce lo faranno togliere» gli ricorda Herlinde, di un anno più piccola.

«E allora lo toglierò. Ma non mi ci vedono, in paese, vestito così.»

«Almeno vedremo passare il Führer, però. Ci saluterà dal finestrino, vedrai.»

Così, quando il primo treno di Hitler con la grande svastica sulla locomotiva arriva in vista della stazione di Neumarkt, i tre figli maggiori dei Deutsch sono tra i bambini disposti lungo i binari. A ognuno sono state date due bandierine, una italiana e una del Reich. Come molti altri, i Deutsch approfittano della confusione e delle molte mani alzate nel saluto per tenere la bandierina italiana bassa, all'altezza della vita. E con il braccio destro agitano forte, alta sopra la testa, la bandiera della Germania che sperano li salverà.

Il treno passa. Ma le tende ai finestrini sono chiuse. Non si spostano di un millimetro mentre il convoglio sferraglia sui binari tra quelle due ali di folla festante e speranzosa, seguito dagli altri, su cui viaggiano la scorta e gerarchi nazisti con le loro famiglie. E infine i bambini guardano l'ultimo vagone di coda allontanarsi, il fumo si disperde nel vento. Torna il silenzio.

«Non ci ha salutato.»

«Non ci ha neanche guardato.»

Sono molto delusi. Tanta fatica e umiliazione per niente. Il capostazione, nell'uniforme della festa con il mantello scuro e il chepì rosso, comincia a far circolare la folla, ci sono altri treni a cui pensare. Tutto come prima, tutti di nuovo nei ranghi, tutti a lavorare. Chi era arrivato con gli striscioni li ripiega, qualcuno getta a terra una bandierina con rabbia. Il Führer ha attraversato il Sudtirolo, e ha ignorato i sudtirolesi. Non sembra il comportamento di un liberatore.

Hitler è entrato a Vienna il 13 marzo 1938, solo poche settimane prima di questo viaggio in Italia. L'Anschluss, l'annessione dell'Austria al Terzo Reich, è compiuto. In Sudtirolo è una festa ancora più grande che dopo il referendum nella Saar. I prossimi sono loro, di sicuro. Molti ignorano, e chi sa tace, che Hitler non ha alcuna intenzione di occuparsi della questione sudtirolese. Eppure lo aveva scritto persino nel *Mein Kampf*, pubblicato nel 1925:

> Non solo considero impossibile riconquistare il Sudtirolo con una guerra, ma rifiuterei con determinazione l'idea nella convinzione che non sia possibile, su questa questione, suscitare nell'intero popolo germanico un entusiasmo spontaneo sufficiente a costituire la precondizione necessaria per la vittoria. Al contrario, penso che se un giorno sarà necessario versare del sangue sarebbe criminale fissare la posta a 200.000 tedeschi quando oltre 7.000.000 languiscono sotto il dominio straniero.

Più chiaro di così. Ma è solo una strategia per tenersi buono Mussolini, insistono i sudtirolesi. Il 14 marzo, appena un giorno dopo l'Anschluss, il VKS si affretta a diramare resoconti e direttive. Parlano di un sogno diventato realtà, di un popolo tedesco che progressivamente si unisce. Invitano alla pazienza per ragioni di politica internazionale, però ogni riga trasuda ottimismo. L'annuncio del viaggio del Führer in Italia non fa che aumentarlo.

Il 7 maggio 1938 però le loro speranze subiscono un grave colpo.

Di questo passaggio cruciale della storia ho parlato spesso con il mio amico Gerhard Mumelter, giornalista e intellettuale che vive da tanti anni a Roma e fa il corrispondente per il quotidiano austriaco «Der Standard». Secondo me, questo era il momento in cui i sudtirolesi avrebbero dovuto capire che il loro prezioso Führer non li avrebbe salvati affatto. Eppure così non fu. Perché?

Se ne parlo in particolare con Gerhard è perché suo padre era là, a Roma, in quel fatidico 7 maggio. Molti anni più tardi consegnerà il suo diario al giovane storico Günther Pallaver. Norbert Mumelter era uno dei fondatori del VKS e non poteva mancare dalla capitale in quell'occasione.

Nel 1938 è ufficiale riservista presso l'esercito italiano in una caserma all'Aquila, e chiede un permesso per poter assistere alla parata militare. Nel suo diario, nella pagina del 4 maggio, scrive: «Mi siedo davanti alla radio e la accendo. C'è una voce che descrive in italiano il viaggio del Führer. [...] Io, al mero ascoltare, mi sento già un altro».

Il 7 maggio si aggira per Roma sulle tracce di Hitler per poterlo vedere, ma coglierà solo un'immagine fugace «con un'uniforme marrone, e un lungo mantello a ruota nero sulle spalle». È però in piazza Venezia quando finalmente sentirà la sua voce. Cosa dirà? Parlerà del Sudtirolo? Purtroppo sì. E pronuncia parole che sono come una pietra tombale sui sogni di liberazione dei conterranei di Mumelter: «Ora voi e io, che adesso condividiamo un confine e che siamo figli di esperienze millenarie, riconosciamo ufficialmente la frontiera naturale che la provvidenza e la storia hanno palesemente tracciato ai nostri popoli. Essa assicurerà all'Italia e alla Germania la fortuna di una collaborazione pacifica, e offrirà un ponte per una reciproca assistenza e collaborazione. È il mio testamento politico».

Tradotto: la frontiera del Brennero non si discute. La prima reazione di Mumelter, che senza dubbio rispecchia molto fedelmente quella di decine di migliaia di sudtirolesi, è di disperazione: «Così, il 7 maggio 1938 in piazza Venezia io ho perso la mia patria e con essa le mie speranze per il futuro. [...] Finito, tutto finito, finito – e la mia vita, ossia le mie speranze, l'unica cosa positiva della mia vita, distrutte! Il mio corpo rimane immobile come vittima di un incantesimo e vedo tutto il resto come in un incubo».

Ma così è deciso e non ci sono discussioni possibili. Nello stesso incontro Hitler chiede ufficialmente a Mussolini: «Duce, vi domando di trasferire in Germania tutti i cittadini di lingua tedesca dell'Alto Adige». Una richiesta che avrà conseguenze drammatiche.

Il giorno dopo aver sentito il suo Führer rinnegare il Sudtirolo, Mumelter è già venuto a patti con la nuova situazione. Scrive l'8 maggio: «Per una grande Germania bisogna essere pronti a sacrificare la propria patria». Sono parole pesanti, per uno che ha sempre messo la patria al di sopra di tutto.

16

Confinata dai fascisti

Tra Maratea e Castelluccio Inferiore la strada tutta a tornanti e piena di buche non è un gran divertimento. Il panorama, in compenso, mi fa dimenticare tutte le tribolazioni del viaggio. La strada si inerpica tra chine boscose che si aprono per lasciar intravedere, all'orizzonte, le vette di roccia grigia che si stagliano contro il cielo azzurro. Sono sicura che Hella ha provato sensazioni simili alle mie quando ha scoperto quel Sud sconosciuto. In questa zona la vita dell'uomo è dominata dalle montagne, proprio come tra le strette valli del suo paese natio. Anche Castelluccio, quando ci arriviamo, mi appare subito stranamente familiare. È nato e cresciuto intorno a un'unica via principale. Ma è circondato da ogni lato da frutteti e vigneti, una vista che certo Hella ha trovato rassicurante.

Il municipio si trova nei locali di un ex convento, vado a presentarmi al sindaco, Roberto Giordano. Mi riceve in compagnia di due assessori ed è generoso di indicazioni utili per la mia ricerca. Mi fa i nomi degli «anziani» del paese, che avranno sicuramente ricordi da condividere. Non carte d'archivio ma memoria ancora vivente, che salva i luoghi senza più nome e i tempi ormai lontani. Inoltre, per una fortunata coincidenza che sembra dettata dal destino, negli uffici del Comune conosco il signor Giuseppe Pitillo, che mi accompagnerà in un inatteso viaggio nel passato.

Nell'archivio del commissariato di Castelluccio Inferiore è conservata una scheda di colore verde chiaro con il nome di Hella e la data del suo arrivo in paese: il 19 maggio 1938. Un carabiniere ha trascritto a penna il suo nome e cognome e ha indicato come luogo di nascita «Pinzolo», che in realtà è un paese in provincia di Trento. Leggendola capisco che Hella non è intervenuta per rettificare l'errore. Pinzano o Pinzolo, poco importa: per lei nessuno dei due era il nome della sua casa, e per lui il Sudtirolo era un'espressione geografica senza significato. Alla voce occupazione/professione si legge: «Casalinga». Anche qui, che dire? «Maestra clandestina»? «Ribelle», «sovversiva» o «resistente»? Certo che no. L'epoca dell'azione politica è momentaneamente sospesa per Hella, che per prima cosa deve abituarsi al nuovo ambiente e al nuovo ritmo di vita.

Le autorità le hanno assegnato una stanza in una casetta a due piani molto semplice al numero 294 di via Roma. Nelle prime settimane riceve anche, per una svista, un sussidio di 9 lire al giorno che però le verrà presto revocato, con la seguente motivazione contenuta in un messaggio del prefetto di Roma al Ministero dell'Interno, il 17 luglio:

> Poiché la Rizzolli appartiene a famiglia molto facoltosa che possiede immobili per un valore di oltre 200.000 lire, un ben

avviato e redditizio commercio di vino e frutta e molto contante, segnalo il caso all'Onorevole Ministero, cui propongo la sospensione del sussidio in parola.

Questa faccenda del sussidio diventerà per Hella, col passare dei mesi, una specie di questione d'onore. Il suo fascicolo conservato al Ministero dell'Interno contiene diversi appelli perché le sia restituito, con le relative corrispondenze, valutazioni e motivazioni contrarie a cui costringeva la burocrazia fascista. Ho l'impressione che da un certo punto in poi diventi quasi un modo per infastidire e sfidare il nemico. Me lo fa pensare questa lettera piena di ironia, del 6 ottobre, scritta di suo pugno nel suo italiano alquanto incerto. È una cosa che non ha mai fatto nelle sue comunicazioni con l'autorità costituita.

All'Eccellenza Vostra mi rivolgo per chiedere: che devo fare senza denari? Sono passati tre mesi lunghi luglio, agosto e settembre e io ancora sempre senza sussidio! La spesa ho dovuto fare adesso per me le botteghe sono chiuse, non mi danno più niente, la padrona di casa, una povera vedova con una famiglia numerosa, vuole essere pagata o mi mette in mezzo alla strada e da casa mia non mi mandano niente! I miei genitori vecchi non sono più obbligati a mantenermi, io non sono più sotto i ventun anni! Ragazza, lontano di casa, abbandonata da tutti, senza possibilità di guadagnare, che devo fare? Così non si può più andare avanti. La responsabilità non è più mia, se succede un guai!

Hella abita al primo piano in una camera che dà sulla strada, e ha l'obbligo di rientrare per il coprifuoco e di passare la notte in casa. I carabinieri vengono a verificare la sua presenza, la sera e nel cuore della notte deve uscire sul balcone per mostrarsi ai tutori della legge. Racconterà in una lettera:

> *Di sera, a letto, leggo un po', fin verso le dieci e mezza. A quell'ora si sente il campanello e comincia la rappresentazione serale: io mi affaccio al balcone e i miei due visitatori notturni tengono costantemente il capo voltato all'indietro fino a quando arrivano alla curva. Fanno fatica a staccarsi da me. Tiro su immediatamente la corda perché altrimenti i giovanotti del luogo, quei birbanti che se ne vanno a zonzo per tutta la notte e si divertono in modo particolare a svegliarmi, suonano spesso. Ma sono riusciti a tirarmi fuori dal letto e farmi uscire sul balcone solo una volta, all'1 ½ del mattino, perché pensavo fossero gli agenti in divisa. Li vidi che se la davano a gambe, uno è anche caduto, si è strappato i pantaloni su un ginocchio e si è ferito. Infatti se n'è poi andato in giro zoppicando per alcuni giorni. Adesso li riconosco già al suono della campanella e poi sento i loro passi allontanarsi in fretta, così non accendo nemmeno la luce, mi volto dall'altra parte e continuo a dormire.*

Sebbene il mobilio della sua stanza sia spartano e le limitazioni alla sua libertà personale siano dure, sul finire degli anni Trenta Castelluccio non è certo il paesino di barbari che Hella probabilmente aveva immaginato. L'ingegner Biagio Aiello, che mi riceve nel suo bel palazzo in via Roma, non lontano da dove stava lei, si ricorda molto bene di quei tempi. Allora era adolescente, un ragazzo di buona famiglia rimasto orfano a quattordici anni. «L'elettricità è arrivata nel 1902. Passava il treno, ma avevamo anche un servizio di corriere. La prima radio è stata installata nel 1928» mi spiega. Allora il borgo contava qualche centinaio di abitanti in più dei circa 2200 di oggi. La gente viveva di agricoltura, allevamento e macellazione del bestiame e del lavoro garantito da tre filande.

Ma l'impatto di Hella con la realtà locale è un vero e proprio shock culturale, come racconta in una delle prime lettere a casa.

19 giugno 1938

Cari tutti,
oggi è domenica, quando da noi si respira pace e tranquillità. Qui invece la differenza tra la domenica e i giorni feriali si sente poco. In paese e nei campi ferve sempre la stessa attività come durante la settimana. I negozi sono tutti aperti, alcun fino a mezzogiorno, altri fino a sera. Il calzolaio risuola le sue scarpe; muratori e falegnami martellano che è un piacere. Già la mattina presto una schiera di persone va nei campi, dove si annaffia, si dà lo zolfo o si fanno i lavori di stagione. La sera quella divertente carovana fa ritorno: ci sono asini stracarichi su cui siedono ancora le donne con i bambini, se-

guono pecore, capre con peli così lunghi che ci si potrebbero fare delle trecce e maiali, alcuni trascinati con le corde. Qualche madre, che ha dovuto star fuori tutta la giornata nei campi e ha un bambino piccolo, lo porta sulla testa insieme alla culla (un lungo cesto) e spesso ha anche una fascina di legna in braccio. Il velo nero non manca mai, sopra ci mettono un fazzoletto arrotolato in modo da mantenere stabile sul capo il pesante fardello, così non è più necessario far soste. Le donne in questo modo portano a casa tutte le cose pesanti, mentre figli e mariti camminano leggeri accanto a loro.

Non badano tanto ad andare a messa. Ne dicono tre, ma né la mia affittacamere né alcuno dei suoi figli, grandi o piccini, hanno voglia di andarci.

Io vado tutte le domeniche a quella delle 8, perché in chiesa è più tranquillo, sono tutte donnette anziane. Al momento della consacrazione una volta sono quasi scoppiata a ridere ad alta voce perché accanto, davanti e dietro di me, ho sentito battere così forte che all'inizio non capivo cos'era. Ma mi sono resa conto subito che si battevano il petto, con un tale impeto che il suono riecheggiava. E che sospiri! Una volta che celebravano la messa sull'altare laterale, alcune hanno preso i banchi e li hanno girati di lato, per essere più vicine all'altare. Bene, a poco a poco mi sono abituata che nella casa del Signore ci sia tutto quel baccano, ma mi sono chiesta spesso se l'ira divina non le avrebbe presto colpite scacciandole dal tempio. Ah, che no-

stalgia del mio tranquillo paesello e dei cantori sotto il tiglio! La domenica la nostalgia si fa più forte che mai: le ore scorrono così lente e sembra non debba arrivar mai sera.
Oggi sono qui da un mese e tutte le persone di casa dicono che gli sembra che io sia sempre stata con loro, segno che ormai mi sono adattata meglio che ho potuto, almeno esteriormente. Il resto lo sanno gli spiriti che leggono nel nostro cuore. Due volte al giorno mi devo far vedere in Comune e di notte i fedeli custodi della legge si presentano sotto il mio balcone e vogliono che io dica loro buonasera. È capitato spesso di dover fare qualche visita e anche di riceverne. Visto che al momento non ho niente da fare mi hanno prestato dei libri. Ho terminato da un bel po' entrambi i lavori di cucito e non so ancora che biancheria riuscirò a procurarmi, perché qui non si trova il bel lino di Bolzano.
Adesso avrei così tanto tempo per i lavori manuali. Mi piacerebbe ricamare una tovaglia, ma come trovo tela e filo da ricamo? Tu mamma hai qualche idea di come dovrei fare? Se sì, te ne sarei grata perché passare le giornate a non far niente non mi piace, e qui ridono già di me perché chiedo continuamente se c'è qualche faccenda da sbrigare, visto che di lavorare loro non ne vogliono sapere. È per questo che le donne sono tutte grasse. Ce n'è una che avrà circa ventidue anni e io gliene davo quaranta tanto è grossa, quasi come la Helmin; potete immaginare quanto lavorino! Cucinano sedute perché il fuoco è sul pavimento e per ogni minimo mo-

vimento che richieda stare in piedi gemono e si lamentano con sant'Antonio, che di certo non sa più come aiutarle se deve dar retta a tutte. Le donne sono come schiave degli uomini, perché devono sempre star chiuse in casa e non parlare con un uomo che non sia loro marito, altrimenti in paese comincia a girare ogni genere di pettegolezzi. Con usi e costumi così diversi sono proprio finita in un altro mondo. Speriamo di venir liberata!
Mi auguro che voi a casa e in paese restiate sani e manteniate il buon umore. Saluti di cuore a tutti, vecchi e giovani.
A te, mamma, a papà e a Josef dalla gamba storta mando un bacio, con amore e gratitudine,

la vostra Hella

Dopo gli ultimi anni emozionanti di viaggi e attività politica, la calma piatta di Castelluccio deve essere stata una vera prova. Il 17 luglio scrivendo a sua madre mostra un entusiasmo incontenibile per un semplice pacco di quotidiani:

Mi sono subito buttata sui giornali e li ho divorati immediatamente. Ero così affamata di notizie! Ho anche già cominciato a lavorare all'incantevole tovaglia, ma mandami 2 colori, il rosso e il marrone. Ti scrivo i numeri: rosso, nr. 666 (filo D.M.C.); marrone, n. 938; 14-15 matassine per ciascuno; se non mi bastano, poi te lo dico.
Sono talmente felice di questo lavoro che il po-

meriggio non mi viene più sonno. Oggi è arrivato il terzo pacco. Grazie mille, mamma, di essere stata così puntuale nello spedirlo.

Qualche problema c'è anche con la gente del posto, forse all'inizio la «straniera» è oggetto di grande curiosità ma poca simpatia. Ed è probabile che in paese non mancassero i bravi cittadini fascisti pronti a riferire sulle sue eventuali «trasgressioni». A fine luglio si sfoga, sempre con la madre:

Tengo duro e resisto con il bello e il cattivo tempo, non mi perdo d'animo così in fretta. [...] Lo sai mamma come non sopporto il modo di fare ipocrita, solo che qui bisogna abituarsi. Non so, mi riesce sempre difficile riconoscere gli ipocriti per quello che sono. Continuo a credere di poter trovare anche qui delle persone perbene, ma è davvero quasi impossibile. Almeno, quelli di casa hanno dimostrato che non gli si può credere e questo mi mette in uno stato, non so come descriverlo, ma tu mi capisci. Ho perso la fiducia, ma so per certo che una volta tornata a casa, troverò quello che qui ho perduto. Mi sorrideranno di nuovo le buone qualità che in questo paese cerco inutilmente e potrò essere di nuovo una persona fidata fra persone fidate.

Ma che altro faceva Hella, oltre a cucire? L'ingegner Aiello, che porta assai bene i suoi novant'anni, mi racconta: «Il centro era più animato di oggi. La strada principale era il regno degli artigiani e dei piccoli commercianti». Le distrazioni accessibili a una giovane donna erano però ben poche. C'era un circolo, il «Ça ira», ma era frequentato solo da uomini che venivano per giocare a carte, e l'unico caffè, il Brandi, non era certo un posto adatto a una ragazza sola. Per fortuna, il 6 settembre 1938 il podestà di Castelluccio Inferiore Ernesto Catalano concederà a Hella un ambito permesso. Recita il documento:

> Il podestà permette alla signorina Rizzolli Elena di recarsi alle poche Fiere e Mercati che si tengono nel territorio del Comune; e di recarsi a passeggio, per ragioni di salute, nelle campagne del territorio del Comune stesso, nelle ore e nei termini assegnati dalle disposizioni di Legge di P.S., e dagli Art. speciali riguardanti i Confinati Politici.

Per la verità, da una lettera del 31 luglio possiamo dedurre che Hella non avesse aspettato il permesso: «*Oggi qui ricorre una specie di Kirchtag* [sagra, NdR] *ma non c'è paragone con quelli di casa! Questa settimana c'è stata anche la fiera, era appena fuori del paese ed è durata due giorni, ma io non avevo il permesso di andarci perché i miei confini sono molto limitati. Ma potete bene immaginare cosa sia successo*». Insomma, l'indomabile figlioletta di Rosa ancora una volta elude la sorveglianza dei fascisti. Stavolta con uno scopo frivolo.

In realtà, in questa mezza estate le cose cominciano a cambiare. Le lettere si fanno più allegre e spunta fuori un giovanotto:

In questi ultimi giorni ho ricevuto una visita davvero gradita. È venuto uno sloveno di Gorizia che mi ha regalato qualche ora lieta e interessante. Suo padre è anche lui sistemato in un paese qua vicino. Il giovanotto – alto biondo occhi azzurri – e sua madre gli facevano compagnia. Mi ha detto di aver saputo che c'era qui un ragazzo di Bolzano e voleva conoscerlo. Mi è venuto da ridere e gli ho risposto che purtroppo non ci posso fare niente se invece sono una ragazza!
Non sembrava particolarmente irritato. Parla molto bene il tedesco e anche l'italiano, è stato a Vienna, a Monaco e suo padre ha studiato a Graz. Ci siamo capiti al volo, abbiamo chiacchierato del più e del meno, ci siamo scambiati le novità di cui siamo al corrente. Gli ho prestato la Bibbia illustrata per suo padre e lui mi porterà un libro, tedesco naturalmente. Così a volte anche qui arriva un raggio di luce a rischiarare il buio. Poi, ci sarebbe ancora qualcosa, ma non ve la rivelo ancora, lo farò più tardi.

Purtroppo, se lo aveva rivelato, la lettera è andata perduta. In compenso, solo quattro giorni dopo arriva a casa una nuova missiva, breve ma vivace, in cui si capisce che pian piano Hella è rifiorita. Assieme, pare, al suo stomaco, dopo che ha cominciato a cucinare personalmente cibi più vicini alle sue abitudini:

4 agosto 1938

Miei amatissimi genitori,
adesso sono una donnina di casa con tutte le

preoccupazioni di economia domestica, cucio e rammendo, mi sento benissimo. C'è più varietà, i giorni passano in fretta... in un baleno. Che gioia mi ha dato il pacco di ieri e che sorpresa! [...] È bello non venire dimenticati, quando la fedeltà supera le montagne e non permette di perdersi d'animo a chi è costretto a stare tra estranei.
Di salute sto di nuovo proprio bene, con il cibo di casa lo stomaco è andato a posto, e adesso di notte dormo come un ghiro. Quando vado a passeggio ho sempre il mio codazzo di ammiratori e spesso mi viene da ridere: stuoli di studenti mi stanno alle calcagna e mi sussurrano di tutto; altri si accontentano di fissarmi e lanciarmi occhiate ardenti che mi trafiggono come frecce. Ma non mi feriscono affatto! Tutto quello che faccio desta stupore e ammirazione, per loro vengo da un altro mondo.

L'attenzione dei giovani uomini locali non finisce con l'estate. Mesi più tardi, il 14 novembre, Hella racconterà alla sorella Elsa, non certo alla madre, un altro aneddoto divertente che la dice lunga sulla sua civetteria:

Anche qui il tempo è cambiato di nuovo ed è tornato a splendere su noi poveri mortali un sole caldo che fa sì che la gente non se ne stia in casa, ma esca all'aria aperta. Recentemente, mentre tornavo dalla campagna con la figlia sposata dei miei padroni di casa, ci si è fatta incontro una motocicletta e l'uomo alla guida,

un cinquantenne, ha gridato, quando eravamo ancora un po' lontane: «Oh, guardate che bellezza!». Ci sono poi passati accanto andando piano, entrambi con il capo voltato verso di noi. Poi, non contenti, sono tornati indietro, mi hanno affiancato e quello più vecchio mi ha rivolto la parola dicendo: non dovevo essere così seria, il giovanotto dietro di lui era innamorato di me e quell'incontro era «destino». Noi due non abbiamo potuto far altro che ridere, Teresina portava un cesto sul capo e non riusciva nemmeno a guardarsi intorno. Hanno perfino cercato di sbarrarci la strada, ma per fortuna è sopraggiunta un'auto, hanno fatto dei segni ed è finito tutto. Il vecchio aveva il volto in fiamme come se avesse la febbre. Già: l'età non mette al riparo dal fare sciocchezze. Teresina dice che mi porta sempre volentieri con sé, perché ogni volta succede qualcosa di simile e per lei sono un sollievo.
Andar fuori da sola dal paese non sarebbe consigliabile per me. Qui gli uomini sono veri e propri diavoli. Ieri ho trascorso un pomeriggio piacevole con un avvocato e alcune altre persone. Abbiamo riso, soprattutto io, perché cercavano di non lasciarmi andar via. Non posso scendere in particolari perché porterebbe troppo lontano, ma credo che abbiano fatto una scommessa su come farmi perdere la testa. [...]
I ragazzi si lamentano, dicono che sono orgogliosa, che non rispetto chi porta i pantaloni, ma qui mi salutano persone che non ho mai visto e non so chi siano.

Hella comincia a ripensare alle frivolezze, si è un po' ripresa dall'esperienza del carcere. Sta tornando la giovane donna sana e curiosa che è:

> *Mille grazie per il denaro. Per favore, mamma, mandami il vestito verde scuro, perché ha le maniche lunghe e va bene per andare in chiesa, e 3-4 paia di calze bianche, che qui non se ne trovano. Mi raccomando, impacchetta bene la mia borsetta di rafia e la mia macchina fotografica.*

La principessina sudtirolese ha anche imparato a prendersi cura di se stessa, e la cosa le ha fatto bene:

> *Non mandare più denaro, adesso che sbrigo io le faccende domestiche non me ne serve molto. È arrivato anche il pane e il giorno dopo ho subito fatto gli Knödel con un finto brodo di carne, e ho anche invitato a mangiarli i padroni di casa, che non avevano mai visto niente di simile. Sono riusciti molto bene e sono piaciuti.*

A quanto pare, la socievole confinata fa in fretta delle amicizie in paese. E qui mi capita una cosa curiosa. Rientra in scena Giuseppe, l'impiegato conosciuto in Comune. Mi racconta che da bambino ha sentito parlare molto della giovane donna venuta dal Nord che viveva da reclusa a Castelluccio. Per sfuggire alla noia Hella aveva stretto amicizia con Rita Lauria, di dieci anni più grande, sposata con il signor Conte. Rita abitava nei pressi del Palazzo Marchesale, la dimora dei marchesi di

Pescara, che sorge al centro del paese, a due passi dalla chiesa dove Hella andava a messa. Come racconta lei stessa alla madre:

> *Passo gran parte del mio tempo con la famiglia C. Ho visto come portano l'uva in cantina e pestano i grappoli con i piedi. Vado con la signora a raccogliere i fichi (e non ne ho mai mangiati così tanti in vita mia), oppure me ne sto seduta con loro accanto al camino, a fare le caldarroste e a raccontare di quei giorni che sono passati così in fretta.*

Lo stesso giorno, scrive alla sorella Elsa:

> *Molto spesso trascorro l'intero pomeriggio, fino alle 8, dalla fam. Conte che mi rimpinza sempre di ogni sorta di buone cose. Sovente ciò causa gelosia perché preferisco loro, ma la mia padrona di casa non la posso sopportare, non tollero i suoi modi di fare invadenti e la sua falsità. Sto con loro la sera ogni morte di papa e mi sembra di avere a che fare con una strega. Vorrebbe che stessi con lei anche di giorno e mi chiama continuamente, ma trovo sempre una scusa per non farle quel piacere, perché quella zingara mi dà davvero il disgusto. Con sua figlia invece vado d'accordo e faccio sempre un salto a trovarla quando posso.*

Sono grata a questa donna, oggi defunta, che evidentemente ha alleviato il confino di Hella, tanto da diventare quasi un'amica di famiglia a distanza, visto che Rosa le manda i saluti. Il 14 novembre Hella scrive a Elsa: «La vostra foto formato cartolina è arrivata e qui si sono affezionati tutti a voi anche senza conoscervi di persona». E alla madre:

> *I saluti li ho trasmessi e dovrò mandarne ancora. La signora ha promesso a sant'Antonio, a cui qui sono tutti molto devoti, di fare il pane per i poveri e di far dire una messa per i defunti, se io potrò tornare presto a casa e il marito, tutti e due avevano le lacrime agli occhi, vuole offrire un banchetto! Se un giorno non passo da loro, si chiedono sempre: «Perché non viene?», e dicono che quando non mi faccio vedere il giorno sembra non finire mai. Devo essere qui, devo essere là: tutti vogliono avere il piacere della mia compagnia. Al povero camerata nel paese vicino, invece, le cose vanno male: non può frequentare nessuno, niente posta ecc. Gli ho fatto avere qualcosa da leggere, altrimenti non sa come far passare il tempo. Il podestà vorrebbe ordinare una macchina fotografica come la mia a Bolzano, tramite me. Gli piace molto, solo che non so che fare: devo ordinarne una da Knopp? Chiedigli se desidera venderne una qui, pagamento anticipato, naturalmente.*

Insomma, perfino il podestà fascista alla fine è stato ammaliato dalla vivace signorina sudtirolese. Sempre a caccia di elementi che completino il quadro già molto vivo di queste lettere, vado a casa di Giuseppe, che ha alcune fotografie di quegli anni. Provo una certa emozione quando me le mostra.

Altre meteore che hanno attraversato il tempo, messaggi in bottiglia che arrivano nelle mie mani come il diario di Rosa, come le lettere e le cartoline, il libro degli ospiti. Ma queste sono arrivate così lontano, e ritrovarle mi sembra una grande fortuna. In due delle vecchie immagini in bianco e nero riconosco Hella com'era in quei mesi di esilio del 1938. Porta un abito bianco con le maniche corte, di foggia molto semplice. Ha i capelli legati, il bel viso ovale è serio ma splende di salute nonostante il confino. Alla sua destra c'è un uomo in doppiopetto grigio. «Il marito di Rita» mi spiega Giuseppe. Ha i capelli neri, un naso prominente e fuma una sigaretta. Ad attirare la mia attenzione, però, è la donna alla sinistra di Hella. Probabilmente si è mossa al momento dello scatto, perché il volto risulta leggermente sfocato. Porta un elegante cappellino e un tailleur di ottimo taglio che devono essere stati assai fuori luogo in quello scenario campestre. Tipico: è la zia Berta!

È un nuovo elemento che si aggiunge a un'altra delle storie predilette tramandate nella mia famiglia da decenni: quella del viaggio di Berta ed Elsa a Castelluccio nell'ottobre del 1938. In gran segreto, ovviamente. Per ogni evenienza hanno preparato una storia da propinare alla polizia: se verranno fermate si spacceranno per due giornaliste tedesche che stanno preparando un servizio sull'Italia. Certo, non sarà facile spiegare perché le loro valigie sono piene di viveri, e persino nelle immancabili cappelliere di Berta trova posto qualche marmellata di lamponi e altri sapori di casa. Ma se capitasse inventeranno qualcosa. Una mattina, poco dopo le sei, sono salite sul primo treno con il biglietto solo per la prima tappa, da Ora a Bologna, perché in caso di controlli non vogliono rivelare la loro destinazione. Hanno raggiunto Roma nel pomeriggio, la mattina dopo sono ripartite per Salerno. Solo al terzo giorno sono arrivate a Castelluccio, un viaggio assai stancante: almeno quattro treni e almeno due con la sola terza classe, a guardare gli orari dell'epoca.

Berta ed Elsa si sono trattenute solo tre giorni. Era troppo pericoloso restare più a lungo. Hella non aveva certo il permesso di ricevere visite. Ma sappiamo della sua gioia nel rivedere le sorelle da una lettera a casa di poco tempo dopo:

15 ottobre 1938

Che sorpresa quando Elselein e Berta sono arrivate qui senza dirmelo! Non sapevo cosa fare dalla gioia. Non ho chiuso occhio per tutte e 3 le notti e di giorno ero così sovreccitata che nessuno poteva parlarmi senza che io scoppiassi in lacrime. Non sono stata in grado di scrivere una letterina da portare a casa, e staccarmi da loro è stato difficile. Adesso la mia cella è vuota e mi sento ancora sola, è passato tutto troppo in fretta, sono rimaste solo due giorni e mezzo. Entrambe non hanno trovato il posto così male e hanno subito familiarizzato con gli usi locali: Elsa non ha potuto trattenersi dal soffiare sul fuoco nel camino con una specie di lungo cannocchiale, e ho dovuto fare un disegno per immortalarla.

Entrambe poi hanno avuto l'onore di sedere sul mio incantevole vaso da notte, perché il gabinetto qui c'è solo nelle case molto eleganti!! Sotto la cucina c'è la stalla e i padroni di casa si servono di quella!
Sono solo contenta che dall'inizio di agosto cucino per conto mio, perché se aveste visto che cosa dovevo mandar giù prima... Ho di nuovo messo su peso, i vestiti mi sono tutti troppo stretti, è una vera croce. Le mie sorelline sostenevano che avrei esagerato nel descrivere le condizioni di qui. Io ho detto che sì, gli occhi ce li avrebbero anche, ma che per molte cose sono cieche e poi sapevano già tutto da me, sapevano com'era questo posto. Mentre io me l'ero immaginato migliore, e non ho trovato nemmeno l'indispensabile. E poi, se anche trovassi qualcosa di bello, che cosa sarebbe in confronto a quello che mi circondava prima? Conosco solo una terra di cui preferisco ogni angolo, anche il più abbandonato e solitario, al più incantevole paradiso di qui. Naturalmente restare solo qualche giorno è molto interessante, se si trovano anche persone che ti aspettavano e si sa già come stanno le cose; ma quando si è stranieri, soli e si deve prima cercare in giro tutto e non si sa cosa si nasconde dietro la maschera della gentilezza! Io purtroppo non riesco a vedere tutto incantato come don Chisciotte. Lui naturalmente crederebbe di camminare sui tappeti persiani, quando invece sprofonda fino alle ginocchia nel fango delle stradine, e per la sua Dulcinea gli piacerebbe un trono come il

mio vaso da notte. In una malga sulle nostre montagne sarei dieci volte più felice, ma tutto finirà un giorno, i poveri giovanotti mi fanno pena, anche loro hanno il cuore traboccante di nostalgia.

Adesso è sera tardi e per oggi smetto. Se riceverete queste due lettere, mettete un ! sulla cartolina/sul biglietto o in un angolo della lettera di risposta, per farmelo sapere.

Mi domando che cosa abbia spinto le due donne a lanciarsi in una simile avventura. All'epoca Berta abitava a molte centinaia di chilometri di distanza, a Vienna, una giovane madre con una figlia di soli due anni. Elsa di bambini ne aveva ben quattro, mia mamma Herlinde e tre maschi. E i tempi erano grami in Sudtirolo. La fatica di un viaggio simile per un soggiorno così breve è quasi insensata, per tacere dei gravi rischi. Eppure sono andate. A me sembra di riconoscere in quel gesto, oltre all'affetto di due sorelle, la mano di Rosa. L'idea di essere impotente le riusciva insopportabile. Non poteva certo andare di persona, ma aveva bisogno di far arrivare a Hella in qualche modo una carezza di conforto. Voleva capisse che stavano facendo di tutto per riportarla a casa. Probabilmente, voleva anche comunicarle le loro mosse, e non avrebbe potuto farlo per iscritto. Il post scriptum di Hella è chiaro, la censura fascista imperversava. Quasi meno pericoloso muoversi di persona.

I tentativi della famiglia per ottenere la grazia finora infatti non avevano avuto successo. Dalla quantità di documenti che riportano parere contrario alla liberazione di Hella si deduce che devono essere stati molti, e da diverse parti. Si era interessato alla sua causa l'alto clero locale, ma invano. I motivi delle autorità fasciste per mantenere le loro posizioni si leggono chiaramente in una lunga informativa dei carabinieri di Bolzano, del luglio 1938, sulle attività politiche della famiglia Rizzolli-Tiefenthaler:

> Un eventuale atto di clemenza in favore della Rizzolli costituirebbe un vero danno per la tranquillità politica di questa regione e darebbe la dimostrazione che effettivamente la Rizzolli gode di forti protezioni presso il governo del Reich e che della sua liberazione si sarebbe veramente interessato personalmente il Führer. Questo è quanto vanno da tempo dicendo i familiari, che attorno alla Elena vorrebbero creare l'aureola della martire.

Nell'agosto del 1938, Hella prende la faccenda nelle proprie mani e scrive al Duce. L'indirizzo sulla busta recita: «*A Sua Eccellenza Benito Mussolini, Duce del Fascismo, Roma*». È una lettera in cui sostiene di essere stata fraintesa dalle «*troppo zelanti Commissioni provinciali*» e si rimette alla generosità del dittatore per essere liberata. Ma in questo appello battuto a macchina su tre fogli protocollo mi sembra risuoni chiara una presa in giro:

Dagli interrogatori non è emerso altro che la ventenne imputata dà continue prove del suo carattere ingenuo, privo di qualsiasi infingimento, e questo carattere unito alla più florida salute dimostra che non può ella nutrire dei sentimenti antifascisti, data l'armonica funzione dei suoi organi e specie del fegato!

Il fegato? Con tanto di punto esclamativo? L'argomento è così assurdo che l'effetto comico è assicurato. Forse non per caso proprio questo passo è evidenziato a lato dal tratto deciso di una matita rossa. Mussolini? Più probabilmente, un funzionario. La conclusione, poi, gronda una retorica pseudo-fascista così pesante che posso quasi vedere Hella sorridere mentre scrive:

Restituitela Eccellenza all'affetto della sua famiglia straziata dal dolore, fate che possa dare vita alla vecchia madre, seconda vittima del processo, ammalata e in procinto di perdere la vita, fate che il vostro nome sia benedetto ed amato perché è sinonimo di giustizia e di pietà e non sarà mai ricordato dalla sottoscritta con l'angoscia del terrore.

Non sorprendentemente, non sarà questa lettera a sbloccare la situazione. Ma lo farà un altro messaggio, consegnato in circostanze ben più singolari.

A pochi giorni dalla sua avventura a Castelluccio, Berta è rientrata a Vienna. Viene a sapere che è atteso in visita ufficiale un personaggio importante: il ministro degli Esteri italiano, conte Galeazzo Ciano, genero del Duce. Ciano arriverà all'inizio di novembre 1938 per un vertice con il governo dell'Austria ora tedesca. E naturalmente come tutti i dignitari alloggerà all'hotel Imperial, proprio di fronte alla casa di Berta.

Non ci si può lasciar sfuggire l'occasione.

«Oskar, tocca a noi» dichiara Berta al marito avvocato una mattina al tavolo della colazione. Lui la guarda perplesso.

«Cosa pensi di fare? L'agenda di Ciano è parecchio piena, non credo di riuscire a farti ricevere.»

«Una lettera!» si illumina Berta. «Una supplica per la liberazione di Hella!»

Oskar annuisce ma non sembra convinto.

«Tu mi aiuterai, sei bravissimo in queste cose» incalza sua moglie, mettendogli una mano sul braccio con affetto. «Come se dovessi perorare una causa, no?»

«E a chi vorresti indirizzarla, questa supplica?» chiede lui, ma ha già capito.

«Al Duce, ovviamente!» Gli occhi di Berta brillano di ostilità per l'uomo che tiene tra le mani il destino di sua sorella. Ma anche di entusiasmo per la possibile via d'uscita.

L'indomani è già tutto pronto. Per l'intera giornata Berta sorveglia dalle finestre il sontuoso ingresso dell'hotel Imperial, per vedere arrivare il seguito ufficiale del ministro italiano. Ha studiato il da farsi con Oskar, che le ha consigliato di comprare la complicità del concierge con una lauta mancia. Basta affidare a lui la lettera per il ministro italiano, che a sua volta la recapiterà al Duce. A Berta, però, sembra rischioso: come essere certi che la busta arriverà davvero nelle mani di Ciano? La posta in gioco è altissima, troppo per affidarsi a un servitore venale. Sarebbe da vigliacchi e Berta non lo è.

Ha già indosso un abito sobrio ma elegante che mette in risalto la sua figura sinuosa. Ora sceglie il cappotto più lussuoso, stretto da una cintura attorno alla vita sottile e con un morbido collo di zibellino che le accarezza il viso. Arriva a metà polpaccio e lascia scoperte le caviglie ben tornite negli stivaletti chiusi da piccoli bottoni. Si aggiusta sulla testa un cappellino all'ultima moda, inclinandolo in modo civettuolo su un orecchio, e si passa un po' di cipria sul viso. Si guarda allo specchio nell'ingresso ed esce. In un minuto coi suoi passi rapidi e leggeri ha attraversato la via e varca la porta dell'Imperial con un cenno ai portieri. Ha fortuna: Ciano e i suoi sono ancora nell'atrio. Riconosce facilmente il ministro, dalle foto e dall'alta uniforme, ma per un attimo la quantità di camicie nere che lo circonda le fa mancare il cuore. Ma alza il mento, e va verso di lui.

«Signor conte! Vi scongiuro! Concedetemi una parola.» La sua voce alta e chiara sovrasta il brusio e fa cadere il silenzio. Tutti si voltano. Berta si sente come su un palcoscenico. E la parte che deve recitare è forse la più importante della sua vita.

Muove ancora due passi verso Ciano, fissandolo. Lascia che i grandi occhi azzurri le si riempiano di lacrime, Berta è sempre stata capace di piangere a comando, fin da bambina. Solo quel tanto da farli luccicare e renderli irresistibili, però. Ha conquistato qualche metro, ora può parlargli senza alzare la voce, ma il seguito comincia a chiudersi attorno al suo capo per allontanare l'intrusa. Lei non può fare niente, per un attimo la situazione è in bilico. Ma poi Ciano ferma i suoi sgherri con un gesto della mano. Va pazzo per le belle donne e Berta, con il suo italiano dal lieve accento straniero, è affascinante. Il conte si inchina: «Per servirvi, signora».

Berta tenta il tutto per tutto. «In privato, vi prego» dice. È una richiesta audace e sa benissimo che tutti sospetteranno un intrigo sentimentale. Probabilmente anche Ciano, all'inizio. Spera solo che la delusione non lo indisponga verso la sua richiesta.

Sulle labbra del conte, infatti, compare un mezzo sorriso. Con un gesto elegante le indica un salottino ai piedi dello scalone centrale, e si avvicina per porgerle il braccio. Un inserviente in livrea si affretta a precederli e due uomini della scorta li seguono, tenendosi però a distanza con discrezione. Berta, tutta sorrisi, scompare dietro la porta in compagnia del ministro degli Esteri italiano.

La ricostruzione dell'evento è mia, ma la storia della supplica della zia Berta è un'altra delle preferite di famiglia. Le versioni, per la verità, divergono leggermente: c'è chi dice che la lettera fu in effetti consegnata al concierge assieme alla mancia, chi che Berta addirittura si gettò piangente ai piedi del dignitario. Tutti concordano sul tono della missiva, veramente toccante.

Purtroppo, quel pezzo di carta è andato perduto. Ma ho recuperato altri documenti che mi danno la misura di quello che il fascino e l'audacia possono ottenere. Il primo è la copia di un telegramma datato 13 novembre 1938. Viene da Roma ed è indirizzato al procuratore di Trento.

> Il Duce dispone che la confinata politica Rizzolli Elena di Giacomo sia prosciolta. Punto.

L'intestazione del secondo documento dice: «Foglio di via». Porta la data del 18 novembre 1938 e la beneficiaria è Rizzolli Elena. Dopo sei mesi dal suo arrivo a Castelluccio, Hella ha il permesso di tornare a casa.

Più tardi Rosa annoterà nel suo diario:

Pinzon, 1939

Il 20 novembre 1938 nostra figlia minore Hella è tornata dal confino, e nessuno era più felice dei suoi genitori. Ma anche tutti gli abitanti del paese e dei dintorni erano raggianti di gioia. Nessun sacrificio è stato troppo grande per prepararle un'accoglienza davvero solenne. Alla stazione l'aspettavano alcune automobili, ed è stata accompagnata a casa con i cari parenti, la sorella e il cognato Deutsch. La nostra Stube sembrava un giardino fiorito e il tavolo era coperto di regali e prelibatezze. Il momento culminante è stato quello in cui madre e figlia hanno potuto stringersi e piangere l'una nelle braccia dell'altra. Tutti i presenti hanno dato sfogo alle lacrime: «La gioia condivisa è gioia doppia, il dolore condiviso è mezzo dolore».

I giovani hanno recitato dei bei versi ed erano davvero uno spettacolo incantevole, i grandi hanno cantato belle canzoni. Sì, in cielo e in patria ci s'incontra ancora!
Dopo il duro paglericcio Hella ha potuto di nuovo dormire nel suo morbido letto con le lenzuola bianche, e avere ancora accanto a sé le mani della mamma a benedirla. La cara Berta a Vienna non ha lasciato nulla di intentato e in effetti le ha fatto ottenere la libertà dopo solo dieci mesi, invece di cinque anni.
Che Dio ci liberi da questo male!

17

Notte e nebbia

Rosa ha consultato i medici del Kurhaus di Merano, che le hanno proposto un trattamento a base di acque radioattive. Il ritorno di Hella l'ha riempita di gioia, ma la battaglia per ottenerne il rilascio ha logorato le sue forze. La salute ne ha risentito, e i medici non sono stati troppo ottimisti: le proprietà curative delle acque del posto sono rinomate, però per il suo caso non potranno fare molto. Forse almeno nell'intellettuale e cosmopolita Merano riuscirà a distrarsi un po' dalle sue preoccupazioni, una cura migliore di molte medicine.

Rosa si lascia alle spalle il centro termale e si avvia verso la passeggiata che costeggia il torrente Passirio. È pensierosa e inquieta. L'idea della sofferenza fisica e della malattia non le fa paura. Ma se sta male, come potrà proteggere la sua famiglia? In lontananza, sul fianco della montagna, Castel Tirolo torreggia su Merano. Per secoli ha montato la guardia alle porte della provincia, ma le sue spesse mura non possono più arginare la marea dei pericoli che incombono.

Rosa si sente chiamare da una voce cortese e si volta. «Cara signora Rizzolli, che bella sorpresa!»

Impiega qualche istante a riconoscere l'uomo distinto che l'ha appena salutata, togliendosi il cappello e chinandosi a baciarle la mano.

«Signor Katz!» si illumina poi, riconoscendo uno dei sarti più in vista della città. «Mi scusi se non l'ho salutata, ero persa nei miei pensieri.»

«Niente di grave, spero» risponde l'altro con un sorriso stanco, rimettendosi il cappello. Sotto il soprabito di loden verde porta un completo di fine lana grigia dal taglio impeccabile. Al collo ha un cravattino di seta blu.

«Be', abbiamo avuto tempi migliori» osserva Rosa. «Lei lo sa anche meglio di me.»

Conosce Rudolf Katz da quando l'anno prima, nel 1937, ha aperto bottega nel centro di Merano e lei ha visitato il suo atelier. È stata perfino sul punto di ordinargli un abito, ma nel dubbio ha rinviato: il suo stile è un po' troppo moderno per lei. Ammira però il suo talento e la sua serietà. Ha sentito raccontare la storia: il signor Katz, tedesco di origini ebraiche, ha abbandonato la Germania per sfuggire ai soprusi nazisti. Come decine di perseguitati, ha scelto Merano, luogo di ritrovo e soggiorno di intellettuali, industriali, alta borghesia di tutta Europa.

«Sbaglio o viene dal Kurhaus?» Il signor Katz le dà il braccio e riprendono la passeggiata.

«Mi sono fatta visitare per un piccolo problema» si limita a dire Rosa. «E lei che cosa mi racconta?»

«Sto rincasando, ho preso un caffè con un parente che è appena arrivato dall'America.»

«Dall'America? Alle terme di Merano?» Rosa è incuriosita, l'America le sembra irraggiungibile.

Le risponde un silenzio così lungo che quasi si

sente a disagio. Getta un'occhiata di sbieco al profilo dell'uomo azzimato che le cammina accanto. È impassibile.

«Sarebbe un viaggio un po' lungo, per una cura termale, vero?» dice infine con voce strana. «No, non è venuto per le terme, signora. È venuto a dirmi di scappare finché posso.»

Rosa rimane interdetta e si ferma di scatto. È inutile far finta di non sapere di cosa parla Katz. «Siamo già arrivati a questo punto?» domanda a mezza voce.

Ha letto sui giornali che i fascisti, come i nazisti tre anni prima, hanno fatto dell'antisemitismo una legge. La stampa, sempre più assoggettata, decanta come progressi della civiltà le nuove discriminazioni ai danni degli ebrei. Tutto intorno a lei, perfino in casa sua a Pinzon, le persone discutono e si accapigliano. I pareri sono discordi: c'è chi approva e chi nutre riserve. Negli ultimi tempi la sua attenzione è stata monopolizzata dalla battaglia per la liberazione di Hella ed è così stanca che fa fatica a seguire tutto quello che succede. Ma gli articoli sui disordini della notte tra il 9 e il 10 novembre hanno spaventato anche lei.

Disordini antiebraici in Germania come rappresaglia per l'assassinio del diplomatico Vom Rath titolava il «Dolomiten» il 12 novembre. A quanto pareva, l'omicidio a Parigi del diplomatico nazista, da parte di un giovane ebreo polacco di nome Herschel Grynzspan, aveva scatenato nella notte tra il 9 e il 10 novembre manifestazioni di massa e violenze contro gli ebrei. Per fortuna Josef Goebbels, il ministro della Propaganda tedesco, aveva diramato subito un comunicato per fermare i disordini, non solo in tutta la Germania, ma anche in Austria. È questo che le ha fatto più male: Innsbruck, la sua Vienna, non vuole immaginarle come teatro di scontri simili. I familiari per fortuna stanno tutti bene, ma un'amica le ha scritto che molti, nella capitale austriaca, pensano che sarebbe meglio se gli ebrei se ne andassero. E ora ecco che il signor Katz le dice la stessa cosa. Ma a Merano certo non ci sono problemi, non ce ne sono stati neanche a Bolzano. La strada alberata sembra riempirsi all'improvviso di ombre.

«Giudichi lei stessa.» Rudolf toglie dalla borsa di cuoio dei fogli piegati. Rosa si ritrova sotto il naso la prima pagina di un quotidiano che non conosce. La testata è in inglese: «The New York Times».

«Questo, signora Rizzolli, è il più importante giornale americano, il numero dell'11 novembre – esattamente due settimane fa. C'è scritto che cosa è successo davvero in quei giorni. Quando i nostri giornali titolavano "disordini spontanei", e Goebbels parlava di azioni *giustificate e comprensibili*. Hanno assalito gli ebrei in ogni città, ne hanno uccisi a decine. Hanno saccheggiato i loro negozi, le loro case, appiccato il fuoco alle sinagoghe. Ne hanno rastrellati a migliaia per mandarli in campi di concentramento. Questi non sono disordini spontanei, è una caccia all'uomo!» Il sarto, normalmente così compunto, sembra un altro, il viso acceso di collera e paura.

«Ma perché?» Rosa fissa i grossi caratteri neri dei titoli, incomprensibili nella lingua straniera. Si rende conto che di fronte agli orrori che le racconta

Katz dovrebbe dire di più. Ma quella domanda le viene dal cuore.

Lui cerca di calmarsi, con un respiro profondo. La signora Rizzolli, come lui, non è più giovane e non vuole turbarla. Batte un colpetto confortante sulla mano appoggiata al suo braccio.

«Mia cara signora, non c'è una vera spiegazione. Ma per gli ebrei è così da secoli, mi creda. Il problema è che nessuno, qui da noi, sa nulla. La stampa è addomesticata dal regime: chi sa tace, perché è d'accordo o per vigliaccheria. Soltanto gli stranieri capiscono davvero che cosa sta succedendo nel Reich. Il mio parente mi ha portato questa pagina per convincermi.»

«Ma anche a Vienna è stato così terribile?» non riesce a impedirsi di chiedere Rosa.

Rudolf annuisce, il viso velato da un'indicibile tristezza: «A Vienna hanno bruciato le sinagoghe. E la polizia non ha difeso gli ebrei, anzi ha dato manforte agli assalitori».

«È orribile» dice Rosa con forza.

«Anche in Italia gli ebrei rischiano grosso.» Katz scuote la testa.

«Per via dei fascisti? Ho saputo delle nuove leggi che hanno promulgato. "Leggi per la difesa della razza" le chiamano, vero? È stato nei giorni in cui mia figlia era al confino, non ho letto bene» aggiunge quasi in tono di scusa.

Rudolf scuote la testa: «Non abbiamo più diritti. Chi è dipendente viene licenziato. Chi ha un'impresa o un'attività come la mia non può più lavorare. Le banche non ci fanno credito, ci è vietato perfino possedere beni di valore. Lo sa che adesso un ebreo non può neppure più sposare una non ebrea?».

«È vero quello che dicono? Che gli ebrei stranieri devono andarsene dall'Italia?» incalza Rosa.

«Verissimo. Hanno cominciato a farcelo capire due mesi fa, in settembre. Mussolini diceva sempre di non avere nulla contro di noi, ma ora ha dichiarato che gli ebrei non italiani hanno sei mesi per fare i bagagli e lasciare il Paese.»

«Ma lei è tedesco, e in Germania è la stessa cosa. Dove andrà?»

«Venderò il negozio e la casa. Ci rimetterò un sacco di soldi, probabilmente, ma non ho altra scelta.»

«Quel suo parente americano può aiutarla?» chiede Rosa. «Signor Katz, c'è qualcosa che posso fare?» Di fronte all'enormità della storia che il sarto le ha raccontato si sente impotente. Ma anche aiutare una sola persona sarebbe qualcosa, pensa.

Lui la guarda con uno stupore che le sembra quasi eccessivo. Poi scuote la testa.

«Non sa quanto mi fanno bene queste parole, Frau Rizzolli. Ma per ora non mi serve niente, grazie. Sono cinquant'anni che una parte della mia famiglia si è stabilita a New York. E il mio parente...» Rudolf si guarda rapidamente attorno: «Lui è membro di un'associazione che aiuta gli ebrei a lasciare l'Europa. In qualche modo faremo».

Tra i due scende il silenzio. Quell'ultimo incontro è finito. Rudolf Katz si solleva nuovamente il cappello e si congeda da Rosa. Lei gli tende la mano, e il sarto la tiene per qualche istante tra le sue. «Mi sento vecchio, sono stanco di scappare» le confida. «Se fosse soltanto per me, resterei qui. Mi affiderei alla misericordia di Dio. Ma ho una moglie, e i miei figli hanno solo vent'anni. Devo pensare a loro.»

Rosa lo guarda allontanarsi. Per lunghi minuti rimane lì, in piedi a fissare la corrente del Passirio. Si sente pervadere da una stanchezza sconfinata.

«Cos'altro deve ancora succedere?» si domanda, avviandosi verso la stazione di Merano.

L'incontro tra Rosa e il sarto Rudolf Katz è finzione narrativa, i fatti raccontati nel loro dialogo purtroppo no. Gli atti di violenza ai danni degli ebrei del 10 novembre 1938 passeranno alla storia con il nome di «notte dei cristalli», Kristallnacht. L'allusione è al lugubre fracasso dei vetri infranti che per ore ha riempito le strade delle città tedesche, mentre le squadracce naziste sfondavano vetrine e finestre. L'articolo del «Dolomiten» del 12 novembre, che Rosa potrebbe aver letto, cita come fonte il «Volksbote» del giorno 10. E recita:

In tutto il Paese si è scatenata una tempesta di odio antiebraico, e in quasi tutte le grandi città si sono tenute manifestazioni di massa contro gli ebrei.
Per le strade di Berlino si sono osservati grossi assembramenti già dopo la mezzanotte. Tra le 4 e le 5 antimeridiane hanno avuto inizio gli assalti più violenti ai danni degli edifici e dei negozi di proprietà di ebrei. Nella mattinata è divampato un incendio nella principale sinagoga della capitale tedesca, quella della Fasanenstrasse, e un secondo incendio nella nuova sinagoga di Prinzregentenstrasse, ancora più grande e spaziosa. Nove delle dodici sinagoghe

berlinesi sono state date alle fiamme. I vigili del fuoco sono dovuti intervenire per porre fine al dilagare degli incendi dolosi.
Le vetrine di alcuni negozi di proprietà di ebrei sono state distrutte. Le forze dell'ordine hanno dovuto arrestare in via precauzionale diversi ebrei, per proteggerli dalla furia della folla inferocita.
A Lipsia è stato incendiato un magazzino di sartoria di proprietà di un ebreo. Si è poi saputo che il fuoco è stato appiccato dal proprietario stesso, che sperava così di incassare i danni dell'assicurazione. L'uomo è stato arrestato, e soltanto il pronto intervento dei vigili del fuoco ha impedito all'incendio di propagarsi agli edifici vicini.
Anche in altre città tedesche, tra l'altro a Monaco e a Costanza, sono bruciate sinagoghe.
Alle ore 17:00 è stato diffuso il seguente appello del ministro della Propaganda, dottor Goebbels: «Questa notte la giusta e comprensibile indignazione del popolo tedesco nei confronti del vile sicario ebreo, macchiatosi dell'assassinio di un diplomatico tedesco a Parigi, ha trovato sfogo in vari modi. In molte città e in diversi centri del Reich si sono verificate azioni di rappresaglia contro edifici e negozi di proprietà di ebrei. Da oggi, però, l'intera popolazione ha l'ordine categorico di desistere immediatamente da ulteriori iniziative dimostrative di qualunque natura ai danni degli ebrei. La risposta definitiva all'attentato ebraico di Parigi giungerà per via di legge, sotto forma di speciali restrizioni imposte agli ebrei».

Una di queste restrizioni sarà il divieto di portare armi da fuoco, l'infrazione è punibile con vent'anni di carcere. Il giorno dopo, in una grande manifestazione antisemita sulle gradinate del circo Krone a Monaco, prenderà la parola davanti a cinquantamila persone il *Gauleiter* Adolf Wagner. Il discorso viene trasmesso mediante altoparlanti anche in una ventina di birrerie della città, stipate di gente. Riporta sempre il «Dolomiten» del 12 novembre:

> *Il discorso del Gauleiter bavarese è stato interrotto quasi in continuazione da urla e insulti all'indirizzo degli ebrei. Tutte le sue dichiarazioni, in compenso, sono state accolte da lunghe ovazioni, soprattutto quando il Gauleiter ha affermato che il popolo tedesco deve risolvere una volta per tutte il problema degli ebrei. [...] La lotta contro gli ebrei avrà fine soltanto con il loro definitivo annientamento, ha concluso il Gauleiter.*

Ho cercato anche l'articolo del corrispondente del «New York Times» a Berlino, Otto Tolischus. La Germania e l'Europa, scriveva il giornalista, non assistevano a simili manifestazioni di violenza dai tempi della rivoluzione bolscevica del 1917. Solo a distanza di molti anni sarebbe stato tentato un bilancio di quella furia devastatrice. Duecento sinagoghe date alle fiamme in tutta la Germania, migliaia di botteghe distrutte, un centinaio di ebrei uccisi e 30.000 arrestati e internati in campi di prigionia. Sarebbero poi stati man mano liberati, ma circa 2000 morirono per le percosse e le privazioni.

Quella tempesta omicida voluta da Hitler ha segnato un punto di svolta nella storia dell'antisemitismo tedesco: da quel momento la caccia agli ebrei sarebbe proseguita alla luce del sole, senza alcuna misura o ritegno. Anzi, sarebbe diventata la politica ufficiale e conclamata dello Stato nazista. I fatti di quelle giornate di novembre preludevano all'annientamento sistematico degli ebrei europei, che qualche anno più tardi sarebbe stato disposto dalle autorità del Reich. Lo sterminio programmato di un intero popolo. È facile oggi dirsi che i fatti parlavano chiaro, che era impossibile nutrire ancora illusioni sulla bestialità del regime hitleriano. Eppure i governi di tutto il mondo stavano mostrando la stessa cecità. Poche settimane prima, alla conferenza di Monaco, l'Europa aveva chiuso gli occhi sull'annessione dei Sudeti. Ora, il primo atto di una tragedia che culminerà nell'Olocausto lasciava indifferente l'opinione pubblica.

Sempre la prima pagina del «Dolomiten» del 12 novembre, accanto all'articolo sulle violenze in Germania e a uno che riportava i dettagli delle nuove Leggi per la difesa della razza, aggiungeva un trafiletto molto rivelatore: *Attenzione agli ebrei che si mimetizzano!*, era il titolo.

> *Riceviamo notizia da Roma che diversi negozianti e industriali ebrei stanno sostituendo le insegne delle loro attività con insegne nuove dal suono italiano, per camuffare la loro appartenenza alla razza ebraica, spesso servendosi di ariani poveri come prestanome. La stampa romana stigmatizza il comportamento degli elementi ariani che si prestano a questi turpi maneggi.*

Ho incontrato a Merano Federico Steinhaus, ex presidente della comunità ebraica cittadina. Suo padre Carlo, cartolaio viennese di origini boeme, aveva aperto bottega nella città termale nel 1908, ma nel 1939, proprio come Rudolf Katz, fu costretto a cessare l'attività. La licenza gli fu ritirata nel mese di giugno per decreto della giunta comunale fascista. Carlo Steinhaus fu internato in un campo di prigionia in provincia di Potenza e poi trasferito a Crotone nel 1943. Qui riuscì a fuggire, e si nascose in un villaggio di montagna fino alla fine della guerra.

Il presidente Steinhaus è la nostra guida d'eccezione nella mostra a Castel Tirolo che, in quest'estate 2012, commemora le vittime meranesi della persecuzione antisemita. Mentre lo seguo lungo i camminamenti di pietra e di legno che hanno resistito ai secoli, mi spiega che gli ebrei di Merano avevano capito subito, fin dalla promulgazione delle leggi razziali del 1938, che le autorità fasciste avrebbero reso loro la vita impossibile. Eppure la città, dove la prima sinagoga era stata inaugurata nel 1901, era considerata un'oasi di tolleranza. Merano era un centro di cure termali, di turismo, di villeggianti, dove esercitavano medici ebrei e circolava tutto l'anno una clientela internazionale. Da sempre vi abitava una nutrita comunità che aveva contribuito al successo e alla fama della cittadina, costruendo impianti e strutture turistiche per sfruttare le proprietà curative delle acque. Alla fine degli anni Trenta erano circa 900 gli ebrei di Merano, dottori, commercianti, un noto banchiere di nome Baderman, e albergatori nei cui fastosi esercizi si dava appuntamento l'intellighenzia culturale d'Europa.

Il primo avvertimento era giunto il 14 luglio 1938, quando l'organo ufficiale del regime, il «Giornale d'Italia», aveva pubblicato il *Manifesto della razza*, un documento in dieci punti firmato da scienziati italiani. Il principio numero 9 recitava: «Gli ebrei non appartengono alla razza italiana». Poi, in settembre, erano stati annunciati decreti antiebraici, in particolare il n° 1381, che disponeva l'espulsione degli ebrei non italiani. Gli «stranieri» avevano sei mesi per andarsene. Sei mesi che sarebbero diventati 48 ore in Sudtirolo ai primi del 1939, quando venne adottato un regolamento speciale.

Quell'improvvisa svolta colse di sorpresa una comunità con la quale la storia era sempre stata più clemente che altrove. La dinastia degli Asburgo si era mostrata tollerante nei confronti degli ebrei, molti dei quali erano caduti per l'imperatore ai tempi della Prima guerra mondiale. Anche il Regno d'Italia era un'oasi felice. Gli ebrei, circa 60.000 secondo il censimento dell'agosto 1938, erano perfettamente integrati nel tessuto sociale. Il numero di matrimoni interconfessionali era relativamente elevato.

Per gli ebrei di Merano le cose erano cambiate più che per altri correligionari, quando il nazionalsocialismo aveva iniziato a prendere piede in Germania e Hitler era salito al potere nel 1933. Gli statuti delle prime cellule filonaziste, mi spiega il presidente Steinhaus, «non prevedevano l'antisemitismo organizzato. L'ostilità contro gli ebrei era circoscritta a singoli casi individuali». La regione, tuttavia, si sarebbe rivelata terreno fertile per l'antisemitismo. Non ultimo perché la Chiesa cattolica, al cui interno operava una fronda antigiudaica, era da sempre l'istituzione più influente in Sudtirolo. Steinhaus mi conferma inoltre che era stata una combinazione di fattori come l'antifascismo, la nostalgia per l'Impero austroungarico e un certo nazionalismo germanico a coinvolgere la popolazione nell'ideologia nazista. «La popolazione non ha subito preso coscienza della dimensione antisemita del nazismo, e lo ha assimilato in blocco. Non è stato l'antisemitismo a indurre la popolazione ad avvicinarsi al nazismo, ma viceversa: l'antisemitismo è stato una conseguenza. Resta il fatto che la popolazione locale è stata complice, e dopo l'armistizio dell'8 settembre 1943 alcuni hanno collaborato attivamente alle deportazioni.»

Furono un centinaio gli ebrei deportati dalla regione Trentino-Alto Adige, la metà morti in campi di concentramento. Tredici furono uccisi nel «campo di transito» di Bolzano, attivo dall'estate del 1944 fino alla fine della guerra.

18

Strappati dalla Heimat

Il rombo di una motocicletta rompe la calma del pomeriggio, fa vibrare il cielo azzurro di aprile appena lavato da un temporale, e come al solito spaventa le galline.

«Hella! Vieni, andiamo!» Il giovane biondo suona il clacson con allegra impazienza.

Hella si precipita fuori casa reggendo con una mano le pieghe della gonna rosso scuro. Come vorrebbe poter indossare un paio di pantaloni, quando parte per quelle spedizioni con Walter. Sente dietro di sé i passi della madre.

«Torni presto, tesoro?»

«Ma certo, mamma.» Hella fa un cenno vago di saluto senza neanche voltarsi, e si sente un filo di insofferenza nella sua voce. Era tanto più serena e rispettosa, prima della sua brutta avventura nel sud d'Italia, riflette Rosa. La guarda raggiungere la moto in attesa sotto al tiglio. Walter dà gas e schizzano via lungo la strada per Neumarkt.

Rosa si siede sulla panca, un po' faticosamente. Ha sessantadue anni e ogni giorno porta nuove preoccupazioni. I mesi del confino di Hella hanno scavato altre rughe profonde sul suo viso, attorno alla bocca e agli occhi.

Le sembra che il clima politico che segna l'inizio del 1939, così frenetico e minaccioso, le stia portando via la sua famiglia. Prima Gusti, le cui idee politiche sono molto radicali, si è dovuta rifugiare a Graz, dove dal 1935 vive con Mariedl e Toni, tornando a casa solo molto saltuariamente. Poi Josef ha cominciato a farsi notare con i suoi discorsi contro i fascisti, e lei non riesce più a stare tranquilla quando non lo ha sotto gli occhi. Persino suo marito Jakob è entrato a far parte del VKS. Lei è perplessa. Riunire il Sudtirolo alla grande patria tedesca, far cessare le persecuzioni fasciste, è un nobile obiettivo. Ma non crede che allearsi con un partito di senza Dio sia una buona idea.

Dopo l'arresto di Hella, l'anno prima, la loro casa e tutte le loro proprietà sono state perquisite dai carabinieri, e tanto suo marito quanto suo figlio sono stati fermati più volte. Vale la pena fare una vita così? Hitler li ha già delusi una volta, secondo lei non ha veramente a cuore il destino dei sudtirolesi. Conosce altre donne che la pensano così.

«Mamma, devi smetterla di vivere nel passato» ripete sempre Hella, che è stata cittadina austroungarica soltanto fino ai due anni. «Il futuro è la Germania. Il Führer ci salverà.»

«Il Führer è passato col treno senza neanche salutarci» non può fare a meno di risponderle Rosa.

Le ansie maggiori gliele dà sempre lei, la figlia più piccola, che è tornata a casa ma è come se fosse ancora via. Passa tutto il giorno fuori. Spesso la viene a prendere questo Walter che, dice lei, è solo un amico. Ma ai suoi tempi non si scorrazzava così per le valli con una ragazza, se non si avevano intenzioni serie.

Mentre Rosa sospira seduta davanti a casa, Hella e Walter si sono fermati per una sosta tattica. Stanno proseguendo nel loro giro di propaganda politica presso le famiglie dei paesi più remoti, e prima di presentarsi al prossimo appuntamento devono consultarsi sulla strategia migliore.

È già passato un anno da quando, nel marzo 1938, un evento straordinario ha galvanizzato Hella e i suoi amici attivisti: l'Anschluss, l'annessione dell'Austria alla Germania.

Ora l'obiettivo è convincere quante più persone possibile a sostenere il VKS, riorganizzare e rafforzare la resistenza al fascismo in attesa degli sviluppi. Presto ci saranno, e saranno grossi.

«Questi contadini hanno un figlio grande, che deve partire militare» le ricorda Walter. «Di sicuro preferirebbe servire sotto la Wehrmacht che sotto gli italiani. A lui ci penso io.»

«Io parlo con la madre» annuisce Hella. Da quel primo incontro con Much Tutzer ha fatto molta strada. La sua parlantina e socievolezza sono assai utili alla causa. «Mi chiedono sempre tutti se il Führer annetterà l'Italia come ha fatto con l'Austria» aggiunge.

«A volte ho la tentazione di rispondere che lo farà, che a Berlino si stanno facendo piani.» Walter vede lo sguardo di rimprovero della ragazza e aggiunge in fretta: «È molto utile per dar coraggio alla gente».

«Ma non è vero» protesta Hella. «Hitler non rischierà mai l'alleanza con il Duce.» Certo, in molti casi sarebbe facile anche mentire. Tante delle famiglie che incontrano non hanno la radio, non leggono i giornali. Si può raccontare qualsiasi cosa. «Dobbiamo dir loro la verità» insiste Hella. «Spiegare cosa sta succedendo, e aiutarli a entrare nella nuova era.»

«Però a volte il fine giustifica i mezzi» dice Walter, strappando un filo d'erba e portandoselo alle labbra. Ne trae un breve suono lamentoso, come la promessa di una melodia.

«Non è una buona strategia. Le bugie vengono scoperte, e allora nessuno si fida più.» Hella scuote la testa. «Basterà spiegare che non siamo come l'Austria ma possiamo fare come la Saar, riunirci alla Germania con un referendum. E allora i fascisti dovranno andarsene.»

Walter cambia argomento. «L'altro giorno i carabinieri hanno beccato Karl con dei volantini. E l'hanno lasciato andare. Hanno solo sequestrato il materiale. Un tempo l'avrebbero spedito dritto in galera.»

«Dopo la visita del Führer le cose sono cambiate. Quel verme di Mussolini non vuole creare incidenti politici. Ma ha dato ordine ai podestà di tenerci d'occhio, a noi attivisti.»

Hella sa che continuano a sorvegliarla. Un amico le ha fatto avere una copia di un rapporto su di lei, inviato qualche mese prima dai carabinieri della Regia questura di Trento, che sarebbe ridicolo, se non la facesse infuriare.

13 dicembre 1938

Fino ad oggi la Rizzolli, col suo comportamento, non ha dato luogo a rimarchi.

Appena giunta a Montagna, ha visitato i propri parenti e le famiglie amiche. Ha avvicinato e ricevuto in casa persone del luogo, di sentimenti pangermanisti, senza aver provocato dimostrazioni di sorta.
Il 23 novembre, si è recata con la madre a Niclara (Cortaccia), per visitare la zia materna, Tiefenthaler Luisa in Tiefenbrunner, rientrando a Montagna in giornata.
Il 26 successivo si recò a Bolzano presso il dentista Grones, rientrando in sede alle ore 20 dello stesso giorno.
Uguale viaggio, e per lo stesso motivo, effettuò il 3 del mese corrente.

Il pensiero di essere continuamente seguita è fastidioso. Ma d'altro canto le dà una certa euforia sapere che può eludere i loro controlli. In questi anni ha imparato molto sull'arte della dissimulazione e della fuga. I fascisti possono sapere quante volte va dal dentista, ma non sanno a cosa servono davvero le sue visite di cortesia ai possidenti delle valli vicine. Non sanno quanto accese sono le discussioni politiche nella Stube di Pinzon. Non sanno che le gite con Walter sono tutt'altro che scampagnate romantiche.

«Non vuol dire che non dobbiamo stare attenti» la avverte il giovane.

«No, certo. Ma adesso devono stare attenti anche loro. Molto attenti.»

Pochi mesi dopo il padre di Hella, Jakob, viene arrestato. A un funerale, dicono, ha dichiarato che non porterebbe mai la bara di un fascista. È il 15 luglio 1939.

La storia del funerale circola da sempre in famiglia per spiegare perché, nell'estate del 1939, il mio bisnonno Jakob fu incarcerato. Ma cos'era successo in realtà? Per capirlo bisogna fare un passo indietro di qualche mese.

Nel maggio del 1939 viene siglato tra Italia e Germania il Patto d'acciaio, in cui tra l'altro il Terzo Reich si impegna ancora una volta a rispettare il confine del Brennero. Ora più che mai i buoni rapporti tra i due Paesi non possono rischiare di essere messi in crisi da una remota regione di montagna. Urge quindi una soluzione. L'ipotesi di cedere il Sudtirolo alla Germania chiaramente viene esclusa fin dall'inizio. E si ripensa a quello che Hitler ha chiesto a Mussolini, nella visita dell'anno precedente. Acconsentirebbe al trasferimento dei sudtirolesi «alloglotti» nei territori del Reich?

Anche questa volta risulta subito evidente che né Hitler né Mussolini hanno intenzione di consultare i diretti interessati. Non viene loro data alcuna possibilità di partecipare alle trattative che li riguardano. E prende forma un piano destinato a dilaniare il popolo sudtirolese per generazioni.

L'idea è in astratto semplice, in realtà terribile: diventerà nota come «opzione». I cittadini di etnia tedesca e ladina della provincia dovranno scegliere se rimanere, e rinunciare a qualsiasi tutela per la loro minoranza, oppure trasferirsi nel Reich e ricominciare lì una nuova vita. Per i due governi in questo momento sembra la quadratura del cerchio: l'Italia si libera di un'opposizione interna che non riesce a gestire, e la Germania acquisisce forze nuove. Soprattutto per la guerra, che Hitler sta pianificando da diversi anni e che ormai sa essere imminente.

Si tratta di una proposta mostruosa. Restare e rinunciare alla propria cultura, abbracciando proprio quell'Italia contro cui da anni si combatte? Oppure andarsene e separarsi dalla propria terra e da tutti i propri averi, per affrontare un destino sconosciuto in una nuova patria? Rinunciare al passato, o ipotecare il futuro?

Il 23 giugno le delegazioni italiana e tedesca raggiungono un accordo formale. Che prevede, in sintesi: 1) il trasferimento coatto dei circa 10.000 cittadini del Reich, ed ex austriaci divenuti tali dopo l'Anschluss, dimoranti in Alto Adige, domiciliati o senza permesso di soggiorno; 2) l'opzione volontaria dei cittadini italiani di lingua e di razza tedesca per l'acquisto della cittadinanza germanica, la perdita di quella italiana e il trasferimento nel Reich; 3) misure legislative e amministrative per facilitare e rendere più rapide le procedure; 4) misure economiche adeguate per risarcire i proprietari di beni immobili che si trasferivano nel Reich; 5) l'istituzione a Monaco di Baviera di un ufficio competente al rilascio, con procedure abbreviate, della cittadinanza germanica; 6) l'apertura a Bolzano di un Ufficio tedesco per l'immigrazione e rimpatrio nel Reich, Amtliche Deutsche Ein und Rückwanderungsstelle (A.D.E.u.R.St.) con sedi staccate a Merano, Bressanone, Vipiteno e Brunico; 7) l'affidamento degli studi, per l'applicazione pratica degli accordi, al conte Magistrati dell'Ambasciata italiana a Berlino e all'SS-Obergruppenführer Ulrich Greifelt in Germania, e al prefetto di Bolzano Giuseppe Mastromattei e al console generale Otto Bene in Italia.

Nel luglio del 1939, quando Jakob viene arrestato, la notizia di questa proposta si è sparsa da poco. Nelle case e nei negozi di sicuro non si parla d'altro, e la confusione è grande.

Negli atti giudiziari e negli interrogatori non viene menzionata alcuna dichiarazione di Jakob a un funerale, ma risulta che i fascisti lo accusarono di propaganda a favore delle opzioni. Scrive il podestà di Montan Otto Tommasini alla Prefettura di Trento, il 14 luglio, il giorno prima della cattura:

> Rizzolli Giacomo da Montagna, frazione Pinzone, padre della ex confinata Elena Rizzolli, da qualche giorno si aggira fra i "masi" presso gli agricoltori più abbienti, consigliandoli a vendere testè i loro beni e emigrare in Germania, asserendo che diversamente verranno trasferiti in altra regione del Regno. Tale attività genera un grave allarme nella popolazione.

Nella sua deposizione, Jakob rifiuta ogni addebito. Ammette di aver discusso l'argomento in un negozio di ottica di piazza delle Erbe, la cui proprietaria viene anch'ella interrogata. Ma nega di aver mai percorso la vallata per convincere i contadini a vendere i loro masi e trasferirsi in Germania. E di aver sostenuto che potrebbero essere costretti a cederli a un prezzo assai più basso del loro valore. «Escludo di avere detto che sarebbero potuti giungere nella zona eventuali profittatori o accaparratori» dichiara nel verbale.

L'accusa in effetti suona labile. Che bisogno aveva Jakob di mettere in guardia i suoi vicini dai «profittatori»? Tutti sanno che ci sono, sono molti, e fanno parte di una precisa strategia politica.

Da anni ormai è stata avviata in Sudtirolo quella che lo storico Claus Gatterer definirà una «colonizzazione in grande stile». I nuovi arrivati italiani hanno occupato le amministrazioni e i ruoli pubblici dirigenziali. Per non parlare delle aree industriali: quella di Bolzano è stata costruita a partire dal 1935. La sua creazione ha accresciuto non poco la presenza e le proprietà italiane in città. Ma le imprese sono estranee al tessuto economico locale, e i quadri dirigenti sono stati «importati» da altre province, come pure la forza lavoro, in gran parte dal Veneto. E i profitti, come accade a tutte le colonie, non vengono investiti in Sudtirolo ma finiscono altrove.

Ironia della sorte, tutto questo non è servito a creare una comunità italiana vera e propria. E non è bastato a radicare i nuovi venuti in un territorio che non è affatto facile da capire. Anche tantissimi contadini e proprietari terrieri sudtirolesi, schiacciati dalle tasse ed esclusi dai prestiti bancari, sono stati costretti a svendere i loro masi, e i nuovi padroni sono italiani. Ma bisogna conquistare l'anima di questa terra, prima di poterne mietere i frutti, e per una simile conquista un ventennio non basta di certo.

Sono passati infatti quasi vent'anni dall'ascesa del fascismo, e i risultati sono scoraggianti per il regime: le menti e i cuori dei sudtirolesi sono tutt'altro che italianizzati, le persecuzioni sono servite solo a renderli più uniti.

Jakob, più probabilmente, finisce in cella in quanto antifascista e possibile elemento sovversivo. In una situazione politica e sociale delicata non è sorprendente che il regime voglia toglierlo dalla circolazione, acquistando anche uno straordinario potere di ricatto sui suoi cari. Pochi giorni dopo l'arresto, viene portato nel carcere di Trento dove molti membri della mia famiglia ricordano di essere andati a trovarlo. A cominciare da mio zio Hubert che assieme a suo padre Franz gli portava spesso qualche leccornia da casa. Rosa non andava ogni settimana, come si deduce da questa lettera, un po' sgrammaticata e molto tenera, che il marito le scrive dalla prigione:

Carissima Madre,
durante i nostri quasi trentasette anni di matrimonio non siamo mai stati per così tanto tempo separati l'uno dall'altra come adesso, anche se in realtà la distanza è relativa. Quanto durerà ancora? Non lo sappiamo. I giorni passano, come pure le settimane e i mesi. Questo mese però non mi posso assolutamente dimenticare che il 30 agosto è l'onomastico della mia cara moglie Rosa, davvero non me lo posso dimenticare. Perciò mia cara moglie, vieni qui, sono seduto sul paglierìccio. Ti accoglierò con baci

focosi e con affetto, per augurarti qualcosa che il futuro di certo porterà, cioè tanta, tantissima felicità. Te la meriti, vedrai che dopo questo periodo difficile le cose andranno meglio.
Vorrei aggiungere che penso alla povera Gusti, anche lei ha un suo onomastico, come pure Mariedl, Toni e i bambini: saluti dal nonno.
La cara Berta è ancora lì? Il giovane e orgoglioso Josef e Hella mi hanno fatto visita qui a «Schönbrunn», sono stato davvero contento.
Ho sentito che anche tu vorresti venire a trovarmi, ma non ti dar pena. Avresti delle difficoltà a venire, magari... Aspetta di stare meglio, va bene?
Sì, cara Madre ho fatto un po' di sogni...
Ancora saluti e baci affettuosi a te e ai bambini, vi prometto ci rivedremo presto,

Papà

Mi fa sorridere l'ironia con cui si riferisce alla prigione con il nome della residenza imperiale di Vienna, Schönbrunn. Ma soprattutto mi colpisce che, dopo trentasette anni di matrimonio, ancora le mandi «*heisse Küsse*». Mia madre ricorda che tra loro in pubblico si chiamavano «*Mutter*» e «*Vater*», madre e padre, ma evidentemente c'era anche molto calore nel loro rapporto. Era un matrimonio pieno d'amore, me lo hanno ripetuto tutti. E lo rimase fino alla fine.

Posso quindi capire la gioia di Rosa quando, la sera del 5 ottobre, bussano alla sua porta e sulla soglia c'è suo genero Franz. Con Jakob.

Scrive Hella a sua sorella il giorno dopo:

Carissima Gustl,
non ti puoi immaginare la nostra gioia: eravamo già a letto quando abbiamo sentito bussare lievemente alla porta, come solo papà può fare, e all'improvviso lui stava lì, bello dritto, davanti a noi. Franz lo aveva accompagnato e si potevano vedere lacrime di gioia negli occhi di tutti. Ci è voluto molto tempo, e poteva finire certo peggio, ma grazie a Dio lui è qui, a casa, da sua moglie e dai figli.
Lo aspetta un lavoro enorme, la vendemmia è dietro l'angolo e Josef ha avuto per alcuni giorni l'influenza.

Perché Jakob sia stato liberato non è chiaro, ma probabilmente con un'accusa così inconsistente non era possibile trattenerlo. In un documento della questura di qualche anno dopo, nel febbraio 1943, si legge che «il sovversivo in oggetto indicato ha serbato regolare condotta in genere in questi ultimi tempi e non ha dato luogo a rimarchi di sorta». È chiaro che Jakob, come tutta la famiglia Rizzolli, fu un sorvegliato speciale fino alla caduta del fascismo.

La storia del suo arresto è emblematica di un aspetto storicamente importante. I fascisti, nonostante il Duce avesse preso accordi con Hitler per l'espatrio di tutti i cosiddetti «alloglotti» sudtirolesi, in realtà non volevano che se ne andassero tutti. E cercavano di impedire la propaganda in tal senso, punendola persino con la prigione.

Perché?

19

Il patto col diavolo

Sul tavolo della colazione nella Stube di Pinzon, tra le tazze di caffè, le fette di pane nero e i barattoli di miele e marmellate, è appoggiato il giornale del mattino. In prima pagina su più colonne c'è una notizia che non sorprende più nessuno, ma annuncia per tutti l'ora della verità. Il 21 ottobre 1939 i negoziatori italiani e tedeschi, riuniti a Roma, hanno definito gli ultimi dettagli dell'accordo sul Sudtirolo. Gli abitanti della regione avranno tempo fino al 31 dicembre per decidersi: Germania o Italia, bisogna scegliere.

«Finalmente!» esclama Hella, entusiasta. «La Germania ci apre le braccia. Dobbiamo partire!»

Per lei è la fine del tempo dell'esilio e delle limitazioni che hanno segnato quasi tutta la sua vita. Basta preghiere per ottenere il passaporto, regolarmente rimbalzate dalle autorità fasciste: ora lei e i suoi potranno avere documenti tedeschi. Basta sotterfugi e paure. È la soluzione a tutti i problemi.

Jakob sorseggia il caffè e non dice nulla. Posa la tazza con un gesto misurato e aggiunge qualche goccia di latte caldo, senza distogliere lo sguardo dal quotidiano. Il suo cappello è posato sulla panca. Fuori lo attendono gli ultimi giorni di vendemmia.

«È la fine dell'incubo! È incredibile, ma ce l'abbiamo fatta» insiste Hella. Si aspettava più entusiasmo. Non riesce a spiegarsi la diffidenza che legge negli occhi del padre.

«Tesoro, non sappiamo nulla di quello che ci aspetta là fuori» risponde infine Jakob. Nella sua voce risuona tutta la perplessità verso un accordo che sembra l'ennesima presa in giro.

«Però che cosa ci aspetta qui lo sappiamo bene, no?» ribatte Hella, un po' sarcastica. «Non ti è bastata la prigione?» Jakob è tornato a casa solo due settimane prima. E continuano le perquisizioni in casa, i fermi di polizia, le diffide, i controlli? Qui non si può più vivere.

«Lo so, lo so!» Lui, sentendosi contrastato, alza la voce. «Ma non ho nessuna intenzione di abbandonare tutto, prima di sapere che cosa mi aspetta dall'altra parte!» È tentato di ricordare a sua figlia, così impaziente di fare fagotto, che Pinzon e le sue terre la nutrono e le danno rifugio da quando è nata.

Ma Hella conosce la risposta, la ripete da mesi nei suoi pellegrinaggi propagandistici: «Il Reich ha assicurato che ciascuno di noi, giunto in Germania, riceverà la stessa casa, gli stessi campi e le stesse vigne».

Rosa entra nella Stube seguendo le voci alterate dalla discussione. Quel battibecco la rattrista profondamente. I dolori allo stomaco hanno ricominciato a tormentarla, e le tensioni che regnano in famiglia la fanno sentire ancora peggio. Vorrebbe restare in silenzio, ma non può sopportare la venerazione cieca di sua figlia per Hitler. Il Führer ha appena dichiarato guerra alla Francia e all'Inghilterra. Le ostilità aperte non sono ancora cominciate, ma Rosa ricorda con angoscia l'inizio della Prima guerra mondiale. Sa quanto in fretta gli entusiasmi e le promesse di una facile vittoria sono stati annegati in un bagno di sangue.

«Tu ti fidi troppo di questo Hitler. È un miscredente» avverte per l'ennesima volta.

Hella, però, ha sempre la risposta pronta. «Milioni di tedeschi si fidano ciecamente di lui, non sono l'unica. È un predestinato, Dio è dalla sua parte e gli regalerà la vittoria.»

«Come puoi dire cose del genere, Hella?» ribatte Rosa, ma sa che è impossibile farla ragionare. Da anni ormai ha deciso in cosa credere. «Hai perso la testa. Hitler perseguita la Chiesa.»

«Mamma, se dai retta a tutto quello che si sente in giro...» Hella scuote la testa, con un po' di compassione. La mamma è proprio vecchia, non è colpa sua se non capisce. La sua voce si addolcisce e le tende la mano: «Queste sono persecuzioni immaginarie, è la stampa straniera che cerca di confonderci e dividerci. Noi invece da anni siamo oppressi davvero. Hanno incarcerato papà! E il prossimo potrebbe essere Josef...».

Suo fratello, finora, è rimasto in silenzio, assorto nel giornale. Ha parlato a lungo della questione delle opzioni con i suoi amici. Molti, praticamente tutti i possidenti come lui, sono della stessa opinione. «Sulle persecuzioni hai ragione, Hella» dice. «Ma due mesi per decidere sono davvero pochi. Perché tanta fretta?» chiede. «Vediamo prima che cosa fanno gli altri.»

«Che altri?» tuona Hella. Sa che Josef è dalla sua

parte ma è così posato e prudente. Troppo. Non è il momento di esitare.

«I nostri genitori. Gli amici. I vicini» elenca Josef. «Non vorrai partire da sola? Se fossero in tanti a decidere di restare, sarà meglio fare lo stesso. Bisogna essere uniti!»

Hella si sforza di rimanere calma. Deve mantenersi lucida e seguire il filo dell'argomentazione. Quella situazione è fin troppo familiare, i dubbi dei suoi sono quelli di tutti. Ha già avuto discussioni simili con degli sconosciuti. E se è riuscita a convincere loro, perché non la sua stessa famiglia? «E tu credi che basterà così poco per fermare i fascisti?» ribatte in tono persuasivo. «Quando decideranno di portarvi via la casa e spedirvi in Sicilia, non chiederanno il vostro permesso, statene certi.»

«Ma non possono mica spedirci in Sicilia tutti quanti.» Nella voce di Josef però si è insinuato il dubbio. «Se ci rifiutiamo di andarcene, capiranno una volta per tutte che non possono separarci dalla nostra Heimat. E allora...»

«Ma è proprio questo il punto!» interrompe Hella, che sente sotto i piedi un terreno più sicuro. «Optando in massa per la Germania manderemo ai fascisti un messaggio chiaro: vogliamo essere tedeschi. E allora vinceremo comunque. Se ci fanno partire, otterremo terre altrettanto belle nella nostra nuova patria. E se decidessero di farci restare, dovranno cedere il Sudtirolo al Reich!»

«Assurdità.» Jakob li ha ascoltati, ma gli sembra che nessuno dei due figli abbia le idee molto chiare. «Mussolini non rinuncerà mai all'accordo che ha firmato con Hitler, e che non prevede certo di regalare il Sudtirolo alla Germania. E Hitler ha altro a cui pensare, ora che la guerra è cominciata. Siamo l'ultimo dei suoi pensieri.»

«Forse hai ragione tu, papà» risponde Hella in tono conciliante. «Ma anche in questo caso, non credi sia meglio battersi al fianco dei nostri fratelli tedeschi? Se anche l'Italia entrasse in guerra, vorresti che tuo figlio vestisse la loro divisa, proprio tu che hai indossato quella dell'Impero? Uniamoci a Hitler, partecipiamo al suo trionfo, e a guerra finita ci sarà finalmente un futuro anche per noi!»

Vede che questo colpo è andato a segno. Jakob ha ancora nell'armadio l'uniforme della sua giovinezza. Josef ricorda l'umiliazione di aver dovuto servire sotto l'esercito italiano. Persino Rosa ha l'aria colpita.

«Ma non c'è alcuna garanzia. Chi ci dice che avremo in indennizzo altre terre così fertili dopo aver rinunciato alle nostre?» borbotta infine Jakob. «Ci faranno almeno vedere dove pensano di mandarci, prima?»

Hella sa che a questo punto ha vinto lei. «Ma certo che lo faranno» dichiara rassicurante. «Molto probabilmente ci manderanno in una regione della vecchia Austria» aggiunge con un'occhiata a sua madre. «Mamma, pensa, sarebbe come tornare a casa! Saremo di nuovo un unico popolo.» Si china sul tavolo, lo sguardo appassionato. Lei sa cosa è meglio per tutti, deve convincerli. «Mamma, papà, dopo vent'anni di fatiche avete diritto di invecchiare in una terra dove ci siano onore e libertà. Qui ormai è l'inferno, i Welschen ci sbattono in prigione quando gli fa comodo, lo hanno fatto con me e con papà e continueranno a farlo.»

Jakob prende tempo, sminuzza il tabacco biondo nel fornello della pipa, e la accende. Tira qualche boccata e si rigira il cappello nelle mani. La moglie si siede accanto a lui.

«Ma anche l'Austria ora appartiene al Reich, e il Reich è in guerra» dice Rosa con voce grave. Il suo sguardo è perso nel vuoto, sembra inseguire un'ombra che lei sola riesce a vedere. «Tu non sai cosa vuol dire la guerra, Hella» le dice in tono dolce. «E sei fortunata a non saperlo. Ma a quel tempo, quando sei nata tu, la nostra famiglia si è salvata perché è rimasta unita. Tutti insieme in questa casa che ci ha protetti.»

Hella le vuole bene ma quelle chiacchiere nostalgiche proprio non le sopporta. Quelli erano i suoi tempi, e ora sono cambiati. «Mamma, quella guerra l'abbiamo persa e gli italiani ci hanno portato via tutto» le ricorda con decisione. La loro zona, la Bassa Atesina, è stata la più colpita dall'accanimento dei fascisti. «Questa casa non è più il nostro rifugio, è la nostra prigione.»

Josef annuisce. Lui è il prossimo nell'elenco dei fascisti, di sicuro. Vogliono spaventarli e piegarli e li colpiranno uno per uno. «Se scegliamo di andarcene, però, dobbiamo farlo tutti insieme» ribadisce.

«Ma certo! Sono d'accordissimo. Dobbiamo optare per la Germania tutti quanti, restare uniti.» Hella batte un pugno sul tavolo, proprio come un uomo, pensa sua madre con disapprovazione.

Rosa azzarda un'ultima preghiera: «Io sono nata e cresciuta qui. Non voglio andare a morire in un altro Paese». Jakob sente la tristezza nella sua voce e le posa una mano sulla spalla, protettivo.

«Non prenderemo decisioni affrettate. Non preoccuparti, ora» le dice.

«Ma chi parla di morire?» esclama Hella con una punta di esasperazione. «Qui si parla di vivere, del nostro futuro.»

Jakob si alza da tavola e si calca il cappello in testa. Non può più restare, i vigneti lo attendono, ma soprattutto ha bisogno di respirare la pace della natura, di calpestare la terra soffice dei suoi campi.

«Ne parleremo ancora» decreta. «Se i ragazzi sceglieranno di partire, però, non potremo fare molto per trattenerli» aggiunge rivolto a Rosa.

«E se tutti gli altri decidono di andarsene, noi non resteremo certo qui da soli» aggiunge Josef alzandosi per seguire suo padre.

Rosa abbassa lo sguardo, piena di stanchezza: «Siamo nelle mani di Dio».

Anche Hella si alza, non riesce a stare ferma. Sa che da oggi in avanti la battaglia per il futuro della sua terra sarà ancora più intensa. Deve uscire, convincere quante più persone possibile.

«Non dovete avere paura» dice. «Vivremo tutti molto meglio in un Paese dove si può camminare a testa alta.»

Si precipita alla porta e la apre per suo padre e suo fratello, aggiungendo: «Bisogna andare presto in Comune a ritirare il modulo da firmare. Il tempo dell'umiliazione è finito!».

Nello stesso giorno e in quelli che seguono, discussioni simili si svolgono in tutte le case sudtirolesi. E col passare delle settimane diventeranno sempre più accese, fino a separare i genitori dai figli, i fratelli tra loro, dilaniando le famiglie.

All'indomani della firma dell'accordo del 21 ottobre, infatti, comincia la deriva che spezzerà il popolo sudtirolese in due fazioni inconciliabili. Da una parte gli «*Optanten*», «optanti», coloro che decidono «formalmente ed irrevocabilmente, per sé ed i suoi familiari qui appresso indicati, di voler assumere la cittadinanza germanica e di volersi trasferire nel Reich», come sarà scritto nel modulo arancione di opzione distribuito alla cittadinanza. Dall'altra i «*Dableiber*», «coloro che restano», e consegnano il modulo bianco in cui dichiarano, sempre senza possibilità di revoca, «di voler conservare la cittadinanza italiana». Negli anni successivi questa separazione si aggraverà e si approfondirà, assumendo quasi le caratteristiche di una guerra civile.

Quando a maggio 1939 si comincia a parlare di trasferimenti il VKS, come il Deutscher Verband, è contrario all'emigrazione. Significherebbe perdere terra tedesca e tradire il principio di «*Einheit von Blut und Boden*», l'unità di sangue e suolo. I capi di entrambe le formazioni politiche tentano di ottenere udienza da Himmler ma il gerarca nazista, così come Hitler, rifiuta di riceverli. In una riunione, VKS e DV decidono di restare alla finestra e di pensare intanto a tranquillizzare la popolazione.

Ma a luglio, quando la notizia delle opzioni viene ufficializzata, il VKS ha già operato un inspiegabile voltafaccia. E dà avvio a un'intensa propaganda per convincere i sudtirolesi a votare per il trasferimento in Germania. Qui comincia il processo che porterà i movimenti politici a prendere posizioni diametralmente opposte con il DV, in particolare i cattolici con il canonico Michael Gamper, schierati a favore dei Dableiber.

La campagna del VKS gioca con intelligenza sulle paure e sulle aspirazioni dei sudtirolesi. Si fa credere, per quanto suoni assurdo, che potranno ricostruire tutti insieme la loro regione, uguale, spostandosi al di là del confine. Il Reich donerà a tutti una casa in un luogo quasi identico a quello di provenienza. Questo concetto, il cosiddetto «trasferimento chiuso», ha un forte potere di attrazione. Sul lato del timore, poi, si getta sul tavolo un'altra carta vincente: chi rimane, dicono, sarà trasferito in altre regioni d'Italia, a sud. Addirittura in Sicilia. È un pensiero terribile, ritrovarsi in un villaggio sperduto del meridione italiano: nessuno lo conosce, ma tutti lo considerano l'anticamera dell'inferno. È là che vengono mandati, per punizione, i confinati. Anche i più dubbiosi cominciano a cedere.

A questo punto, prima ancora che la notizia venga pubblicata sui giornali, il prefetto di Bolzano Mastromattei comincia a sentirsi inquieto. All'inizio era convinto che avrebbero votato per l'espatrio solo i fanatici e i nullatenenti, ma ora sente che la situazione gli sta sfuggendo di mano. Ed è preoccupato per due motivi. Questa fuga di massa non fa bene all'immagine internazionale dell'Italia fascista. Ma, soprattutto, la gestione di una simile impresa sul piano economico e organizzativo fa tremare le vene e i polsi. La «minaccia siciliana», che in estate è solo una voce tra le tante, in autunno preoccupa i funzionari del regime. Mastromattei smentisce. Dichiara che «l'opzione è totalmente su base volontaria e non ci saranno deportazioni». In un articolo che compare su «La Provincia di Bolzano» dell'8 ottobre 1939, *Serenità operosa*, illustra ancor più chiaramente il concetto: «Nessuno sarà obbligato a lasciare l'Alto Adige», e chi sceglierà di restare non sarà spostato in altre province.

Ma quale credibilità può avere Mastromattei, o qualunque altra figura del regime? I sudtirolesi ne subiscono gli abusi da quasi vent'anni, ora dovrebbero credere alle sue parole? No davvero. Anche perché lui stesso peggiora le cose riferendosi a chi resta, i Dableiber, come a coloro che sono rimasti «fedeli allo Stato fascista». Dunque, conclude la popolazione, non esiste l'opzione di rimanere a casa ed essere tedeschi: chi resta dovrà essere assimilato. Italiano, e in camicia nera.

Tra l'altro, la smentita ufficiale di Mastromattei arriva troppo tardi in un'epoca in cui, a parte la popolazione alfabetizzata, le informazioni circolano principalmente attraverso il passaparola. È così che riescono a diffondersi, e a fare danni, moltissime voci, dicerie e falsità sui reali termini di una questione tanto decisiva. Ed è per questo che vincerà chi dispone della macchina di propaganda più efficiente. Per tacere delle intimidazioni, che nei mesi e negli anni successivi non mancheranno. Si comincerà con gli insulti ai Dableiber per poi passare ai pestaggi, ai boicottaggi dei negozi, agli incendi dei masi.

Alla fine di ottobre comincia la vera battaglia. Il 26 «La Provincia di Bolzano» dedica tutta la prima pagina a «Le norme per il rimpatrio dei cittadini tedeschi e per l'emigrazione di allogeni tedeschi dall'Alto Adige in Germania». Il comunicato, firmato dal prefetto Mastromattei e dal console generale a Milano Otto Bene, recita che «entro il 31 dicembre tutti i nativi e originari dell'Alto Adige dovranno, dunque, in modo inequivocabile ed irrevocabile, decidersi secondo libera coscienza se rimanere italiani, fratelli fra fratelli con gli altri cittadini del Regno, o diventare cittadini germanici per intimi radicati sentimenti ed emigrare conseguentemente in Germania, ove troveranno tutti insieme pieno riconoscimento morale e degna e conveniente sistemazione economica». Nello stesso numero del quotidiano, si riporta in sintesi il commento dell'«Osservatore romano» che giudica l'accordo «un esempio di equità su un problema tutto proprio dei giorni nostri e che non ha nella storia precedenti».

Hanno diritto di voto i capofamiglia, che decidono per i figli minorenni e per le mogli. Le donne possono pronunciarsi autonomamente, se maggiorenni, non sposate e possidenti. Chi non consegna alcuna scheda, automaticamente, resterà italiano. Possono votare solo i cittadini di etnia tedesca e ladina, ma sono gli stessi votanti a dichiarare la propria appartenenza. Dunque un italiano può dichiararsi tedesco e andarsene in Germania. Chiaramente, per emigrare nel Reich occorre essere «di pura razza ariana» e anche questo va dimostrato, producendo i certificati di nascita e matrimonio dei propri antenati. Il tutto confluisce in un libretto chiamato *Ahnenpass*, passaporto genealogico, che in Germania è utilizzato fin dal 1933 e necessario per poter accedere a posti nella pubblica amministrazione. Il livello di dettaglio della ricerca non è lo stesso per tutti, dipende probabilmente dalle aspettative dei singoli.

Quello di mia madre, compilato dai suoi genitori, risale indietro fino ai bisnonni. Quello di Hella, che forse pensava di fare carriera politica nel Reich, va ben più indietro: gli ultimi antenati citati sono nati nel 1645.

È importante ricordare che non si tratta di un voto come quello elettorale, in cui ci si esprime tutti insieme in una consultazione di uno o due giorni. Quello delle opzioni è un lungo processo di discussioni e scelte. Si può decidere per la Germania e poi scoprire, la settimana seguente, che il vicino o il parente hanno scelto di restare, e pentirsi. Si passano giorni e giorni a mettersi d'accordo per darsi coraggio a vicenda e optare compatti. Si finisce persino con l'optare per sbaglio, per mancanza di informazioni precise, per un equivoco sulla posizione di qualche familiare.

Il termine per la consegna dei moduli compilati è il 31 dicembre 1939, tranne che per i sacerdoti per i quali sarà prorogato fino al 30 giugno 1940. Il termine per l'espatrio, che inizialmente deve avvenire entro il 31 dicembre 1942, verrà poi prorogato. Ma per allora le cose saranno radicalmente cambiate.

Il VKS intensifica le pressioni perché la popolazione voti unita a favore del Reich. Il Deutscher Verband ritiene invece che le due dittature, quella fascista e quella nazista, stiano per cadere e invita alla pazienza, per evitare un pericoloso salto nel vuoto. Nello stesso giorno in cui Mastromattei prova a smentire la «leggenda siciliana», Michael Gamper scrive sul «Volksbote» un articolo in cui ricorda: «Attraverso gli usci, che solcano oggi i contadini, sono passati i nostri antenati e gli antenati dei nostri antenati e rappresentano carne della nostra carne, sangue del nostro sangue». Le sue parole hanno sicuramente un impatto sulla popolazione che però è spaventata: se tutti se ne vanno, cosa faremo qui da soli in balia dei fascisti? In particolare molti anziani vedono i figli determinati a partire e temono di essere abbandonati.

È importante ricordare il fattore tempo: stiamo parlando di due mesi, da fine ottobre a fine dicembre. In poco più di otto settimane si chiede ai sudtirolesi di prendere una decisione che, almeno sulla carta, cambierà completamente la loro vita e la storia della loro terra. Dopo generazioni passate in un maso, ci sono sessanta giorni per decidere se lasciarlo per sempre. Inoltre, questa scelta terribile deve essere fatta dal solo capofamiglia per la moglie e per tutti i figli minorenni. Infine c'è la responsabilità di convincere gli amici, le persone vicine che si vorrebbe portare con sé. E poi bisognerà pensare al trasloco, cercando di prevedere che cosa servirà e cosa no. Ma senza avere la più pallida idea del luogo in cui comincerà la nuova vita.

È il caos.

Dopo tante richieste di chiarimento, il primo a menzionare possibili destinazioni è il capo delle SS, Heinrich Himmler, referente ultimo del processo delle opzioni nel suo ruolo di commissario del Reich per il rafforzamento della Nazione germanica. Menziona la Galizia, dimenticando che proprio lì molti sudtirolesi hanno perso la vita durante il primo conflitto mondiale. È un punto a favore dei Dableiber, la cui propaganda commenta: «La Germania ci ha oggi promesso di darci la Galizia. Si dovrà vivere in baracche da cui sono stati cacciati i polacchi, e lavorare su campi per i quali i proprietari hanno combattuto insieme a donne e bambini». Negli anni successivi, man mano che la politica di Hitler e la guerra cambiano la situazione in Europa, verranno menzionate altre zone: la Borgogna, il sud della Carinzia e della Stiria, la Crimea.

Tutti cercano di capirci qualcosa ma è una vera impresa. La maggior parte dei parroci, per esempio, sceglierà di rimanere: il nazismo con la sua ideologia pagana non è amico della Chiesa, le persecuzioni contro i preti dissidenti, in Germania, sono all'ordine del giorno. Le posizioni comunque sono molteplici anche all'interno del clero: il vescovo di Bressanone, Johannes Geisler, dopo una finta neutralità sceglie di optare con la giustificazione che «il pastore segue il suo gregge». Sotto l'influenza di uno dei più accesi sostenitori della Germania, il vicario generale della diocesi Alois Pompanin.

I membri del VKS intanto vanno di casa in casa descrivendo il Reich come il paradiso terrestre, l'insediamento all'estero come la soluzione ideale, ricordando gli anni di persecuzione e giocando sulla voglia di tutti di liberarsi dal fascismo, in qualunque modo. Si discute moltissimo, si litiga, ci si logora e a parte qualche eccezione, la maggior parte in fondo non è convinta. Chi sceglie di optare spera che la guerra impedisca la partenza, chi decide di rimanere si chiede se non stia commettendo l'errore della sua vita. Tutti puntano sul fattore tempo. Alla fine partiranno circa in 70.000, la maggior parte nel 1940.

Incontro Leopold Steurer, stimato storico sudtirolese che si è occupato molto di quel tragico periodo, e mi spiega alcuni dettagli importanti. Per esempio, i ragazzi che sarebbero dovuti partire militari nell'odiato esercito italiano, o quelli che già si trovavano sul fronte africano, si affrettarono a optare per tornare a casa. I genitori, davanti alla prospettiva di perdere per sempre i loro figli, optavano a loro volta. Le donne erano molto più difficili da convincere: se avessero potuto esprimersi autonomamente anche le mogli, osserva Steurer, la percentuale degli optanti sarebbe stata sicuramente più bassa. Avevano vissuto un conflitto pochi anni prima, e non volevano trasferirsi in un Paese già in guerra, lasciando un'Italia ancora non belligerante. Tanto meno erano disposte ad abbandonare la loro casa e le proprietà.

Molte furono anche le cosiddette schede grigie: tedeschi che non votarono non perché volessero restare italiani, ma per protestare contro questa decisione che spaccava in due un popolo.

Il 31 dicembre 1939, giorno in cui si chiude il periodo concesso per la scelta, «La Provincia di Bolzano» riporta:

Ieri sera, in Bolzano (al Circolo ufficiali), ha avuto luogo un pranzo seguito da un ricevimento, al quale hanno preso parte, oltre tutti i rappresentanti della Delegazione germanica, il Sottosegretario di Stato all'Interno, i Prefetti e i Federali di Bolzano e Trento, nonché le auto-

> *rità civili e militari della Provincia. [...] All'ingresso, nella sala dei trattenimenti [...] l'orchestrina ha intonato gli inni germanici e italiani, salutati romanamente. Indi hanno avuto inizio le danze, che si sono protratte animatissime fino alla mezzanotte.*

È un'ultima serata di allegria per il regime fascista in Sudtirolo. Dopo questo turbinio di danze e saluti romani, all'inizio del 1940, saranno resi ufficiali i risultati, e sarà un grave smacco. Mastromattei aveva garantito al Duce un massimo del 50 per cento di optanti, mentre nella realtà saranno più dell'87 per cento. Certo, non si tratta di risultati scritti nella pietra. L'argomento rimarrà sempre controverso. Tanto per cominciare siamo all'inizio di una guerra mondiale. In secondo luogo, la convivenza di nazisti e fascisti dà luogo a una grande confusione burocratica.

Quel che è certo è che nel volgere di poche settimane Mastromattei perderà il posto. E che il contraccolpo propagandistico sarà devastante: ci stiamo ricomperando, si dice a Roma, un territorio nostro che abbiamo conquistato nella Prima guerra mondiale col sangue di 600.000 fanti morti. Con una migrazione così massiccia i costi da affrontare saranno spaventosi, proprio quando l'Italia si appresta a entrare in guerra.

Ma anche tra gli optanti non c'è allegria. Sta per aprirsi la stagione delle partenze. La parola d'ordine diventa: andarsene il più tardi possibile.

Rosa è ancora sveglia. È seduta al tavolo della Stube e mette ordine nelle sue carte, dividendole con cura. Di fronte a sé ha il diario. Ora non deve più temere le perquisizioni dei fascisti. Ma ha ben altri timori.

L'anno sta finendo, e il Natale appena trascorso potrebbe essere stato l'ultimo nella grande casa di Pinzon. La notte è calata da un pezzo e il freddo ha depositato sulle finestre una sottile patina di brina. I campi e i boschi sono coperti di neve. I rami gelati degli alberi si stagliano contro il cielo plumbeo come braccia scarnite di supplici.

La grossa stufa di ceramica presidia come sempre il suo angolo e la vecchia pendola segna i passi del tempo. Di quando in quando il silenzio è rotto dallo scricchiolio del legno vivo della casa. Ogni gradino di legno, ogni asse dell'impiantito ha una musica diversa da tutte le altre. Nella serenità della notte Rosa riconosce ognuna di quelle voci, che le si fanno intorno come per rassicurarla. Mentre legge e rilegge le carte che ha davanti.

Jakob ha optato per la Germania, come pure i loro figli e i parenti di Entiklar. Sono rimasti uniti. Ma a che prezzo? Josef ha insistito molto per andare tutti insieme a firmare. Per lui la cosa importantc è non separarsi: non solo la famiglia, ma tutti i sudtirolesi. Hella e Gusti sono entusiaste, nemmeno l'ombra di un dubbio turba la loro certezza che il Reich sia la Terra Promessa dove finalmente trionferà il Deutschtum, l'unità del popolo tedesco. Berta e Mariedl, dalla loro nuova patria, li hanno esortati a raggiungerle presto. Il futuro dei figli, si sono detti Rosa e Jakob, conta più del passato dei vecchi.

Rosa piega in quattro un documento dall'aspetto ufficiale e lo fa scivolare in una busta, dietro cui scrive: «Jakob». Il testo lo conosce a memoria. «In applicazione degli accordi italo-tedeschi [...] dichiaro che intendo [...] trasferirmi in Germania ed acquistare la cittadinanza germanica». Firmato: Jakob Rizzolli. La data, apposta con un timbro, è quella del 27 dicembre 1939. È la certificazione della richiesta di trasferimento che Jakob è andato a compilare al Comune di Montan. La presenza e la firma di Rosa non sono state necessarie. È bastata la parola di suo marito, e lei ne è lieta: non avrebbe mai potuto risolversi a tracciare il suo nome sotto le parole che la condannano all'esilio.

Rosa sceglie una penna e avvicina il calamaio. Scrive con mano ferma, gli occhi asciutti. I dolori terribili che le divorano i fianchi si sono calmati, come se la rassegnazione avesse dissolto anche loro. Appoggia la mano sulla copertina di pelle del suo diario, fa scorrere il pollice sul taglio delle pagine, che ha già cominciato a ingiallire. Le sfoglia rapidamente con un crepitio di vecchia carta. Da qualche parte lì in mezzo c'è quella che segna l'inizio di tutte le sventure: novembre 1918. Il grande strappo.

«E questa è la fine» si dice Rosa. La battaglia volge al termine, lei ne è uscita sconfitta e lo sa.

Apre il diario. Traccia la parola che ha dato senso a tutta la sua vita: «Pinzon». Poi la data dell'ultima catastrofe: 1939. E comincia a scrivere, lentamente, con amore, cullata dal fruscio della penna che scorre sulla carta come l'ultimo sospiro di un cuore spezzato.

La vigilia e il Natale sono trascorsi in un'atmosfera triste, e Stille Nacht *è risuonato con mestizia tra occhi colmi di lacrime.*
Dobbiamo abbandonare la nostra terra natia, la nostra amata, splendida Heimat, perché qui ormai devono restare solo Welschen e chi non si riconosce in questa nazione deve sparire entro due anni ed essere trasferito nel Reich.
Noi poveri sudtirolesi ci troviamo di fronte a un grave conflitto, dobbiamo offrire un sacrificio senza precedenti.
Ma siamo preparati al peggio, perché siamo tedeschi e vogliamo restarlo fino alla fine dei nostri giorni. I nostri genitori, nonni, bisnonni e trisnonni ci hanno insegnato il tedesco, e la scuola e la Chiesa hanno contribuito anch'esse a quest'opera. Così saluteremo per sempre il luogo dove siamo nati, dove riposano i nostri cari defunti. Portiamo con noi nella nuova patria, una patria in cui è ancora incerta la destinazione, tutto ciò che è sacro alla nostra memoria. Via dalla razza Welsche, che per vent'anni ci ha mentito e ingannato. Il Signore ci ha dato la forza di dichiararci tedeschi.

Es ist ein nettes Plätzchen auf der Welt, wo uns der Herrgott hat hingestellt.
Schon die Ahnen in uralter Zeit, bauten ihr Nest hier und haben sich gefreut.
Und waren auch nicht alle begütert und reich, Heimaterde ist immer so mild und so weich.
Schon das Glöcklein im Turm hat seinen eigenen Klang, hier bleib und arbeite Dein Leben lang.

So haben's die Alten als Erbstück vermacht und alles o sonnig für die Zukunft gedacht.
Doch die bösen Geister konnten das nicht sehen, alles was einst war soll jetzt vergehen!
Schnüre Dein Bündel und reise nur aus, hier kommen Andere und bewohnen Dein Haus.
Andreas Hofer, steig heraus aus Deinem Grab, es geht wieder um unser Gut und unser Hab.
Und wenn Tränen wie Bäche so rinnen, es kommt vom Volk in Südtirol drinnen!

È un bel posticino quello che il Signore ci ha dato su questa terra.
Già gli antenati in tempi remoti, costruirono qui il loro nido, contenti.
E anche se non erano tutti ricchi e benestanti, il suolo natio è sempre così dolce e soave.
Anche la campana della chiesa ha un suono tutto suo: qui resta, dice, e lavora per tutta la tua vita.
E i vecchi ce l'hanno lasciato in eredità pensando a un roseo futuro.
Ma gli spiriti malvagi non potevano capirlo e tutto quello che era un tempo ora deve finire.
Fai il tuo fagotto e parti, qui arriva altra gente e si prende la tua casa.
Andreas Hofer, vieni fuori dalla tomba, ne va ancora della nostra terra e dei nostri beni.
E se le lacrime scorrono a fiumi, è il popolo sudtirolese che piange!

Presto l'anno vecchio terminerà e siamo felici di lasciarci ancora una volta alle spalle molta sofferenza e sospiri. Mi meraviglio che non mi

abbiano ceduto i nervi, devo averli proprio d'acciaio. [...]
La cara chiesetta, la casa di Dio, mi ha dato la forza e la salute necessarie per affrontare la situazione. Così, ora, attenderò con pazienza cosa ci riserva il 1940.

L'ultima pagina di Rosa

Nel luglio del 1940 la malattia costringe Rosa a mettersi a letto nella sua casa di Pinzon. Non si alzerà più. Si spegne il 25 settembre, i medici non hanno potuto più fare nulla per lei. Nel frattempo, lontano da lì, l'Europa è sprofondata nella guerra. La Germania nazista ha aggredito l'Inghilterra, e la battaglia infuria nei cieli.

Mentre scrivo l'ultimo atto di questa storia, penso che mi sarebbe piaciuto trovarmi al capezzale di Rosa nei suoi ultimi istanti di vita. Le avrei tenuto la mano, avrei potuto ascoltarla. Sicuramente aveva ancora molte cose da dirmi. Ma ho potuto leggere solo le parole che aveva raccolto per tutta la vita, e che chiudendo gli occhi ha lasciato ai suoi discendenti. Mentre Dio la chiamava a sé, deve averla confortata la certezza che la sua voce le sarebbe sopravvissuta.

Rosa se ne è andata da sola, come sola si era battuta nell'Europa sconvolta degli anni tra le due guerre. Il marito tanto amato le ha dato quello che desiderava: il calore e l'impegno di una famiglia. Ma poi i suoi figli si sono lasciati trascinare via dalle onde turbinose della Storia. Soprattutto Hella. Rosa ha cercato di istruirli attingendo alla saggezza del passato, ma i giovani pensavano soltanto a immaginare un futuro. Se ne sono andati tutti, tranne il posato Josef, l'erede, e l'ironica e saggia Elsa, che le è rimasta vicina fino alla fine.

Rosa è morta perché non sapeva più come vivere in un mondo impazzito. Secondo la storia di famiglia a portarla via è stato un tumore al fegato. Aveva sofferto per tutta la vita di calcoli biliari, era di salute cagionevole. Eppure qualcosa mi dice che la verità è più complessa. Nel dicembre del 1939 Rosa aveva acconsentito ad abbandonare la sua Heimat. Sarebbe stata costretta a recidere con le sue stesse mani le radici che la tenevano ancorata alla sua terra natale. Ha preferito morire. Forse anche per non vedere la sua patria e l'Europa intera sprofondare in un nuovo conflitto, più terribile di quello della sua gioventù.

E così, alla fine è riuscita a restare nella sua casa di Pinzon. È sepolta accanto alla cappella della Vergine di Loreto, all'ombra del suo campanile, assieme al padre Johann, al suo amato Jakob, alla sua piccola Hella. Molti anziani, tra le case, i campi e i vigneti intorno a Pinzon, la ricordano ancora. Il Sudtirolo ha visto sfilare sulle sue alture le truppe italiane sconfitte, i nazisti vittoriosi e infine gli Alleati trionfanti. La famiglia Rizzolli-Tiefenthaler ha conservato le sue terre, nessuno di loro ha dovuto emigrare. Dei sudtirolesi che sono partiti con le opzioni, molti hanno fatto ritorno al termine delle ostilità, salvati dall'esilio quando l'Europa è stata liberata dall'incubo nazista.

Rosa ha chiuso gli occhi pensando che i suoi sogni fossero morti, ma in realtà erano solo sospesi. I suoi sogni vivono ancora, e la storia non è finita.

Le parole di questo libro

Termini specifici e sigle

Ahnenpass: letteralmente «passaporto genealogico», era un documento personale che certificava l'«identità ariana» e la «purezza del sangue» del titolare e conteneva una minuziosa descrizione del proprio albero genealogico. Questo certificato divenne necessario nella Germania nazista e anche per chi, durante le opzioni, aveva deciso di trasferirsi nel Reich.

Bassa Atesina: in tedesco Bozner Unterland o Südtiroler Unterland, è un territorio dell'Alto Adige che comprende la zona tra Branzoll e Salurn. È attraversata dal fiume Adige, dall'autostrada e dalla ferrovia del Brennero.

Deutscher Verband (DV): fu la novità politica in Sudtirolo nel periodo successivo alla Prima guerra mondiale, un'unione di due partiti, la Deutschfreiheitliche (liberal-nazionali) e la Tiroler Volkspartei (partito popolare tirolese). Non si trattò di una fusione tra i due partiti ma di una coalizione in cui entrambi mantennero la loro autonomia. Arrivò così a rappresentare la quasi totalità dei sudtirolesi, come fu confermato dalle elezioni del 1921. Tra i suoi leader ci furono personalità molto popolari nella provincia, tra cui il borgomastro di Bolzano Julius Perathoner, Friedrich Toggenburg, già ministro a Vienna, Eduard Reut-Nicolussi, già deputato all'Assemblea Nazionale austriaca e Wilhelm Walther, che sarà deputato a Roma dal 1921 al 1924.

Deutsche Volksgruppe Südtirol (DVS): fu un'organizzazione dalla vita brevissima, dal marzo del 1937 al novembre dello stesso anno. Fu il prodotto della collaborazione, per ordine di Berlino, del Deutscher Verband (DV) e del Völkischer Kampfring Südtirols (VKS). La rottura sarà quasi immediata: più moderato il primo, apertamente filonazista il secondo, si troveranno troppo divisi sulle questioni fondamentali per poter convivere.

Deutschtum: traducibile con «carattere tedesco» o «germanicità», è una parola connotata da un forte senso di appartenenza alla nazione tedesca. Verrà strumentalizzato dal nazismo in senso nazionalistico.

Gauleiter: era il titolo che designava il più alto rappresentante sul territorio del partito nazionalsocialista tedesco. Il Gauleiter si occupava di organizzare e far crescere il partito nella sua circoscrizione (detta Gau) e di rispondere alle richieste e ai bisogni dei cittadini. I Gauleiter venivano scelti personalmente da Hitler tra i sostenitori più fedeli, e rispondevano solo a lui. Costituirono il nucleo originario del Partito nazista e col tempo acquisirono sempre più autonomia.

Heimat: si può tradurre a grandi linee «patria», ma in realtà questa parola non ha un corrispettivo preciso in lingua italiana. Ha una spiccata connotazione affettiva che richiama il territorio dell'infanzia, della famiglia, degli affetti e della lingua d'origine. Il concetto di Heimat affonda le proprie radici nella questione identitaria del popolo tedesco fin dall'Ottocento, quando la nascente industrializzazione costrinse i contadini a trasferirsi nelle città, allontanandosi dalle proprie comunità d'origine.

Heimwehren: organizzazione paramilitare austriaca sorta negli anni Venti. Erano squadre di combattimento di cittadini armati contro i socialdemocratici. Si richiamavano ai principi dell'austrofascismo allontanandosi dalla democrazia e dal parlamentarismo. Ebbero il sostegno non solo politico ma anche economico di Mussolini.

Kaiser: è un titolo imperiale germanico, deriva dal titolo di «Cesare» (in latino Caesar) proprio degli imperatori romani. Fu utilizzato dai sovrani del Sacro Romano Impero, dell'Impero austriaco, di quello austroungarico e della monarchia tedesca Hohenzollern. I Kaiser più famosi furono Guglielmo II di Prussia e Francesco Giuseppe d'Austria-Ungheria.

Kaiserjäger: detti anche «cacciatori imperiali austriaci», erano un reparto di fanteria leggera dell'esercito imperiale austriaco, poi austroungarico.

Kaiserlich und Königlich («K und K»): letteralmente «imperiale e regio», era il prefisso di tutti gli apparati statali che facevano capo all'amministrazione pubblica austroungarica dal 1867 al 1918. Per esempio la Marina era denominata «kaiserliche und königliche Kriegsmarine» (abbreviata in «k.u.k. Kriegsmarine»).

Katakombenschulen: letteralmente «scuole delle catacombe», furono l'unica opportunità per i bambini del Sudtirolo di imparare il tedesco durante le repressioni fasciste. Erano scuole clandestine, che operarono con l'incubo delle perquisizioni e di pene severe per gli insegnanti. A soffrire per le persecuzioni fasciste della popolazione germanofona all'epoca delle Katakombenschulen, dal 1923 al 1939, fu soprattutto la Bassa Atesina.

Kreisleiter: erano i sottoposti dei Gauleiter, ai quali rispondevano direttamente e di cui erano il braccio operativo sul territorio.

Maso: è un'abitazione rurale tipica del Trentino-Alto Adige, che comprende anche una stalla e un fienile. Per «maso chiuso» si intende invece l'antica consuetudine di non dividere la proprietà tra gli eredi, ma di assegnarla al primogenito maschio allo scopo di non frazionare nel tempo i possedimenti di famiglia. È un istituto legale proprio del Tirolo ed è stato per secoli fortemente penalizzante nei confronti delle donne, fino al 2001, quando una legge ha sancito l'uguaglianza tra eredi maschi e femmine.

Nationalsozialistische Deutsche Arbeiterpartei (NSDAP): Partito nazionalsocialista dei lavoratori tedeschi, meglio conosciuto come Partito nazista.

Opzioni: secondo Hitler e Mussolini sarebbero state la soluzione al problema sudtirolese. Nell'ottobre del 1939 concordarono che ai sudtirolesi di lingua tedesca dovesse esser data un'opzione: potevano lasciare la patria dove avevano vissuto per circa milletrecento anni e «reinsediarsi» nel Reich oppure rimanere nella loro terra d'origine e rinunciare a ogni tutela per le proprie minoranze. La popolazione si divise tra «Optanten», chi scelse di partire, e «Dablaiber», chi decise di restare. Più dell'80 per cento del gruppo, circa 200.000 persone, optarono per lasciare il Paese, ma a causa dell'andamento della Seconda guerra mondiale solo 75.000 emigrarono e molti di loro fecero ritorno clandestinamente.

Schützen: detti anche «bersaglieri tirolesi», tra il XVI e il XX secolo sono stati un corpo paramilitare volontario formato da cittadini tirolesi e preposto alla difesa della regione. In continuità con la tradizione, esistono ancora e sono ben presenti sul territorio. Promuovono e tutelano gli usi e costumi locali e hanno funzioni di rappresentanza nel corso di eventi e manifestazioni.

SS-Obergruppenführer: grado delle Waffen-SS corrispondente nelle nostre forze armate a generale di corpo d'armata, ma che nelle Allgemeine SS e nella polizia poteva corrispondere a un altro incarico.

Stube: è una stanza tipica delle abitazioni rurali delle zone alpine del Trentino-Alto Adige e della Valtellina, diffusa anche in Austria e Germania. È completamente rivestita in legno e accoglie tradizionalmente la stufa di casa, da cui prende il nome.

Südtiroler Volkspartei (SVP): è un partito etnico e di raccolta, nella prassi politica di ispirazione cristiano-sociale, che fino a pochi anni fa rappresentava più dell'80 per cento della popolazione di lingua tedesca e ladina del Sudtirolo, mentre alle elezioni provinciali del 2008 è sceso al 65 per cento circa di rappresentanza etnica. Fondato nel maggio del 1945, rivendicò l'esercizio del diritto all'autodeterminazione, e in una seconda fase l'autonomia, per il Sudtirolo. Fino al 1964 era l'unico partito di lingua tedesca a livello provinciale e regionale. Sin dalle prime elezioni regionali del 1948 esprime il presidente della provincia autonoma di Bolzano, detiene la maggioranza assoluta di seggi nel consiglio provinciale ed è l'unico partito della minoranza tedesca rappresentato al Parlamento italiano ed europeo.

Völkischer Kampfring Südtirols (VKS): letteralmente «Fronte patriottico sudtirolese». Ha le sue origini in alcuni piccoli gruppi giovanili clandestini (che annoveravano molti studenti) sorti negli anni tra il 1928 e il 1933 e determinati a proteggere e a diffondere la cultura tedesca. Il partito venne fondato nel 1934 ed era in opposizione sia ai funzionari del Deutscher Verband, considerati troppo inclini al compromesso politico con il loro nemico, sia alle organizzazioni cattoliche, anch'esse reputate troppo accondiscendenti nei confronti dello Stato italiano. Anche se non si rifaceva esplicitamente al Partito nazista, ne condivideva il tipo di organizzazione gerarchica e i fondamenti del programma.

Welscher: nei Paesi di lingua tedesca designa il cittadino di nazionalità e lingua italiana, e dopo il fascismo ha assunto valore spregiativo. «Welschtirol» si usa semplicemente per definire il «Tirolo italiano», cioè il Trentino.

Cibi e prodotti tipici

Apfelstrudel: dolce da forno tipico del Tirolo e dell'Alto Adige a base di pasta sfoglia e mele, dalla forma allungata. La farcitura oltre alle mele comprende pinoli, uva sultanina, cannella e rum. Si mangia solitamente tiepido e con una spolverata di zucchero a velo.

Bratwurst: è una salsiccia composta da carni suine, bovine o – meno spesso – di vitello. Il nome in tedesco indica la modalità di preparazione: *braten* significa «arrostire». È spesso accompagnato con senape, ketchup o altre salse.

Gugelhupf: è uno dei dolci da forno tipici dell'Austria, Sudtirolo, Germania e Paesi dell'Est Europa, ma è diffuso e apprezzato anche in Italia. Ha la forma di una ciambella alta, con un impasto soffice contenente mandorle, uvetta e talvolta frutta candita. Viene aromatizzato con il Kirschwasser, l'acquavite di ciliegia locale. Si mangia di solito a colazione o durante la giornata con il caffè.

Knödel: in italiano canederli, sono grossi gnocchi composti da un impasto di pane raffermo, uova, latte, cipolle ed erbe. Sono un piatto tipico della cucina tedesca sud-orientale, austriaca, ceca, slovacca, polacca, trentina e altoatesina.

Schüttelbrot: letteralmente «pane scosso» poiché l'impasto viene tradizionalmente fatto a mano e sbattuto fino a ottenere una forma piatta, è un pane di segale speziato e dorato.

Weinsuppe: primo piatto tirolese, è una zuppa cremosa a base di vino, brodo di manzo, tuorlo d'uovo, panna e insaporita con un pizzico di cannella. Si serve accompagnata a cubetti di pane leggermente fritti nel burro.

Toponimi

Ahrntal/Valle Aurina

Aue/Avio (Tn)

Bergisel/Monte Isel

Bozen/Bolzano

Brenner/Brennero (passo del – Comune)

Brixen/Bressanone

Bruneck/Brunico

Castelfeder è una collina che sorge tra i comuni di Ora, Egna e Montagna in provincia di Bolzano. Dà il nome ai ruderi di fortificazioni risalenti a epoche diverse presenti sulla collina.

Dolomiten/Dolomiti

Eisacktal/Val d'Isarco

Entiklar/Niclara
Etsch/Adige
Etschtal/Valle dell'Adige
Fennberg/Favogna
Fleimstal/Val di Fiemme
Glen/Gleno
Glockenkarkopf/Vetta d'Italia
Halla/Ala (Tn)
Innichen/San Candido
Innsbruck (solo tedesco)
Kalditsch/Doladizza
Kärnten/Carinzia
Kufstein (solo tedesco)
Kurtatsch/Cortaccia
Margreid/Magrè
Marling/Marlengo
Meran/Merano
Montan/Montagna
Moor In Tirol/Mori
Neumarkt/Egna
Nonsberg/Val di Non
Passeiertal/Val Passiria
Passer/Passirio (fiume)
Pustertal/Val Pusteria
Ritten/Altopiano del Renon
Salurn/Salorno

St. Michael an der Etsch/San Michele all'Adige (Tn)
Signat/Signato
Sterzing/Vipiteno
Südtirol/Sudtirolo
Talver/Talvera (torrente)
Überetsch-Unterland/Oltradige-Bassa Atesina
Vinschgau/Val Venosta
Vorarlberg (è il più occidentale degli Stati federati dell'Austria)

Ringraziamenti

Questi ringraziamenti sono i più lunghi che io abbia mai scritto. Ma non mi era mai capitato di intraprendere una ricerca che coinvolgesse così tante persone, e così tanta memoria e passioni. Sarò quindi minuziosa fino alla noia.

C'è un motivo se in ogni libro il primo ringraziamento va a mio marito, Jacques Charmelot: il suo eroismo al servizio della causa non conosce confini. Quest'anno, infatti, abbiamo fatto insieme una sola, lunga vacanza. Nel Sudtirolo di inizio Novecento. Non è stata proprio una crociera di tutto riposo, e dall'inizio alla fine Jacques non si è mosso dal mio fianco. Grazie, «Jakob».

Devo ringraziare molto anche la mia famiglia, prima di tutto mia madre Herlinde. Senza il suo aiuto nel ritrovare parenti, dissotterrare ricordi, indagare misteri del passato, e senza il suo appoggio costante al progetto non ce l'avrei mai fatta. Un grazie davvero affettuoso a mia sorella Micki per l'indispensabile e partecipe collaborazione, e a mio fratello Winfried per aver condiviso i suoi ricordi. Una menzione d'onore va a Gerlinde Rizzolli e Graziella Rizzolli, e Hansjörg Rizzolli che nel frattempo purtroppo ci ha lasciato, per avermi aperto le porte della grande casa di Pinzon e aver condiviso con me un tesoro di documenti, lettere, fotografie. Gerlinde ha anche sopportato l'invasione della troupe per un'intera giornata di servizio fotografico, per regalarci l'immagine che compare sul retro della copertina. Davvero il sangue non è acqua. Come hanno dimostrato anche i molti altri membri della famiglia che mi hanno sostenuto, con entusiasmo e generosità, nella mia ricerca: innanzitutto i miei zii Hubert, Norbert e Heinrich Deutsch, e poi Herbert e Hilde Tiefenbrunner, le loro figlie Margaret e Christine che mi hanno accolto al castello di Entiklar; la figlia di Berta, Sigrid Hammerle; il figlio di Hella, Günther Brenner; le figlie di Mariedl, Waltraud e Rosemarie Gruber-Wenzer.

Un libro su cui si lavora per due anni richiede un editore paziente, e tengo a ringraziare la Rizzoli che ha dimostrato grande disponibilità. In particolare Paolo Zaninoni, e l'infaticabile Michela Gallio, molto più di un'editor dal passo alpino. Ma anche tutti i collaboratori di una squadra redazionale splendidamente incurante di orari, domeniche, vacanze. Le due colonne della mia ricerca storica e archivistica, Francesco Casolo e Davide F. Jabès, i due pilastri della traduzione, Chicca Galli e Francesco Peri, e l'architrave del coordinamento redazionale, Silvia Rossetti. E poi il nostro esperto storico-ferroviario Silvio Gallio, la lettrice dal corsivo tedesco Annette Hübner, i traduttori Chiara Voleno, Tiziana Sterza e Patrick Baumann, le eccellenti cure redazionali di Sara Grazioli e dello Studio Littera di Michela Cosili.

Un paragrafo a parte lo meritano gli storici, giornalisti e intellettuali sudtirolesi, tassello fondamentale del mio tentativo di raccontare la storia familiare senza recare offesa alla controversa Storia collettiva sullo sfondo. A Günther Pallaver va un applauso per la dedizione e l'amicizia, oltre che la rapidità, con cui ha letto tutto il libro e mi ha fornito indispensabili consigli e osservazioni. Ma devo anche ringraziare di cuore Leopold Steurer, Federico Steinhaus, Florian Kronbichler, Gerhard Mumelter, Germana Nitz e suo marito Hans Schmieder, e il direttore del «Dolomiten» Toni Ebner nonché l'indispensabile Paolo Pagliaro. Un ringraziamento un po' speciale al mio amico Franz Haas per l'impagabile consulenza enologica. Grazie alle persone che ho intervistato e a cui ho chiesto lumi sui diversi aspetti della storia: monsignor Josef Gelmi, l'ambasciatore italiano a Vienna Eugenio D'Auria, la scrittrice Sabine Gruber, la storica Alessandra Tarquini.

Sono stati preziosi i molti volenterosi negli archivi d'Italia, Austria, Germania. Grazie a tutti: il direttore Hannes Obermair dell'Archivio Storico della città di Bolzano e Andrea Di Michele dell'Archivio Provinciale, il direttore Harald Toniatti e Pietro Vezzani dell'Archivio di Stato di Bolzano, Carlo M. Fiorentino dell'Archivio Centrale dello Stato di Roma, Andrea Edoardo Visone e Stefania Ruggeri, dell'Archivio Storico del Ministero degli Affari Esteri, Niccolò Tognarini degli Archivi Storici dell'Unione Europea, Clemens Mayer Wolthausen del Zentrum für Antisemitismusforschung, Ivan Tognarini dell'Università di Siena, Margherita D'Egidio e Antonino di Bartolo per le ricerche fatte a Vienna.

Grazie anche a Cesare Cicardini, Gianluca Crivellin e Valentina Marzona che per realizzare il servizio fotografico hanno sfidato gli elementi, e a Giorgio Armani che ha messo a mia disposizione le creazioni sartoriali della casa, con la collaborazione di Stella Giannetti.

Ho sicuramente dimenticato qualcuno. Perché è un'intera provincia che dovrei ringraziare. Il Sudtirolo che, mentre lo percorrevo in lungo e in largo per questo lavoro, mi ha restituito legami e memorie.

Indice

Finito di stampare nel settembre 2014 presso
il Nuovo Istituto Italiano d'Arti Grafiche – Bergamo
Printed in Italy

ISBN 978-88-17-07670-8